改訂第2版

本日の内科外来

村川裕二 編集

Today's
Ambulatory
Internal
Medicine

南江堂

執筆者一覧

■ 編集

村川 裕二　　むらかわ　ゆうじ　　村川内科クリニック

■ 執筆（執筆順）

今井 利美	いまい　としみ	自治医科大学内科学講座腎臓内科学部門
田中 文隆	たなか　ふみたか	岩手医科大学内科学講座腎・高血圧内科分野
梅谷 薫	うめたに　かおる	向小金クリニック
菊池健太郎	きくち　けんたろう	帝京大学医学部附属溝口病院第四内科
樋口 敬和	ひぐち　たかかず	獨協医科大学埼玉医療センター輸血部
杉本 耕一	すぎもと　こういち	JR東京総合病院血液・腫瘍内科
半下石 明	はんがいし　あきら	国立国際医療研究センター血液内科
吉嵜 友之	よしざき　ともゆき	三宿病院内分泌代謝科
渡部ちづる	わたなべ　ちづる	中野島糖尿病クリニック
岩津 好隆	いわづ　よしたか	自治医科大学内科学講座腎臓内科学部門
大久保 実	おおくぼ　みのる	虎の門病院さいたま診療所
野牛 宏晃	やぎゅう　ひろあき	筑波大学附属病院水戸地域医療教育センター内分泌代謝・糖尿病内科
村山 友樹	むらやま　ゆうき	筑波大学内分泌・代謝・糖尿病内科
中野 信行	なかの　のぶゆき	宇都宮腎内科皮膚科クリニック
里中 弘志	さとなか　ひろし	自治医科大学内科学講座腎臓内科学部門
本田 宗宏	ほんだ　むねひろ	クリニック花畑
二宮 雄一	にのみや　ゆういち	鹿児島大学大学院医歯学総合研究科心臓血管・高血圧内科学
今村 春一	いまむら　しゅんいち	鹿児島県立大島病院循環器内科
白川 理香	しらかわ　りか	東京大学医学部眼科学教室
石地 尚興	いしじ　たかおき	すぎのこ皮ふ科クリニック
藤岡ひかり	ふじおか　ひかり	帝京大学医学部附属溝口病院第四内科
籾 博晃	もみ　ひろあき	鹿児島市立病院呼吸器内科
赤松 雅俊	あかまつ　まさとし	JR東京総合病院消化器内科
石本 晋一	いしもと　しんいち	JR東京総合病院耳鼻咽喉科
近藤 英生	こんどう　えいせい	川崎医科大学血液内科学

新津 彰良	にいつ あきよし		新津医院
大林 王司	おおばやし おうじ		練馬光が丘病院呼吸器内科
村川 裕二	むらかわ ゆうじ		村川内科クリニック
三谷 治夫	みたに はるお		虎の門病院循環器センター内科
平岡 友美	ひらおか ともみ		東邦大学医療センター大森病院消化器内科
吉田 英雄	よしだ ひでお		日本赤十字社医療センター消化器内科
美甘 任史	みかも たかし		帝京大学医学部附属溝口病院第四内科
高橋 克行	たかはし かつゆき		高橋胃腸科医院
椿松 昌彦	あべまつ まさひこ		前原総合医療病院整形外科
大矢 和宏	おおや かずひろ		公立学校共済組合関東中央病院泌尿器科
多田美紀子	ただ みきこ		横浜市立大学神経内科学・脳卒中医学
﨑山 快夫	さきやま よしお		自治医科大学附属さいたま医療センター脳神経内科
三宅 良平	みやけ りょうへい		みやけ内科・循環器科
西垂水和隆	にしたるみず かずたか		今村総合病院救急・総合内科
眞山 英徳	さなやま ひでのり		自治医科大学附属さいたま医療センター脳神経内科
西野 徳之	にしの のりゆき		総合南東北病院消化器センター
戸田 信夫	とだ のぶお		三井記念病院消化器内科
市成浩太郎	いちなり こうたろう		隼人温泉病院内科
堤 聡	つつみ さとし		近森病院脳神経内科
中村 俊介	なかむら しゅんすけ		鹿児島大学大学院医歯学総合研究科整形外科学
渡邉 大輔	わたなべ だいすけ		愛知医科大学皮膚科学講座
冨永 博之	とみなが ひろゆき		鹿児島大学大学院医歯学総合研究科整形外科学
山岸 登	やまぎし のぼる		山岸クリニック
白野 倫徳	しらの みちのり		大阪市立総合医療センター感染症内科
吉田 智彦	よしだ ともひこ		世田谷リウマチ膠原病クリニック
岸田 直樹	きしだ なおき		感染症コンサルタント
中村 造	なかむら いたる		東京医科大学病院感染制御部・感染症科
渡辺 珠美	わたなべ たまみ		自治医科大学附属さいたま医療センター総合診療科

牛尾　宗貴	うしお　むねたか	東邦大学医療センター佐倉病院耳鼻咽喉科
皿谷　健	さらや　たけし	杏林大学呼吸器内科
木村　宗芳	きむら　むねよし	虎の門病院臨床感染症科
大沼　仁	おおぬま　ひとし	新山手病院呼吸器内科
羽山ブライアン	はやま　ぶらいあん	がん研有明病院感染症科
門脇　太郎	かどわき　たろう	門脇医院
佐川　俊世	さがわ　としお	帝京大学医学部総合診療科
槙田　紀子	まきた　のりこ	東京大学医学部腎臓・内分泌内科
尾崎　勝俊	おざき　かつとし	日本医科大学多摩永山病院血液内科
平田まりの	ひらた　まりの	自治医科大学附属さいたま医療センター総合診療科
岡崎　弘典	おかざき　ひろのり	おかざき歯科クリニック
山本　里江	やまもと　りえ	国立がん研究センターがん対策研究所がん医療支援部

序文

診察室で＜こころぼそい思い＞をしたことはありませんか．
どんな医師も苦手な分野があります．
この本は＜**内科外来を担当する先生**＞に＜**現場で役に立つ診療のヒント**＞
をお届けするために作りました．

使い方のイメージは……

- 時間があるときに，パラパラッと眺めてください．
  何が・どこに・どの程度の詳しさで書かれているか分かります．
  深く読み込まなくてもかまいません．

- 診察室で困ったとき，関連するページを開いて「何を考えるか」，「何を検査するか」を調べてください．

今でもたくさん＜診療の手助けになる本＞は出版されています．
これまでの本には「もりだくさんで，もれのない情報」が載っています．
一方，本書には「とりあえずの情報」だけ書いてあります．

ねらったのは……

知りたいことにすぐたどり着けることです．

　はじめて内科外来を担当する若いかた
　専門外の疾患も診るベテラン

どんな年代の先生にも，「あってよかった」と思っていただける本になっています．

最後に…

忙しい中にもかかわらず，ご協力いただいた執筆者の先生方に感謝．

2023年4月

編　者

目次

検査値の異常

1. 尿蛋白≧150 mg/日　蛋白尿 ―― 今井　利美　2
2. 腎炎とネフローゼ症候群 ―― 今井　利美　6
3. 血清尿酸値＞7.0 mg/dL　高尿酸血症と痛風 ―― 田中　文隆　10
4. ペプシノゲン検査　胃がんのリスクマーカー ―― 梅谷　薫　15
5. AST，ALT，γ-GTPの上昇　パターンで見分ける ―― 菊池健太郎　18
6. 血小板数≧45万/μL　血小板の増多 ―― 樋口　敬和　20
7. 血小板数≦15万/μL　血小板の減少 ―― 樋口　敬和　23
8. 汎血球減少症　白血球，赤血球，血小板すべてが減少 ―― 杉本　耕一　27
9. 貧血　鉄欠乏性貧血，消化管出血，造血器腫瘍 ―― 半下石　明　31
10. HbA1c 6.5〜7.0%　糖尿病 ―― 吉嵜　友之　36
11. HbA1c 10%　進行した糖尿病 ―― 渡部ちづる　41
12. 収縮期血圧140〜160 mmHg　軽症から中等度の高血圧 ―― 岩津　好隆　46
13. 収縮期血圧180〜220 mmHg　重症高血圧 ―― 岩津　好隆　51
14. 脂質異常症　家族性に要注意 ―― 大久保　実　55
15. 二次性の高コレステロール血症　糖尿病かメタボかをチェック ―― 野牛　宏晃　60
16. 低LDLコレステロール血症　基本的に治療は不要!? ―― 村山　友樹　64
17. 低アルブミン血症　隠れた原因を突き止める ―― 中野　信行　68
18. 血清ナトリウム≦136 mEq/L　低ナトリウム異常（低ナトリウム血症） ―― 里中　弘志　71
19. 血清カリウム≦3.5 mEq/L　低カリウム血症 ―― 本田　宗宏　75
20. 血清カリウム≧5.0 mEq/L　高カリウム血症 ―― 本田　宗宏　79
21. 血清カルシウム≧10.4 mg/dL　高カルシウム血症 ―― 里中　弘志　83
22. 血清カルシウム≦8.0 mg/dL　低カルシウム血症 ―― 里中　弘志　85
23. 血清リン≧5.0 mg/dL　高リン血症 ―― 里中　弘志　87
24. 血清リン＜2.5 mg/dL　低リン血症 ―― 里中　弘志　89
25. 心房細動　抗凝固療法の適応を判断 ―― 二宮　雄一　91

| 26 | 胸部X線における心胸郭比増大　呼吸困難を伴う？ | 今村　春一 | 94 |

● 頻度の高い自他覚徴候

27	めまい　末梢性めまい，脳出血，脳梗塞	二宮　雄一	98
28	失神（時間が短い）		
	心原性失神，神経調節性失神，起立性低血圧	二宮　雄一	100
29	目が赤い　結膜下出血と結膜炎	白川　理香	104
30	口唇の皮疹，粘膜疹		
	口唇ヘルペス，口唇炎，口角炎，血管浮腫	石地　尚興	107
31	嗄声　声帯の障害？　神経の障害？	藤岡ひかり	110
32	血痰と喀血　出血を見きわめる	籾　　博晃	114
33	食べ物が飲み込みにくい　嚥下障害	赤松　雅俊	117
34	咽喉のかゆみ，つかえ感　アレルギー，咽喉頭がん，不安症	石本　晋一	120
35	舌苔，舌がん，舌痛症，ドライマウスなど口の訴え	石本　晋一	123
36	首の腫れ　頸部リンパ節腫大	近藤　英生	126
37	顔面の浮腫　むくみは顔だけ？	中野　信行	129
38	皮膚・粘膜が黄色い　黄疸	新津　彰良	132
39	発疹　蕁麻疹，アトピー性皮膚炎	石地　尚興	135
40	労作時の息切れ　心不全，喘息など	二宮　雄一	138
41	喫煙者の息切れ　COPD，肺気腫	大林　王司	142
42	喘息の初期治療　コントローラーとレリーバー	籾　　博晃	149
43	脈が飛ぶ　期外収縮・結滞，脈の不整	村川　裕二	152
44	脈が速い　洞頻脈	二宮　雄一	155
45	頻拍と動悸　発作性上室頻拍，心房細動など	三谷　治夫	158
46	みぞおちの痛み（心窩部痛），胃もたれ		
	機能性ディスペプシア	平岡　友美	161
47	腹部大動脈瘤，腹壁の静脈瘤	吉田　英雄	164
48	肥満　健康障害をチェック	大久保　実	168
49	体重減少　消化器疾患，内分泌疾患，精神疾患	美甘　任史	171
50	繰り返す下痢　過敏性腸症候群	平岡　友美	174
51	便秘　習慣性便秘の処方の考え方	高橋　克行	177

52	下痢，嘔吐，腹痛　腸炎	平岡　友美	182
53	しびれ　脊柱管狭窄症，末梢神経障害，脳障害	楨松　昌彦	185
54	頻尿　膀胱炎，前立腺炎，過活動膀胱など	大矢　和宏	188
55	排尿困難と尿閉		
	前立腺肥大症，前立腺がん，神経因性膀胱など	大矢　和宏	192
56	ふらつきと転倒　脳梗塞，脳出血，パーキンソン病	多田美紀子	196
57	手の震え，歩行障害，動作緩慢，ふらつき		
	パーキンソン症候群	﨑山　快夫	200
58	下肢の浮腫　片足だけか，両足か	二宮　雄一	204
59	こむら返り　下肢の筋肉の緊張・激しい痛み	三宅　良平	207

● 痛　み

60	脳血管障害による頭痛　突発・最悪・増悪がポイント	西垂水和隆	210
61	眼による頭痛　緑内障発作	西垂水和隆	213
62	感染による頭痛　髄膜炎，副鼻腔炎	西垂水和隆	215
63	慢性頭痛　片頭痛，群発頭痛，緊張性頭痛	眞山　英徳	218
64	胃痛　消化性潰瘍，急性胃炎	平岡　友美	222
65	ピロリ菌の検査と治療	平岡　友美	225
66	側腹部痛　胆嚢炎，憩室炎など	西野　徳之	228
67	上腹部の急性腹痛発作と圧痛　膵炎	戸田　信夫	234
68	右下腹部痛　虫垂炎を疑うとき	高橋　克行	238
69	胸部の痛み　肋間神経痛，気胸，胸膜炎，心膜炎，帯状疱疹，		
	前胸部キャッチ症候群など	市成浩太郎	243
70	最近発症の心筋梗塞　recent MI	今村　春一	246
71	安静時の狭心症　異型狭心症	今村　春一	250
72	中高年の体の痛み　リウマチ性多発筋痛症	堤　　聡	254
73	膝の痛み　痛風，偽痛風，化膿性関節炎	中村　俊介	258
74	歩くと足が痛い　閉塞性動脈硬化症，間欠性跛行，下肢痛	村川　裕二	261
75	片側の刺すような痛み　帯状疱疹	渡邉　大輔	264
76	腰や背中が痛む・曲がる　骨粗鬆症	冨永　博之	267
77	ビタミン欠乏症　かなり危険なビタミンB_1欠乏	山岸　登	272

78	肝機能異常やリンパ節腫大を伴う発熱　伝染性単核球症など	白野　倫徳	275
79	関節痛と発熱　関節リウマチ，膠原病	吉田　智彦	279
80	皮疹と関節痛　全身性エリテマトーデスと関連疾患	吉田　智彦	284
81	頻尿，排尿時痛，残尿感　膀胱炎，腎盂腎炎	岸田　直樹	290

スッキリしない…

82	遷延する発熱　発熱以外の情報をチェック	中村　造	296
83	倦怠感，ふらつき　身体疾患か精神疾患かその他か	渡辺　珠美	300
84	のどの違和感　咽喉頭異常感症	牛尾　宗貴	303
85	遷延する咳嗽　感冒症状が先行する	皿谷　健	307

感　染

86	インフルエンザ　冬から春先の咳・発熱	木村　宗芳	312
87	マイコプラズマ感染　非定型肺炎のスコアリングを活用	皿谷　健	316
88	市中肺炎の診断　外来or入院をスクリーニング	大沼　仁	320
89	咳・痰と胸部X線異常　結核	大沼　仁	325
90	ノロウイルス　鑑別疾患に注意	羽山ブライアン	329
91	足の感染　蜂窩織炎	中村　造	332

専門医に送ることを念頭に

92	ものわすれ　認知症	門脇　太郎	338
93	食後のめまいとふらつき　食後低血圧	佐川　俊世	342
94	肺異常陰影　サルコイドーシスなど	籾　博晃	345
95	甲状腺機能亢進症　バセドウ病	槙田　紀子	348
96	甲状腺機能低下症　慢性甲状腺炎(橋本病)	槙田　紀子	351
97	肺がんの診断　胸部X線で異常陰影を見逃さない	籾　博晃	354
98	骨髄異形成症候群　血球減少(WBC, Hb, PLT)に注意	尾崎　勝俊	357

処方と検査の希望

| 99 | 咽頭炎と感冒薬　急性ウイルス感染症，細菌感染症 | 平田まりの | 362 |
| 100 | 口内炎　丸くて白いアフタ | 岡崎　弘典 | 366 |

101	花粉症　アレルギー性鼻炎，モーニングアタック	村川　裕二	369
102	咽頭炎や腰痛に用いる鎮痛薬の使い方　NSAIDsなど	山本　里江	371
103	慢性疼痛治療薬の使い方	山本　里江	374
104	肝炎ウイルスと梅毒のデータの見方	菊池健太郎	377

索　引 ……………………………………………………………… 379

> **謹告**　著者ならびに出版社は，本書に記載されている内容について最新かつ正確であるよう最善の努力をしております．しかし，薬の情報および治療法などは医学の進歩や新しい知見により変わる場合があります．薬の使用や治療に際しては，読者ご自身で十分に注意を払われることを要望いたします．
>
> 　　　　　　　　　　　　　　　　　　　　　　　株式会社　南江堂

検査値の異常

尿検査

1. 尿蛋白≧150 mg/日　蛋白尿…p2
2. 腎炎とネフローゼ症候群…p6
3. 血清尿酸値＞7.0 mg/dL
   高尿酸血症と痛風…p10

ペプシノゲン検査

4. ペプシノゲン検査
   胃がんのリスクマーカー…p15

血圧

12. 収縮期血圧140～160 mmHg
    軽症から中等度の高血圧…p46
13. 収縮期血圧180～220 mmHg
    重症高血圧…p51

心電図

25. 心房細動
    抗凝固療法の適応を判断…p91

胸部X線検査

26. 胸部X線における心胸郭比増大
    呼吸困難を伴う？…p94

19. 血清カリウム≦3.5 mEq/L
    低カリウム血症…p75
20. 血清カリウム≧5.0 mEq/L
    高カリウム血症…p79
21. 血清カルシウム≧10.4 mg/dL
    高カルシウム血症…p83

血液検査

5. AST，ALT，γ-GTPの上昇
   パターンで見分ける…p18
6. 血小板数≧45万/μL
   血小板の増多…p20
7. 血小板数≦15万/μL
   血小板の減少…p23
8. 汎血球減少症
   白血球，赤血球，血小板すべてが減少…p27
9. 貧血
   鉄欠乏性貧血，消化管出血，造血器腫瘍…p31
10. HbA1c 6.5～7.0%　糖尿病…p36
11. HbA1c 10%　進行した糖尿病…p41
14. 脂質異常症　家族性に要注意…p55
15. 二次性の高コレステロール血症
    糖尿病かメタボをチェック…p60
16. 低LDLコレステロール血症
    基本的に治療は不要！？…p64
17. 低アルブミン血症
    隠れた原因を突き止める…p68
18. 血清ナトリウム≦136 mEq/L
    低ナトリウム異常（低ナトリウム血症）…p71
22. 血清カルシウム≦8.0 mg/dL
    低カルシウム血症…p85
23. 血清リン≧5.0 mg/dL
    高リン血症…p87
24. 血清リン＜2.5 mg/dL
    低リン血症…p89

1 尿蛋白 ≧ 150 mg/日

蛋白尿

基本の考え方

- □ 尿蛋白が1日150 mg以上持続的に排泄されている状態．蓄尿検査は困難なことが多いので，尿蛋白/尿クレアチニン比で代用する．
- □ 蛋白尿は，腎機能低下，末期腎不全のリスク因子だけでなく，心筋梗塞などの心血管疾患のリスク因子でもあり，蛋白尿の程度と死亡率は相関する．
- □ 治療として，高血圧合併例なら，レニン-アンジオテンシン系（RAS）阻害薬を検討する．脂質異常症合併例なら，スタチン系薬が蛋白尿を減少させる可能性がある．またジピリダモールも蛋白尿減少効果を有する．糖尿病合併例なら，血糖コントロールに努める．

診察室で

聞く

- ■ 健診は受けているか？　既往歴はあるか？
  - → 蛋白尿の原因となる既往歴（糖尿病，高血圧症など）の有無の確認．
- ■ 蛋白尿を指摘されたのはいつからか？
  - → 慢性腎臓病の有無の確認．
- ■ **激しい運動**を習慣的にしているか？
  - → 一過性蛋白尿を示唆する生活習慣があるか．
- ■ 蛋白を過剰に摂取しているか？
  - → **蛋白過剰摂取**は蛋白尿の原因になる．

診る

- ■ 視診・触診：四肢などに浮腫があるか？
- ■ 検温：発熱があるか？

- 体重測定：肥満があるか？
- 血圧測定：高血圧があるか？

検査する

まずはここから

- **尿検査を再検**
  - → 陰性の場合：一過性蛋白尿と診断．陰性でも腎機能が低下していることがあるので，血液検査を行う．血清クレアチニン値，推算糸球体濾過量（eGFR）を検索し，腎機能低下の有無を確認．肝炎や糖尿病による蛋白尿かもしれないので，肝機能関連項目，ヘモグロビンA1c（HbA1c），グルコース，脂質関連項目をスクリーニングする．
  - → 陽性の場合：次の外来で早朝第一尿をチェック（運動や立位といった生理的蛋白尿を除外するため）．陰性なら起立性蛋白尿と診断する．
  - → 以上が除外された場合：持続性蛋白尿と診断する．
  - → 尿蛋白定量のみならず，尿クレアチニン値を測定し，尿蛋白/尿クレアチニン比を評価する．**尿蛋白/尿クレアチニン比≧0.5 g/gCr**，または血尿を伴っていれば腎臓専門医へ紹介する．
  - → 血尿を伴っているなら，尿中赤血球形態を評価し，糸球体性の血尿かどうかを知る．赤血球円柱や顆粒円柱を認めれば糸球体性血尿が考えやすい．非糸球体性なら，泌尿器科受診を検討する．

次のステップ

- **腹部エコーやCT**
  - → 腎臓は萎縮もしくは腫大しているか，泌尿器科疾患による腎後性腎障害がないかを評価．

症　例

症例1　尿蛋白2＋で紹介①

- 43歳，男性．
- 浮腫はない．
- 高血圧の既往があるが，蛋白尿は高血圧症と診断される前から指摘されている．
- 肥満1度，睡眠時無呼吸症候群がある．

- 喫煙歴あり．
- アンジオテンシンⅡ受容体拮抗薬（ARB），カルシウム拮抗薬を内服している．

> ここで専門医に紹介

- 腎生検では動脈硬化性変化のみ．
- 生活指導（適度な運動，食事指導，禁煙指導），RAS阻害薬を併用した降圧管理．
- 持続陽圧呼吸（CPAP）による睡眠時無呼吸症候群の加療．

症例2　尿蛋白2＋で紹介②

- 73歳，女性．
- 浮腫はない．
- 来院時の随時尿で陰性．早朝第一尿も陰性．
- 頸椎前弯・腰椎後弯が強い．
- 画像検査では明らかな泌尿器科疾患なし．
- eGFR 62.5 mL/分/1.73 m^2
  → 一過性蛋白尿と診断．

症例3　尿蛋白2＋で紹介③

- 41歳，女性．
- 浮腫なし．画像検査で泌尿器科疾患なし．
- 内服薬はなし．
- eGFR 63.9 mL/分/1.73 m^2

> ここで専門医に紹介

- 腎生検にて巣状分節性糸球体硬化症と診断．

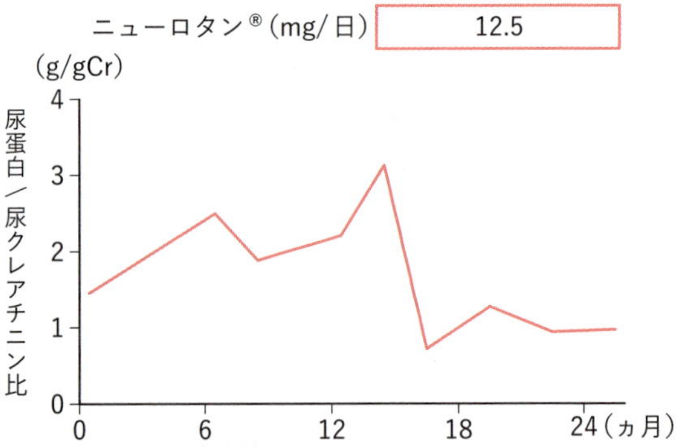

図1　症例3の臨床経過

- ARB（ニューロタン®）を開始し，尿蛋白/尿クレアチニン比は3.2 g/gCrから0.9 g/gCrへ改善した（**図1**）．血清クレアチニン値の悪化はない．

■ 処方例
- 各種RAS阻害薬は蛋白尿を漸減させることが報告されている.
- 血圧が130/80 mmHg台であれば，**ニューロタン**®錠(25 mg)1錠，分1で経過をみて適宜増減する．本例は25 mg，0.5錠，分1と少量でも上記のように蛋白尿が漸減し，自宅での収縮期血圧は110 mmHg台で推移している.

症例4　尿蛋白3+で紹介

- 23歳，女性.
- 浮腫なし.
- 高血圧なし.
- 母親および母方祖父が血液透析を受けている.
- 内服薬はなし.
- ネフローゼ症候群ではない.

▶ ここで専門医に紹介

- 腎生検にて巣状分節性糸球体硬化症と診断.
- ジピリダモール(ペルサンチン®)の内服を開始し，尿蛋白/尿クレアチニ比は改善傾向である(**図2**).

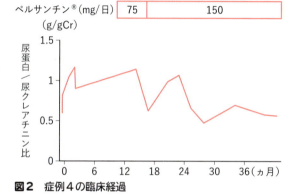

図2　症例4の臨床経過

■ 処方例
- ペルサンチン®は蛋白尿減少効果が報告されている．頭痛や動悸といった副作用をもたらすことがあり，少量から開始する.
- **ペルサンチン**®錠(25 mg)3錠，分3から開始し，数週から数ヵ月経過をみる．忍容性があることを確認し，ペルサンチン®(150 mg)2錠，分2に増量する．本例では150 mg，1錠，分1で加療しているが，300 mg/日まで増量することが多い.

2 腎炎とネフローゼ症候群

基本の考え方

- 臨床経過が急性または慢性か把握する（過去に血尿，尿蛋白の指摘があるか）．健診結果は参考になる．急性発症ならば，先行感染症があるかを尋ねる．
- 二次性に腎炎やネフローゼ症候群をきたすことがある．糖尿病，肝炎や肝硬変，膠原病などの慢性炎症性疾患，多発性骨髄腫などの既往を確認する．ヒト免疫不全ウイルス（HIV）や梅毒トレポネーマによる感染症も原因となる．
- 血尿，蛋白尿，慢性腎臓病の家族歴を確認する．
- 血尿が糸球体性か非糸球体性かを評価する．非糸球体性ならば尿路系悪性腫瘍を忘れない．肉眼的血尿ならば泌尿器科に相談する．
- ネフローゼ症候群を疑ったら，尿蛋白/尿クレアチニン比，血清アルブミン値を調べる（表1）．尿定性検査，尿沈査，血清LDLコレステロール値も調べ，ネフローゼ症候群を示唆する結果かどうかを評価する．
- ネフローゼ症候群は，**若年者では微小変化型ネフローゼ症候群**が多く，**高齢者では膜性腎症**が多い．
- 腎炎，ネフローゼ症候群を疑ったら，腎臓専門医への紹介を検討する．

診察室で

聞く

- **以前から血尿や蛋白尿を指摘されているか？**
  → IgA腎症や非ネフローゼ症候群の臨床経過を呈する膜性腎症を中心に鑑別する．
- **先行感染症はあるか？**
  → 溶連菌やパルボウイルスB19に感染すると腎炎を生じることがある．

表1　成人ネフローゼ症候群の診断基準

1. 蛋白尿：3.5 g/日以上が持続する
（随時尿において尿蛋白・クレアチニン比が3.5 g/gCr以上の場合もこれに準ずる）
2. 低アルブミン血症：血清アルブミン値3.0 g/dL以下．血清総蛋白量6.0 g/dL以下も参考になる
3. 浮腫
4. 脂質異常症（高LDLコレステロール血症）

注1）上記の尿蛋白量，低アルブミン血症（低蛋白血症）の両所見を認めることが本症候群の診断の必須条件である．
注2）浮腫は本症候群の必須条件ではないが，重要な所見である．
注3）脂質異常症は本症候群の必須条件ではない．
注4）卵円形脂肪体は本症候群の診断の参考となる．
［厚生労働科学研究費補助金難治性疾患等政策研究事業（難治性疾患政策研究事業）難治性腎障害に関する調査研究班（編）：エビデンスに基づくネフローゼ症候群診療ガイドライン2020，東京医学社，p1，2020より許諾を得て転載］

■ **家族歴があるか？**
→ 遺伝性にIgA腎症，微小変化型ネフローゼ症候群などを発症することもある．

診 る

■ **視診・触診：四肢などに浮腫があるか？　下腿に紫斑があるか？**
→ ネフローゼ症候群や紫斑病性腎炎などを鑑別に挙げる．
■ **検温：発熱があるか？**
→ 感染徴候があれば感染性糸球体腎炎を鑑別に挙げる．
■ **体重測定**
①肥満があるか？　→ 肥満関連腎症を鑑別に挙げる．
②平時と比べて体重が増えているか，減っているか？
→ ネフローゼ症候群では体重が増加していることが多い．顕微鏡的多発血管炎では，体重が減少していることが多い．
■ **血圧測定：高血圧があるか？**
■ **咽頭・扁桃所見：疼痛，発赤，扁桃腫大，膿栓・白苔付着があるか？**
→ 溶連菌感染後急性糸球体腎炎やIgA腎症を鑑別に挙げる．

検査する

まずはここから

- **尿検査・血液検査**
  - → 蛋白尿主体か，血尿が目立つか，ネフローゼ症候群と診断できるかを評価する．
  - → 腎機能が低下しているのかを知る．
- 以下のいずれかがあれば腎臓専門医への紹介を検討する．
  ① 尿蛋白0.50 g/gCr以上または検尿試験紙で尿蛋白2＋以上
  ② 蛋白尿と血尿がともに陽性（1＋以上）
  ③ 40歳未満：糸球体濾過量（GFR）60 mL/分/1.73 m² 未満
  　 40歳以上70歳未満：GFR 50 mL/分/1.73 m² 未満
  　 70歳以上：GFR 40 mL/分/1.73 m² 未満

次のステップ

- 余裕があれば以下の画像検査を行った後に，腎臓専門医に紹介する．
- **腹部エコーやCT**
  ① 腎臓の腫大もしくは萎縮，大きさの左右差はどうか？
  - → 腫大していれば腎炎の急性発症，萎縮しているならば慢性腎臓病の可能性がある．左右差があれば，腫大側の腎臓に負荷がかかり（糸球体過剰濾過），蛋白尿の一因かもしれない．
  ② 胸水や腹水があるか？　→ 体液貯留の程度を知る．
  ③ 感染症や悪性腫瘍を示唆する病変があるか？
  - → 二次性の腎炎やネフローゼ症候群を疑う契機になる．

症 例

症例1　急性発症ネフローゼ症候群

- 63歳，女性．
- 検尿異常は指摘されたことがなかった．5日前に下肢浮腫が出現したため受診．
- 血清総蛋白値5.2 g/dL，血清アルブミン値2.4 g/dL，尿蛋白/尿クレアチニン比17.7 g/gCr，尿沈査赤血球数＞100/HPF（high power field）の顕微鏡的血尿を認めた．

> ここで専門医に紹介

- 腎生検にて巣状分節性糸球体硬化症と診断．
- プレドニゾロン（プレドニゾロン®）内服にて一時寛解したが，ステロイド減量とともに尿蛋白が増悪し，免疫抑制薬（カルシニューリン阻害薬）を併用している．

症例2 健診で尿蛋白2＋を指摘

- 58歳，男性．
- 関節リウマチのためアダリムマブ（ヒュミラ®）を定期的に投与されている．
- 尿蛋白/尿クレアチニン比1.2 g/gCr，血清アルブミン値4.2 g/dLであり，ネフローゼ症候群ではない．

> ここで専門医に紹介

- 腎生検にて膜性腎症と診断．
- 腎保護効果を期待してアンジオテンシンⅡ受容体拮抗薬（ARB）で経過をみることとし，近医外来通院で経過観察中．

症例3 腎機能低下や検尿異常を指摘されたことがない例

- 61歳，男性．
- 肺炎，腎機能低下［血清クレアチニン値（sCr）2.61 mg/dL］，蛋白尿，顕微鏡的血尿（尿沈査赤血球数＞100/HPF）のため入院した．抗菌療法にて肺炎は改善したが，腎機能および尿所見に改善は乏しかった．

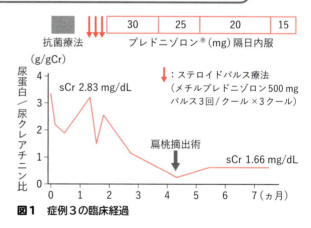

図1 症例3の臨床経過

> ここで専門医に紹介

- 腎生検にてIgA腎症と診断した．
- sCr 2 mg/dL以上であったが扁桃摘出術，ステロイドパルス療法，プレドニゾロン®隔日内服にて加療．徐々にsCrは低下し，尿検査所見は改善した（**図1**）．プレドニゾロン®を漸減している．

3 血清尿酸値＞7.0 mg/dL

高尿酸血症と痛風

基本の考え方

- 血清中で尿酸は7.0 mg/dL程度で飽和状態に達し，結晶化した尿酸塩を多核白血球が貪食することで激しい炎症が起こる（痛風）．
- 痛風発作があった人では，血清尿酸値を6.0 mg/dL以下に保つことで痛風発作が著しく低下する．
- 痛風発作の治療には，コルヒチン，非ステロイド抗炎症薬（NSAIDs）およびステロイドが用いられる．
- 未治療痛風症例の高尿酸血症に対する尿酸降下薬開始は，痛風発作軽快2週間後に少量から開始する．急激な血清尿酸値の低下は発作の誘因になる．尿酸降下薬は血清尿酸値をみながら徐々に増量．
- 痛風はないものの，血清尿酸値が7.0 mg/dLを超えるものは高尿酸血症である．尿酸値が高値になるに従い，痛風関節炎・痛風結節の発症やメタボリックシンドロームの罹患頻度は増加する．さらに高尿酸血症は，将来の慢性腎臓病や高血圧，心血管疾患の発症ならびに総死亡にも関連する．

診察室で

聞 く

- 現在服用中の薬剤は？
  → 利尿薬，（少量の）サリチル酸製剤，シクロスポリンやミゾリビンなどの免疫抑制薬，テオフィリンなどは尿酸値を上げる可能性がある．
- 痛風関節炎の既往があるか（図1）？
- 尿路結石を含む腎障害や心血管リスク因子を有するか（図1）？
- 肥満，高プリン食や飲酒などの食習慣があるか？
  → 高尿酸血症・痛風の要因となる．

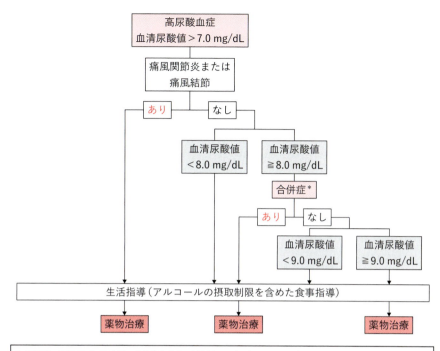

図1　高尿酸血症の治療指針
[日本痛風・核酸代謝学会ガイドライン改訂委員会（編）：高尿酸血症・痛風の治療ガイドライン（第3版），診断と治療社，p5，2018より許諾を得て転載]

診　る

- 発赤，腫脹，激しい疼痛を伴った単関節炎か？（痛風関節炎）
- 片側の第一中足趾節関節または足関節の病変か？（痛風関節炎）
- 痛風結節があるか？
  → 手指，足趾，肘，耳介などに好発する．

検査する

- **血清尿酸値**
  → ただし，痛風発作中の血清尿酸値は低値を示すことがあり，診断的価値は高くない．

- ■ 尿酸クリアランス
  - → 病型分離に基づいた薬剤の選択を可能にする．随時尿を用いる簡易法により，尿酸/尿クレアチニン値：≧0.5（腎負荷型），：＜0.5（尿酸排泄低下型）に分類される．
- ■ 関節エコー（痛風関節炎）
  - → 関節軟骨表面の尿酸-ナトリウム結晶沈着の検出は，疾患特異性が比較的高いとされる．
- ■ 腹部エコー
  - → 尿路結石を無侵襲で簡便に検出できる．尿酸排泄促進薬は，尿路結石合併例には原則使用しない（症例2参照）．

対処する（発作時）

- ■ NSAIDs
  - → 一般的には，痛風発作に最初に用いられる．
  - → 初期に短期間に限り比較的大量を投与して炎症を鎮静化させる**NSAIDsパルス療法**が有効．痛風発作が軽快すれば，NSAIDsは速やかに中止する．
- ■ コルヒチン
  - → 高用量により下痢，悪心などの胃腸障害が懸念されるため，低用量で投与する．

― 処方例

発作出現12時間以内に**コルヒチン**錠（0.5 mg）2錠，その1時間後に1錠を投与する．翌日以降も疼痛が残存する場合，1〜2錠/日を投与し，疼痛が改善次第，速やかに中止する．

- ■ ステロイド
  - → 腎機能低下例などNSAIDsが使いにくい症例に投与する．

― 処方例

- **プレドニン**®錠（5 mg）4〜6錠/日，3〜5日間程度

糖尿病や緑内障，感染症などの併存に注意．

管理する（鎮静後）

■ **食事療法**
→ 肥満・過体重解消のためのカロリー摂取制限と節酒を指導する．
→ 乳製品やコーヒーの摂取量が多い例は痛風のリスクが低い．
→ プリン体の1日の摂取量400 mg程度を目安とする．

■ **運動療法**
→ 過度な運動や無酸素運動は避けて，速歩，ジョギングなどの有酸素運動の継続が好ましい．高強度の運動は高尿酸血症や痛風のリスクとなる．

■ **薬物療法**
→ **血清尿酸値を6.0 mg/dL以下**に保てるよう，尿酸降下薬を継続的に服用する．
→ 痛風発作の前徴があるときには，コルヒチン錠（0.5 mg）1錠で予防できることがある．
→ 仮に痛風発作が再発しても尿酸降下薬の投与量は変更しない（尿酸降下薬の投与量変更により関節炎が遷延する危険があるため）．

症 例

症例1　痛風発作を自覚し来院

■ 52歳，男性．
■ 飲酒した翌日の早朝からの左拇趾の激痛を主訴に来院．
■ 同局所に発赤・腫大を伴った関節炎が認められ，痛風発作と診断された．
■ まず患部を安静に保ち冷却した．

■ **処方例**
・消化性潰瘍や腎障害の合併がないことを確認後，初日に**ナプロキセン**［ナイキサン®錠（100 mg）］3錠を3時間ごとに3回，翌日から疼痛の程度に応じ4〜6錠/日の服用を指示した．
・急性痛風関節炎に保険適用のある薬剤は限られており，ほかにプラノプロフェン，インドメタシン，オキサプロジンがある（ただし，抗凝固薬との併用による出血リスクに留意）．
・高用量のアセチルサリチル酸は尿酸排泄促進作用から血清尿酸値を低

下させるため，痛風発作時には用いない．

症例2　無症候性高尿酸血症

- 68歳，男性．
- 健康診断で血清尿酸値9.8 mg/dLを指摘された．腹囲95 cm，血圧154/98 mmHg，HDLコレステロール34 mg/dL．これまで内科受診歴はなし．
- 高尿酸血症のため，過食，高プリン・高脂肪・高蛋白食嗜好，常習飲酒，運動不足などの生活習慣を是正．
- メタボリックシンドロームと高血圧の合併例で，血清尿酸値8.0 mg/dL以上のため薬物療法を行う．
  → 痛風関節炎を繰り返す症例や痛風結節を認める症例は**血清尿酸値7.0 mg/dL以上**で薬物療法導入を考慮する（**図1**）．
  → 中等度以上の腎障害例や尿路結石の既往ないし合併がある場合は尿酸生成抑制薬を選択する．ただし，アロプリノール（ザイロリック®）の使用量は腎機能の低下に応じて減じる必要がある．
  → 軽〜中等度の腎障害例にフェブキソスタットやトピロキソスタットは減量せず使用可能だが，重度の腎障害例については安全性が確立していないことから慎重に投与する．
  → 尿酸値降下が不十分な場合，尿酸生成抑制薬と尿酸排泄促進薬の併用も有用である．ただし，尿酸排泄促進薬であるベンズブロマロンやドチヌラドは重度の腎機能障害例（eGFR 30 mL/分/1.73 m^{2}未満）には投与しない．

4 ペプシノゲン検査

胃がんのリスクマーカー

基本の考え方

- 血清ペプシノゲン検査は，**胃がんのリスクマーカー**として用いられる．
- *Helicobacter pylori*（ピロリ菌）検査と組み合わせることで，簡便で効率的な胃がん検診（**ABC検診**）が実施できる．
- 内科外来では，「健康診断でペプシノゲン検査が陽性と言われた」，「ABC検診で『要精査』になった」といって受診するケースが多い．
- その場合，次に行うべきは，①未検なら**ピロリ菌**の検査，②**内視鏡検査あるいは胃X線検査**による画像診断である．

診察室で

聞く

- 「ピロリ菌」は陽性か？
- 内視鏡検査あるいは胃X線検査を受けているか？

検査する

まずはここから

- 「ペプシノゲン検査」と「ピロリ菌検査」を組み合わせた**胃がん検診（ABC検診）**が広く行われる（表1）．
  → これは，「①ピロリ菌などが慢性胃炎を引き起こす→ ②胃炎の持続により，胃粘膜の萎縮が進む→ ③萎縮した胃粘膜から分化型胃がんが生じる」という「発がんルート」が想定されているためである．

表1　胃がん検診（ABC検診）

群分類		A群	B群	C群	D群	E群（除菌群）
ABC法	ピロリ菌抗体価	−	＋	＋	−	胃がんリスク層別化の対象外
	ペプシノゲン値	−	−	＋	＋	
胃粘膜状態の予測		胃粘膜萎縮はない	胃粘膜萎縮は軽度	胃粘膜萎縮が進んでいる	胃粘膜萎縮が高度	長期経過で胃粘膜萎縮が改善傾向
胃がんの危険度		低 →			高	除菌で胃がん発生リスクが34％低下
1年間の胃がん発生頻度予測		ほぼゼロ	1,000人に1人	500人に1人	80人に1人	500人に1人
胃内視鏡検査		原則推奨せず	定期的胃内視鏡検診，および専門医受診を推奨			
ピロリ菌除菌		不要	他のピロリ菌検査陽性なら必要			除菌不成功時は必要

［日本胃がん予知・診断・治療研究機構：胃がんリスク層別化検診（ABC検診）とは．〈https://www.gastro-health-now.org/about.html〉（2022年10月閲覧）より作成］

→ 「ペプシノゲン検査」と「ピロリ菌検査」の組み合わせにより，
　A群：ピロリ菌が存在せず，萎縮性胃炎のない健常な胃
　B群：ピロリ菌が存在するが，萎縮は軽い状態
　C群：ピロリ菌による萎縮が進み，発がんリスクが高い状態
　D群：萎縮が進んでピロリ菌も住めなくなった状態
の4段階に分けられる．なお，除菌後の胃はE群として別に分類する．

■ A群は胃がんの発生がきわめて少ないため，頻回の精査は必要ない．B群以下は**除菌治療と定期的な内視鏡検査**が推奨される．

> **メモ　ペプシノゲン検査**
> - ペプシノゲンは胃の蛋白分解酵素ペプシンの不活性型前駆体．ヒトでは免疫学的に，ペプシノゲンⅠ（PGⅠ）とペプシノゲンⅡ（PGⅡ）に大別される．
> - 血清ペプシノゲン検査では，PGⅠの値とPGⅠ/Ⅱ比の組み合わせにより，陰性（−），陽性（＋），中等度陽性（2＋），強陽性（3＋）に分類される（**図1**）．
> - ペプシノゲン検査は本来，胃粘膜萎縮の指標．検査値と胃粘膜萎縮の程度とはよく相関する．

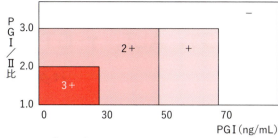

図1　ペプシノゲン検査結果判定
陽性(+)：PGI≦70 ng/mLかつPGI/Ⅱ比≦3.0
中等度陽性(2+)：PGI≦50 ng/mLかつPGI/Ⅱ比≦3.0
強陽性(3+)：PGI≦30 ng/mLかつPGI/Ⅱ比≦2.0
[厚生省がん研究助成金による「血清ペプシノゲン値による胃がんスクリーニングに関する研究」班(編)：ペプシノゲン法ハンドブック—21世紀の胃がん検診のために，メジカルビュー社，p22, 2001より引用]

> **ヒント** 結果判定には注意が必要！
> - ペプシノゲン検査，ABC検診はあくまで**リスク検診**であり，胃がんそのものをみているわけではない．胃がんの診断は**画像診断**が基本である．
> - 若い女性に多い未分化型胃がんは，この検診では見落とされる可能性が高い．
> - 除菌後にピロリ菌抗体価が低下して，A群と間違われる可能性もある．
> - 「拾い上げ検診」としては有用性が高い．**陽性ならば必ず画像診断を勧める．**内科外来では，「胃の精査のためのきっかけ」として使われることが多く，この検査を独自にオーダーする状況はほとんどない．

5 AST, ALT, γ-GTPの上昇
パターンで見分ける

> **基本の考え方**
> - AST, ALTは**肝細胞障害**で上昇し, γ-GTPは**胆汁うっ滞**で上昇する.
> - 基準値(筆者の施設例): AST 10〜40 U/L, ALT 5〜45 U/L, γ-GTP 0〜42 U/L
> - いずれも軽度(〜99 U/L), 中等度(100〜199 U/L), 高度(200〜U/L)の異常と表現される.

診察室で

■ パターンで見分ける(図1).
■ 軽度〜中等度のAST, ALT上昇
① AST<ALTの場合
  → **脂肪肝**:腹部エコーで肝腎コントラスト陽性
  → **ウイルス性慢性肝炎**:HBs抗原, HCV抗体
  → **自己免疫性肝炎**:抗核抗体陽性
② AST>ALTの場合
  → **アルコール性肝障害**:飲酒歴
  → **肝硬変**:血小板数減少, 血清アルブミン値低下
■ 軽度〜中等度のγ-GTP上昇
① ALP正常の場合
  → **アルコール, 脂肪肝, 抗てんかん薬など**(酵素誘導)
② ALP上昇を伴う場合
  → **原発性胆汁性胆管炎**(肝内胆汁うっ滞):抗ミトコンドリア抗体陽性
  → **総胆管結石, 膵頭部がん**など(肝外胆汁うっ滞):総ビリルビンの上昇も伴えば閉塞性黄疸. 腹部エコーで肝内胆管拡張

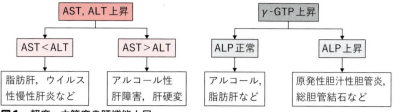

図1　軽度〜中等度の肝機能上昇

- **高度のAST，ALT，γ-GTP上昇**
  - → **急性肝炎**：ウイルス性慢性肝炎，アルコール性肝障害などを鑑別．劇症化に注意

    > [メモ] **劇症肝炎の診断基準**
    > 肝性昏睡Ⅱ度以上，プロトロンビン時間40％以下．

    > [メモ] **糖尿病による脂肪肝**
    > ・脂肪肝は脳・心血管イベントのリスク因子である．
    > ・10％に非アルコール性脂肪肝炎 (non-alcoholic steatohepatitis：NASH) が発生し，肝硬変，肝がんに進展する．

    > [ヒント] NASHは高齢女性に多い．インスリン抵抗性が関与．確定診断は肝生検．血清補助診断に肝線維化マーカー（M2BPGiなど）の有用性が示唆されている．治療は運動療法，食事療法が主体．肥満指数（BMI）25 kg/m² 以上では体重の7％減を目標とする．承認された治療薬はいまだない．

    > [メモ] 自己免疫性肝炎ではIgG，アルコール性肝障害ではIgA，原発性胆汁性胆管炎ではIgMが上昇する．

6 血小板数≧45万/μL
血小板の増多

基本の考え方

- 血小板数45万/μL以上を血小板増多とする．
- 巨核球がクローン性に増加する**一次性（クローン性）血小板増多症**と，他の原因により反応性に血小板数が増加する**二次性（反応性）血小板増多症**があり，**二次性が圧倒的に多い（90～95％）**（表1）．
- 一次性血小板増多症では血栓症リスクが上昇するが，二次性血小板増多症では他のリスク因子がなければ上昇しない．

表1 血小板増多症の分類

	血栓症リスク	原因疾患
一次性（クローン性）血小板増多症	上昇	本態性血小板血症（ET），真性赤血球増加症，原発性骨髄線維症，慢性骨髄性白血病など ⇒ET以外は血小板以外の血球の異常を伴っていることが多い
二次性（反応性）血小板増多症	上昇しない*	感染症，急性・慢性炎症，鉄欠乏性貧血，悪性腫瘍，組織障害，外傷，出血，薬剤（ステロイドなど），脾機能低下・脾摘後など

*他の合併症がない場合

診察室で

聞く

- 以前の血小板のデータはないか？
- 血栓症や出血の症状および既往は？
- 感染症や局所の炎症，悪性腫瘍を示唆する症状はないか？
  → 症状があれば，二次性血小板増多症をきたす病態を疑う．

- 一次性血小板増多症では65%程度が診断時に何らかの症状を伴う．症状としては，血栓症，出血のほかに，頭痛，めまい，耳鳴り，眼症状，指尖知覚異常などの血管運動症状の頻度が高い．

診る

- 血栓症状，出血症状はないか？
- 脾腫はないか？ → 認めれば一次性血小板増多症を示唆する．
- 二次性血小板増多症をきたす病態を念頭に診察する．

検査する

まずはここから

- 血小板増多を認めたら，**血算（白血球分画，網赤血球も）を再検**し，末梢血塗抹標本を観察して偽性血小板増多を否定する．

次のステップ

- **再検して血小板数が減少していれば，二次性血小板増多症の可能性が高い．**
- 二次性血小板増多症をきたす病態の存在を念頭に置いて，生化学スクリーニング，C反応性蛋白（CRP）または赤沈，血清鉄，総鉄結合能（TIBC），フェリチンなどを検査する（図1）．

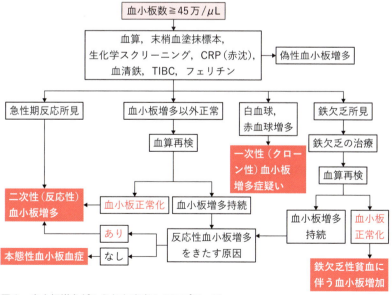

図1 血小板増多がみられた患者へのアプローチ

- 血小板数だけでは一次性か二次性か鑑別できないが，45万〜60万/μLの血小板増多の場合は，二次性血小板増多症の原因となる病態についてまず検討し，100万/μLを超える場合には一次性血小板増多症の可能性を考える．
- **原因不明の血小板増多が持続している場合は骨髄検査を含む精査が必要．**
  → 専門医に紹介．
- 原因不明でも，血栓症リスクの低い患者の軽度の血小板増多であれば経過観察可能．
  → 経過観察して血小板数が正常化したら二次性血小板増多症と考えられる．

対応する

- 二次性血小板増多症の原因となる病態が判明したら，血小板増多に対する処置は特に必要としない．**原因となる病態に対処**して，血小板については経過観察する．原疾患の治療により血小板数は正常化する．
- **一次性血小板増多症が疑われる場合は専門医に紹介．**

> ■ **処方例**
> ETでは血栓症リスクにより対応が異なる．
> ①年齢によらず血栓症の既往がある場合，60歳以上で*JAK2*遺伝子変異陽性の場合または*JAK2*遺伝子変異陰性で心血管リスクがある場合
> → 低用量アスピリンを投与し，ヒドロキシカルバミド（ハイドレア®）で血小板数をコントロールする．
> - **バイアスピリン®**錠（100 mg）1錠，分1，内服
> - **ハイドレア®**カプセル（500 mg）2〜4カプセル，分1〜2
>   ハイドレア®に不耐容の場合にはアナグレリド（アグリリン®）の適応がある．
> ②60歳未満で血栓症の既往がなく*JAK2*遺伝子変異陰性の場合
> → 経過観察
> ③上記①②以外の場合
> - **バイアスピリン®**錠（100 mg）1錠，分1，内服

7 血小板数≦15万/μL

血小板の減少

基本の考え方

- 血小板数15万/μL以下を血小板減少とする．
- ①骨髄での血小板の産生低下，②末梢での血小板破壊亢進や消費，③脾機能亢進による血小板の分布異常で起こる（表1）．
- 血小板減少が著明になると出血傾向をきたすが，まれに，播種性血管内凝固症候群（DIC），血栓性血小板減少性紫斑病（TTP），抗リン脂質抗体症候群（APS），ヘパリン起因性血小板減少症などのように**血小板減少を伴う血栓性疾患もある**．

表1 血小板減少の機序と主な原因

機序	原因疾患
骨髄での血小板産生低下	再生不良性貧血，骨髄異形成症候群（MDS），造血器腫瘍，発作性夜間ヘモグロビン尿症（PNH），ウイルス感染症など
末梢での血小板破壊亢進や消費	・**免疫学的機序**：免疫性血小板減少症（特発性血小板減少性紫斑病），全身性エリテマトーデス，抗リン脂質抗体症候群（APS），薬剤性など ・**非免疫学的機序**：播種性血管内凝固症候群（DIC），血栓性血小板減少性紫斑病（TTP），溶血性尿毒症症候群（HUS），薬剤性など
血小板分布異常	**脾機能亢進症**：慢性肝疾患，門脈圧亢進症など

診察室で

聞く

- 以前の血小板のデータはあるか？
- 出血や血栓症の症状および既往は？

- 市販薬やサプリメントなどを含めた内服薬はあるか？
- 最近の感染症の既往，ワクチン接種歴はあるか？

診る

- 出血症状，血栓症状はあるか？
  → 血小板減少に起因する出血は，粘膜・皮下など表在性出血が特徴的である．
- 脾腫はあるか？
  → 認めれば肝障害などによる脾機能亢進症による血小板減少を示唆する．

検査する

まずはここから

- 血小板減少を認めたら，**血算（白血球分画，網赤血球も）を再検**し，末梢血塗抹標本を観察して**偽性血小板減少を否定する**．

次のステップ

- **血算のほかに，プロトロンビン時間（PT），活性化部分トロンボプラスチン時間（APTT），フィブリノゲン，D-ダイマー［またはフィブリン・フィブリノゲン分解産物（FDP）］を検査する**（図1）．
  → PT，APTTの延長があればDICあるいは慢性肝疾患が疑われる．D-ダイマー（またはFDP）の上昇がなければ慢性肝疾患を，上昇していればDICを考える．
  → PT，APTTの延長がなく，溶血性貧血や腎障害を合併していたらTTP，HUSを考える．血小板以外の血球異常を認める場合は骨髄での血小板産生低下が疑われる．血小板のみが減少している場合は種々の原因による血小板減少症で，血小板減少をきたす全身性疾患や薬剤について検討する．
  → 全身性疾患の可能性がなく，薬剤歴がなく，他の血球に異常がなければ，免疫性血小板減少症（ITP，特発性血小板減少性紫斑病）を考える．
  → 単独でITPと診断できる検査はなく，基本的に他の血小板減少をきたす疾患を除外することにより診断されるが，**60歳未満の典型的なITPの所見を示す患者で，他の疾患を除外できれば，骨髄検査を行わなくてもITPと診断可能**．
  → しかし，60歳以上，ITPとして典型的でない所見がある，他に症状がある，他に異常検査所見がある，などの場合は骨髄検査が必要．

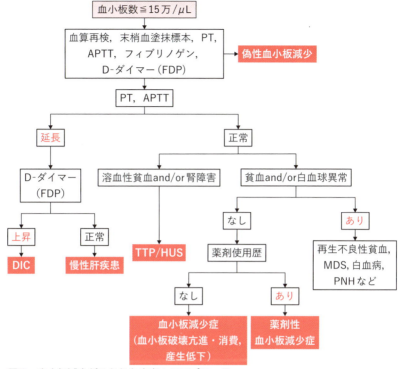

図1 血小板減少がみられた患者へのアプローチ

対応する

- 血小板減少の原因，初めて認めた血小板減少か，血小板減少の進行の速さ，併存疾患の有無，抗血小板薬，抗凝固薬や非ステロイド抗炎症薬（NSAIDs）の内服の有無などによって対応は異なるが，一般的に，血小板数10万/μL以上で出血傾向がない場合には経過観察とする．
- 血小板数5万〜10万/μLの場合は精査が，5万/μL以下の場合は精査と治療が，**2万/μL以下の場合は緊急の対応が必要**．しかし，**2万/μL以上でも血小板減少に起因する重篤な出血症状があれば，緊急の対応が必要**．
- 精査しても原因不明の血小板減少は専門医に紹介する．
- 血小板減少をきたす病態が判明したら，それぞれに対応する．
- *Helicobacter pylori* 陽性ITP患者の約60％で除菌成功により血小板が増加する．ITPが考えられる場合は *H. pylori* 感染の検査を行い，陽性なら除菌を行う．

■ ITPで重篤な出血傾向を認める場合や，血小板数が２万/μL以下の場合はステロイドによる治療を行う．

> **― 処方例**
> ITP治療の第１選択はステロイドで，初回標準量は以下の通り．
> - **プレドニゾロン** 1 mg/kg/日
> → 高齢者や糖尿病などの合併症のある患者では0.5 mg/kg/日から開始する．2〜4週間継続投与後，血小板数をみながら減量して維持量とする．

■ 著しい血小板減少で，活動性出血をきたしている場合や出血のリスクが高い場合には，血小板輸血を考慮する．

8 汎血球減少症

白血球，赤血球，血小板すべてが減少

基本の考え方

- 汎血球減少症は，白血球，赤血球，血小板の3系統すべてが減少した状態．
- 実際は，**ヘモグロビンが成人男性で12 g/dL未満，成人女性および高齢者では11 g/dL未満，好中球1,500/μL未満，血小板10万/μL未満のうち2つを満たせば疑う**．
- 急激かつ高度の汎血球減少症は**急性白血病，血球貪食症候群（血球貪食性リンパ組織症）**を疑う．
- 高齢者で緩徐に進行する汎血球減少症は**骨髄異形成症候群**を疑う．
- 抗がん治療による骨髄抑制が明らかである以外は原則として血液専門医に紹介．

> **メモ** 機序による鑑別
> ①骨髄での血球産生の低下（基本的に骨髄検査が必要）
> - 高頻度 → 骨髄異形成症候群，がんの骨髄転移
> - 骨髄異形成症候群 → 遺伝子異常により血球がうまく分化・成熟できない無効造血
> - 骨髄転移 → がん細胞が骨髄を占拠し正常造血を抑制
> - その他の骨髄占拠性病変 → 白血病，多発性骨髄腫，骨髄線維症などの血液疾患や粟粒結核，サルコイドーシスなどの肉芽腫性疾患
> - 再生不良性貧血 → 免疫機序で造血幹細胞が障害されることで骨髄の細胞成分が減少し，典型例では骨髄のほとんどが脂肪髄
> - ビタミンB_{12}，葉酸（DNA合成に必須の栄養素）欠乏では貧血のみならず，ときに汎血球減少となる．亜鉛，銅などの微量元素欠乏も汎血球減少を起こしうる
>
> ②その他（血球の破壊，分布異常）
> - 血球破壊 → 全身性エリテマトーデス，抗リン脂質抗体症候群などの自己免疫疾患
> - 持続炎症によるサイトカイン過剰 → マクロファージ活性化 → 骨髄で血球を貪食 → 汎血球減少 → 血球貪食症候群
> - 急激な炎症による血球の分布異常 → 肝硬変による脾機能亢進など

> **メモ** 外因性の汎血球減少症の原因
> - 薬剤性 → メトトレキサート，抗甲状腺薬，H_2ブロッカーなどが代表的であるが，使用薬剤すべてに対して原因である可能性を疑う必要がある．
> - ウイルス感染 → Epstein-Barr (EB) ウイルス，パルボウイルスB19，肝炎ウイルス．

診察室で

聞く

- 年齢は？
  → 65歳以上の高齢者であれば，骨髄異形成症候群の頻度が高い．
- 全身性エリテマトーデスなどの自己免疫疾患の既往は？
- **抗がん剤や放射線療法など骨髄抑制を引き起こす治療**の有無は？
- **関節リウマチに対するメトトレキサート療法**は見逃されやすい汎血球減少の原因

診る

- 点状出血・紫斑，自己免疫疾患を示唆する皮疹があるか？
- 脾腫があるか？ → あれば骨髄線維症，肝硬変を疑う．

検査する

まずはここから
- **末梢血液像** → 形態異常があれば骨髄異形成症候群，白血病を疑う．
- **白赤芽球症** → 骨髄線維症，血球貪食症候群を考える．

念を入れるなら
- フェリチン → 著明高値なら血球貪食症候群を強く示唆する．
- ビタミンB_{12}，葉酸 → 低値なら補充．ただし，ビタミンB_{12}低値での葉酸補充は神経症状悪化の危険がある．
- 抗核抗体 → 高値なら自己免疫疾患を疑う．
- 腹部エコー，腹部CT → 脾腫，肝硬変の有無を確認する．

症例

症例1　骨髄異形成症候群

- 76歳，男性．
- 検診で白血球（WBC）3,200/μL，ヘモグロビン（Hb）9.7 g/dL，血小板（PLT）8.6万/μLを指摘され，徐々に血球減少が進行した．
- 経過からは骨髄異形成症候群，再生不良性貧血を考えるが，血液像で偽ペルゲル異常を認めたため前者が疑わしい．

　▶ ここで専門医に紹介

- 骨髄検査にて3系統の血球形態の異常，染色体の異常から骨髄異形成症候群と診断．
- 血液専門医によるアザシチジン（ビダーザ®）の投与．

症例2　急性前骨髄球性白血病

- 33歳，女性．
- 出血傾向，発熱があり検査したところ，WBC 1,800/μL，Hb 9.2 g/dL，PLT 2.1万/μLを指摘された．播種性血管内凝固症候群（DIC）傾向を伴ったが，末梢血液中に明らかな芽球は認めない．

　▶ ここで専門医に紹介

- 骨髄検査にてアズール顆粒に富む大型の芽球が大部分，染色体および遺伝子検査から，急性前骨髄球性白血病と診断．
- 血液専門医による全トランスレチノイン酸による分化誘導療法．

症例3　ウイルス感染に伴う一過性低下

- 44歳，男性．
- 4日前の検診でWBC 2,200/μL，Hb 11.2 g/dL，PLT 5.6万/μLを指摘され来院．
- 再検したところWBC 5,700/μL，Hb 12.9 g/dL，PLT 14.3万/μLと明らかに回復傾向．
- 問診で検診前に感冒症状があり，ウイルス感染に伴う一過性低下と考えられた．

> **ヒント** **輸血の適応**
> - 原因疾患を明らかにした上での治療が大原則であるが，Hbが6〜7g/dL未満となり心不全症状などがある場合には輸血を考慮する．若年者で回復傾向がみられる場合，Hbが7g/dLより低くてもできる限り輸血は控える．
> - 血小板に関しても2万/μL以上であれば止血困難な出血がある場合以外，輸血は行わない．また0.5万〜1万/μLであっても慢性的に低値で出血傾向がなければできる限り輸血は控える．
> - 輸血の適応は数値のみでなく症状・病態の推移に基づいて慎重に決定する．

9 貧 血
鉄欠乏性貧血，消化管出血，造血器腫瘍

基本の考え方

- □ 月経のある女性の貧血では，月経に関連した鉄欠乏性貧血が大多数．
- □ 男性あるいは閉経後女性の鉄欠乏性貧血では，悪性腫瘍による出血の可能性を念頭に置く．
- □ 血圧の低下あるいは吐血や下血を伴えば，急性期の活動性出血の可能性が高く，全身管理や緊急内視鏡などの処置が必要．
- □ 胃切除後や腎機能低下，肝機能異常，偏食に伴う貧血も少なくない．
- □ 上記疾患が否定的，あるいは白血球や血小板の異常や溶血を認めるときは，造血器腫瘍の可能性もあるため，血液内科へ紹介．

診察室で

聞 く

- ■ 出血症状はあるか（便や尿の色）？　女性の場合，過多月経はあるか？
  - → 出血源の同定
- ■ 食事内容（菜食主義や偏食の有無など），飲酒歴は？
  - → 欠乏性貧血の可能性を探る．
- ■ 胃切除や腎機能低下，肝疾患などの既往歴，血液疾患の家族歴は？
  - → 貧血の原因となりうる疾患の評価

診 る

- ■ 眼瞼結膜が蒼白か？　眼球結膜の黄染はあるか？
  - → あれば貧血の程度と**溶血**の有無の評価
- ■ さじ状爪，口角炎はあるか？　→ あれば**鉄欠乏性貧血**を疑う．

- 肝脾腫はあるか？　→　あれば造血器腫瘍などを疑う．

> 検査する

まずはここから
- 血算，白血球分画，網赤血球数，バイタルサイン（血圧，脈拍，体温）

次のステップ
- 貧血が確認されたら，図1に従い，平均赤血球容積（MCV）値と網赤血球数を指標に各種検査を追加する．
- 小球性貧血では鉄とフェリチンを測定．
  - → 鉄欠乏の場合には出血源の精査を行う．
  - → 月経のある女性では産婦人科へ紹介．
  - → 消化管出血が疑われる場合には便潜血検査．必要に応じて上部・下部内視鏡検査を行う．
- 大球性貧血ではビタミンB_{12}と葉酸を測定．特に胃切除後はビタミンB_{12}欠乏を合併しやすい．多飲酒者でも，MCVの軽度上昇を認める．
- 網赤血球数が増加している場合には，LDH，総ビリルビン，ハプトグロビンを測定し，**溶血**の有無を評価する．
- 腎機能低下例では，血中エリスロポエチン濃度を測定する．

> 症　例

症例1　下腿浮腫で発症した貧血

- 50歳，女性．
- これまで血液検査を受けたことはない．両下腿の浮腫で近医を受診，貧血にて紹介．
- 問診：過多月経，生理不順なし．便の性状も異常なし．偏食なし．
- 血液検査：ヘモグロビン（Hb）6.8 g/dL，MCV 69.4 fl，鉄とフェリチンが著明に低下．
  → **鉄欠乏性貧血**と診断．
- 経口鉄剤の開始．

- **処方例**
  - **フェロミア**®錠（50 mg）2錠，分2

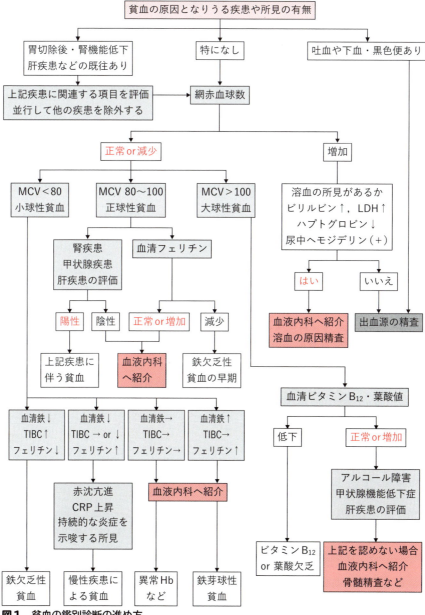

図1　貧血の鑑別診断の進め方

- ・効果や副作用に応じて用量調整や他剤への変更を考慮する．
- ・鉄剤は，貧血が改善しフェリチンが基準値下限程度（12以上）になるまで継続する．

■ 鉄欠乏の原因となる出血源の検索：産婦人科への紹介，便潜血検査，必要に応じて内視鏡検査．
  → 特に鉄剤の反応不良例や，再燃を繰り返す場合には出血が疑われる．
■ 治療の反応が悪い場合には，血液内科へ紹介する．

症例2　胃切除後の貧血

■ 56歳，男性．
■ 9年前に胃がんに対して胃全摘術を施行．検診でHbの低下を指摘され受診．
■ 問診：出血を疑う便の異常なし．偏食なし．
■ 血液検査：Hb 11.1 g/dL，MCV 99.4 fl，鉄とフェリチン・ビタミンB_{12}が著明に低下．葉酸は正常．
  → 鉄欠乏および**ビタミンB_{12}欠乏性貧血**の診断．
■ 上記鉄欠乏性貧血の治療に加えてビタミンB_{12}［メコバラミン（メチコバール®）］を補充する．
  → 一般的に筋注が行われるが，内服でも治療可能．ただし，神経症状などの改善を急ぐ場合には，筋注が望ましい．

- ■ 処方例
  - ■ 初期治療
    - **メチコバール**®注（500μg）500μg/回，週3回，筋注，約2ヵ月間
  - ■ 維持療法
    - **メチコバール**®注（500μg）500μg/回，1～3ヵ月置きに1回，筋注
    - **メチコバール**®錠（500μg）3錠，分3，保険適用外（末梢性神経障害に適応）

■ 消化管出血を除外するため，便潜血検査と上部消化管内視鏡検査を行う．

> **ヒント** **緊急性の高い貧血とは**
> - 貧血で最も緊急性が高いのは活動性の消化管出血である．出血では網赤血球が増加しているが，溶血所見のない点が特徴的である．Hbは経過とともに低下するため，初期のHb値のみでは重症度を判断せず，頻脈や血圧の低下を認める場合には即座に補液を開始し，吐血や下血などの有無を聴取し，内視鏡検査などで出血部位の検索を行う．
> - 一方で，貧血が緩徐に進行している場合や高齢者では，自覚症状に乏しいことが少なくない．
> - 出血や欠乏性貧血・慢性疾患に伴う貧血が否定されれば，血液専門医への紹介が必要となる．

> **患者さんを安心させるコツ・ポイント**
> 貧血の多くは鉄やビタミンB_{12}などの欠乏性貧血であり，補充により改善することと，それらの欠乏の原因検査が必要な場合があることを説明する．

10　HbA1c 6.5〜7.0%
糖尿病

基本の考え方

- □ 糖尿病の治療目的は血糖降下ではなく，**5〜10年以上先の合併症予防**にある．
- □ ヘモグロビンA1c（HbA1c）7%未満ならば合併症予防の目標は満たす．HbA1c 6%未満を目指して投薬することが全例で有益かは不明．
- □ 高齢者，病歴が長い患者，主要臓器の機能不全，担がん患者では**無投薬**という選択肢もある．
- □ **低血糖や体重増加を回避できる薬剤**を選ぶ．
- □ 軽症糖尿病では**メトホルミン，DPP-4阻害薬，SGLT-2阻害薬**が主軸になる．今後は経口GLP-1製剤（リベルサス®）や新規機序薬であるイメグリミン（ツイミーグ®）にも期待がかかる．

診察室で

聞 く

- ■ 家族歴はあるか？　既往歴・妊娠・出産歴は？
  - → 1型と比べて2型糖尿病は家族歴を有することが多い．肝疾患，胃切除，内分泌疾患，巨大児出産の既往歴も糖尿病の病型決定に役立つ．
- ■ 体重の経年変化は？
  - → 糖尿病を発症する1〜2年前に最大体重となるため発症時期が推定できる．
- ■ 職業歴，食事のパターンや嗜好，生活リズムなども聴取する．
  - → 生活習慣への介入なので問診事項は多岐にわたる．しかし1回の診察ですべてを聴取する必要はない．「また詳しくお話を聞かせてください」の一言で次の受診に繋げていくことも重要な技術．

診る

- アキレス腱反射，下肢振動覚，足白癬や足の傷の有無，齲（う）歯の有無，眼底検査

検査する

まずはここから

- HbA1c，空腹時血糖値，血算，生化学検査（肝・腎機能），一般尿検査
- 尿蛋白（−） → 尿中微量アルブミン定量を追加
- 尿蛋白（＋） → 尿蛋白定量を追加

念を入れるなら

- 抗GAD抗体，甲状腺ホルモン，アミラーゼ，リパーゼ，腹部エコー，腫瘍マーカー，頸動脈エコー，心電図，足関節上腕血圧比
- 日常診療で診る糖尿病のほとんどが2型糖尿病．
- 1型糖尿病，悪性疾患，動脈硬化のスクリーニングをルーチンで行うべきかは議論が分かれるが，一度は行いたい．
- **抗GAD抗体陽性の場合は専門医に紹介．**

> **メモ　抗GAD抗体検査の解釈**
> 抗GAD抗体は1型糖尿病で陽性となる．初診時に2型糖尿病と診断された症例のうち10％程度が緩徐進行1型糖尿病であったとの報告がある（田中昌一郎ほか：糖尿病 54：65-75, 2011）．

> **メモ　HbA1cと血糖値の関係**
> HbA1c 6.5～7.0％は空腹時血糖値120～150 mg/dL，食後血糖値200～250 mg/dL程度に相当する．この相関から大幅に外れるときは，特殊な病態や検査エラーを考えて専門医に相談．

治療する

- 食事療法・運動療法：軽症糖尿病は以下の簡単な指示でも効果がある．
  ① 65歳未満は 身長(m)^2×22 kgを目標体重とし，65歳以上は 身長(m)^2×22～25 kgを目標体重とする．目標体重×25～35 kcal（軽作業～重労働）で総熱量を指示．
  ② **間食や単純糖質の摂取を控える．**
  ③ 腹8分目 →**肥満患者の食事摂取量は1.2～1.3倍**（特に糖質）（Yasutake K, et al：Scand Gastroenterol 44：471-477, 2009）

④ゆっくり食べる．3食しっかり食べる．
⑤日常動作の負荷を増やす（1駅歩く，臥位や坐位の時間を少なくする）．
⑥脈拍数が59歳以下なら120 bpm，60歳以上なら100 bpm程度となるような有酸素運動

症例

症例1　メトホルミンの適応

- 40歳，男性．
- 病歴5年．HbA1c 7％，BMI 27 kg/m², eGFR 110 mL/分/1.73 m². 糖尿病合併症なし．
- エビデンスが豊富で安価なメトホルミン（メトグルコ®）をまず選択する．

処方例
- **メトグルコ®**錠（250 mg）2錠，分2
- ・2～3ヵ月で効果が乏しい際に1～2錠/日ずつ増量する．
- ・投薬開始と増量の際に軟便や悪心が起こる．たいていは症状が軽く1週間程度で消失することを説明する．

症例2　DPP-4阻害薬の適応

- 56歳，女性．
- 病歴8年．HbA1c 6.9％，BMI 25 kg/m², eGFR 80 mL/分/1.73 m². 単純網膜症あり．メトホルミンの夕方の内服を忘れてしまう．
- メトホルミンに忍容性がなく，アドヒアランスが悪いためDPP-4阻害薬を処方．

処方例
- **トラゼンタ®**錠（5 mg）1錠，分1
- **ザファテック®**錠（100 mg）1錠，分1，週1回
- ・まれではあるが自己免疫性疾患を誘発するため，処方後の経過に注意する．

症例3　SGLT-2阻害薬の適応

- 35歳，男性．
- 病歴3年，HbA1c 6.8 %，BMI 32 kg/m^2，eGFR 120 mL/分/1.73 m^2．脂質異常症，高尿酸血症，高血圧を合併．膝が痛くて運動ができない．

処方例

- **スーグラ**®錠（50 mg）1錠，分1
- 肥満により様々な代謝異常が起きている若年者で効果的なことがある．
- 腎保護作用や心血管イベントを抑制するエビデンスが蓄積されてきている．
- 空腹感から過食となり病態が悪化する症例や，投薬の中止でリバウンドを起こす症例もある．

症例4　腎機能低下症例

- 73歳，男性．
- HbA1c 7.0%，BMI 22 kg/m^2，eGFR 45 mL/分/1.73 m^2．

処方例

- **トラゼンタ**®錠（5 mg）1錠，分1
- **テネリア**®錠（20 mg）1錠，分1
- 上記2剤は腎機能による用量調節が不要．
- 高齢者ではDPP-4阻害薬の消化器系副作用（特に便秘）に注意する．

> **ヒント** 投薬に際して体型はどこまで考慮するか？
> メトホルミンはBMIに関係なく効果が出る．DPP-4阻害薬はBMI 30 kg/m^{2}を超えると効果が出にくい．SGLT-2阻害薬はBMIに関係なく血糖降下作用が得られる（痩せ型への使用は注意）などが分かっている．体型，インスリン分泌，インスリン抵抗性などを評価できれば最もよいが，それがなくとも診療は可能．

処方例

- 軽症糖尿病の投薬は年齢と腎機能で分ける.
- 高齢者や腎機能低下患者でもメトホルミンとSGLT-2阻害薬の安全性は確立されつつあるが，軽症糖尿病では安全マージンを取るのが無難.

■ **75歳未満かつ腎機能軽度低下まで（eGFR 60 mL/分/1.73 m^2 以上）の場合**
- **メトグルコ**®錠（250 mg）2錠，分2
- **トラゼンタ**®錠（5 mg）1錠，分1
- **ザファテック**®錠（100 mg）1錠，分1，週1回
- **スーグラ**®錠（50 mg）1錠，分1

■ **75歳以上または腎機能中等度以上低下（eGFR 60 mL/分/1.73 m^2 未満）の場合**
- **トラゼンタ**®錠（5 mg）1錠，分1

患者さんを安心させるコツ・ポイント

- 糖尿病ときくと失明や透析が思い浮かび不安になる患者が多い．「10年先の合併症を考える病気です．すぐに生命に危険が及ぶことはありません．すぐに薬を飲む必要もありません」と説明する．
- 糖尿病患者の10％前後が受診を中断する．投薬治療をしない場合でも「これから長く付き合う病気です．しっかり通院して経過をみるのが一番重要です」と必ず説明する．

11 HbA1c 10%
進行した糖尿病

> **基本の考え方**
> - 血糖値やHbA1cの値に惑わされず，糖尿病の成因を考える．
> - 診察時の患者が元気かどうか？が一番のポイント．
> - 治療は月にHbA1c −0.5％改善するぐらいでも十分であり，初診時から慌てて急激に下げようとする必要はない．
> - 2型糖尿病に悪性疾患を合併していることがある．

メモ ▶ 成因を考える
- 1型糖尿病：劇症，急性，緩徐進行
- 2型糖尿病/その他：生活習慣病/肝膵疾患，内分泌的疾患，悪性疾患など

診察室で

聞く

■ 口渇，多飲多尿，体重減少（減少/期間），全身倦怠感，下肢しびれ，視力低下はないか？
 → 「糖尿病の自覚がない」と言っていても，具体的に上記症状の有無を聞き出せば症状が出現していることがある．
 → どのぐらいの期間をかけて悪化しているのかを推測する．自覚症状が強いほど急激に悪化してきている可能性が高い．
 → 慢性的経過だと推測された場合，すでに合併症を呈している可能性があり，薬物療法を開始し急激な血糖管理をすると，すでに神経障害や増殖網膜症を呈していた場合，悪化することがある．
■ 飲酒量，果物，清涼飲料水，間食などの食習慣と運動習慣は？
■ 環境変化は？

→ 悪化の原因に日常生活の変化が考えられるのかを聴取することは，患者の意識変容の契機になる．

診る

- 倦怠感の程度，体重減少の有無，脱水の程度はどうか？
- 足の傷や感染，化膿性病変はあるか？
- 発汗しているか？　→　していれば，バセドウ病を疑う．

検査する

まずはここから

- 血糖値（随時でも空腹時でもよい）
- インスリン（IRI）またはC-ペプチドを血糖と**一緒に測定．**
- **抗GAD抗体はなるべく検査しておくとよい．**
- 尿検査　→　尿ケトン2+以下であれば糖尿病性ケトアシドーシス（DKA）はほぼ否定的．
- 一般生化学検査，血算，電解質（Na，K，Cl）　→　高カリウム血症はないか．
- 脂質　→　総コレステロール120 mg/dL以下で発汗ありなら，バセドウ病合併を考慮する．

次のステップ

- 眼科を紹介　→　網膜症評価
- 尿アルブミンまたは尿蛋白量　→　腎症評価
- 尿ケトン2+以上や体重が減少してきている症例は1型糖尿病も疑われる．
  →　抗GAD抗体の測定は必須である．
- 体重減少や有症状より**悪性疾患も疑う**　→　胸部X線，便潜血検査，腹部CTかMR胆管膵管撮影（MRCP）などの画像評価
- 肝障害を合併　→　脂肪肝合併は非常に多い．腹部エコーを後日施行する．

治療する

- 指導内容：以下はどのような症例であっても説明する．
  ①脱水の悪化を防ぐために，飲水を促す．
  ②間食を制限する．
  ③糖質含有の清涼飲料水摂取を止める．
  ④過度に食事制限をせず，炭水化物も中止しない．

■ **表1の5パターンに分けて診断・治療を検討する.**

表1　糖尿病成因別の考え方

	糖尿病を疑う症状	体　重	考え方
A	なし	減少なし	インスリン分泌能は保持
B	なし	肥満	インスリン抵抗性を示唆
C	なし	痩せ	
D	あり	減少	インスリン分泌能低下か悪性疾患合併の可能性あり
E	発汗，頻脈	減少	甲状腺機能亢進症合併の可能性あり

①AとBの場合

→ 診断：2型糖尿病が最も考えられる．

→ 治療：日常の生活の中で改善できることがないか？ を探し，初診日に経口血糖降下薬をすぐに開始する必要はない．その後改善がなく，腎機能が正常であれば，Bではメトホルミンを開始する．その後も悪化していく場合は1型糖尿病の可能性も考え，抗GAD抗体を測定する．

■ **処方例**

- **メトグルコ**®錠（250 mg）2錠，分2，朝夕〜3錠，分3，各食後
- 減量目的ですぐにSGLT-2阻害薬やGLP-1受容体作動薬を開始せず，まずは環境の把握と指導を行い，メトホルミンでは効果不十分な場合に次の一手として併用する．

②Cの場合（インスリン抵抗性はBほど著明ではない）

→ 診断：緩徐進行1型糖尿病や2型糖尿病でインスリン分泌が保持されているが，相対的に低下している状態．

→ 治療：尿ケトン体が陰性なら初診日は投薬せず抗GAD抗体結果を待つ．

■ 抗体陰性：DPP-4阻害薬またはインスリン分泌促進薬を開始する．
■ 抗体陽性：内服を開始せず専門医へすぐ紹介する．

■ **処方例**

- **トラゼンタ**®錠（5 mg）1錠，分1，朝（DPP-4阻害薬）
- **グルファスト**®錠（5 mg）3錠，分3，各食前（速効型インスリン分泌促進薬）
- **グリミクロン**®錠（40 mg）1錠，分1，朝（SU薬）
  ［**アマリール**®錠（0.5 mg）1錠，分1，朝（SU薬：グリミクロンで不十分なときに使用）］

- 速効型インスリン分泌促進薬は半減期が短く，SU薬より低血糖リスクの低減になるが，食直前内服のためアドヒアランスの低下も危惧される．
- SU薬は，腎機能障害を有する症例や食事療法に急激に取り組んでいる症例には低血糖のリスクがあるため使用しない．

③Dの場合

→ 診断：悪性腫瘍か1型糖尿病や2型糖尿病でインスリン分泌能が低下してきている状態．
→ 治療：一時的にでもインスリン導入が必要な可能性が高い，代謝異常状態を考慮しメトグルコ®などのビグアナイド薬やSGLT-2阻害薬は控える．
→ 早めに専門医に紹介する．
→ 近日中に専門医の外来受診ができない場合は，
■ 尿ケトン陰性〜±：全身状態に余裕はある場合，先に画像検査を開始し，後日専門医に紹介する．
■ 尿ケトン+以上：DPP-4阻害薬またはインスリン分泌促進薬を開始し，可能な限り早く専門医の受診を促す．

■ 処方例

- トラゼンタ®錠（5 mg）1錠，分1，朝
- グルファスト®錠（5 mg）3錠，分3，各食前
- グリミクロン®錠（40 mg）1錠，分1，朝
- 進行大腸がんを合併していた場合，DPP-4阻害薬を開始するとイレウスを生じる可能性もあるため，腹部症状の有無を確認した上で慎重に開始する．
- また，食欲低下がみられる症例にはSU薬は使用しない．

④Eの場合

→ 症状があればすぐに甲状腺機能亢進症を疑い検査する．

患者さんを安心させるコツ・ポイント

- 劇症 I 型糖尿病と異なり，HbA1c が 10％以上に上昇しうる時間的経過があったともいえる．全身状態が良く，尿ケトンが強陽性でなければ焦らず，まず十分な検査を行う．高血糖だけの理由で安易に患者にインスリン治療の可能性を口にして不安にさせず，生活や食事でもある程度の改善が見込めるかもしれないこと，検査の結果（抗 GAD 抗体やインスリン分泌）次第で治療内容を変えていくかもしれないことを説明する．
- ただし，膵臓がんなどの合併も念頭に置いておくべきであり，高血糖イコール生活習慣が乱れているという先入観を持たず，可能な限り画像評価も並行して行っていく方が望ましい．

12 収縮期血圧140〜160 mmHg
軽症から中等度の高血圧

基本の考え方

- □ わが国の高血圧有病者数は約4,300万人．
- □ 診察室血圧より家庭血圧を優先する．
- □ 降圧薬開始前に，リスク因子と臓器障害，二次性高血圧のスクリーニングを行う．
- □ 年齢，リスク因子や臓器障害の有無で，対応や降圧目標が異なる．

診察室で

聞く

- 健診，家庭，医療機関など，どこで測定した血圧が高いか？
  → **白衣高血圧，仮面高血圧などを鑑別**する．
- いつから血圧が高いか？
  → 急激な発症，若年（30〜40歳未満）であれば二次性高血圧の可能性も考慮する．
- 喫煙，若年（50歳未満）発症の心血管疾患の家族歴はあるか？
  → リスク因子の確認．
- 薬剤服用状況［非ステロイド抗炎症薬（NSAIDs），甘草製剤など］は？
  → 可能なら中止する．

診る

- 朝（起床後1時間以内）と晩（就寝前）の家庭血圧測定を依頼する．
- 聴診：頸部・腹部血管雑音
  → あれば該当動脈のエコーを施行，造影CTも検討する．

> **患者さんを安心させるコツ・ポイント**
> - 近年，冬，室温が低下すると血圧が上昇し（Umishio W, et al：Hypertension 74：756, 2019），断熱材の使用や部屋を暖めることで血圧が低下すること（Umishio W, et al：J Hypertens 38：2510, 2020など）が明らかになっている．
> - そのため，「冬に血圧が高いのは寒いせいだ」と言われた場合，まず寒さと血圧上昇には関係があると肯定し，部屋を暖めることなどをお勧めしよう．

> **ヒント** 頸部血管雑音聴取は必要なのか？
> 頸部血管雑音は頸動脈狭窄の検出に有効であり，特異度は高いが感度は低い（McColgan P, et al：QJM 105：1171, 2012）．雑音のない症例に比べて相対的オッズ比は，心筋梗塞と心血管死で2倍（Pickett CA, et al：Lancet 371：1587, 2008），脳卒中で2.5倍（Pickett CA, et al：Stroke 41：2295, 2010）とメタ解析の結果でも高く，頸部血管雑音聴取は必要である．

検査する

まずはここから

■ **スクリーニング検査（表1）**

表1　高血圧初診時のスクリーニング検査

1. 血液検査：推定糸球体濾過量，血糖，HbA1c，HDL・LDLコレステロール，中性脂肪，電解質（Na，K，Cl，Ca，P）
2. 尿検査：尿定性，尿沈渣，蛋白（アルブミン）定量，Na，クレアチニン
3. 心電図，胸部X線検査
4. 眼底検査
5. 血管検査：頸動脈エコー，足関節上腕血圧比（ABI）

■ 随時尿からNa摂取量を推定する．

二次性高血圧が疑われるなら

■ **低カリウム血症**：可能なら早朝空腹時の安静臥位後が望ましいが，スクリーニングとしてまず15分坐位後に血漿レニン活性，血漿アルドステロン，副腎皮質刺激ホルモン（ACTH），コルチゾールを測定する．腹部血管雑音があれば，腎動脈エコーを追加．

■ **高カルシウム血症**：副甲状腺ホルモン，甲状腺ホルモンを測定する．

> 治療する

- 全例に生活習慣や居住環境の修正を指導する.
- 二次性高血圧が疑われる場合は,専門医へ紹介する.
- **白衣高血圧は将来,持続性高血圧へ進展するリスクが高い**ので定期的に経過観察する.
- **糖尿病,臓器障害,3個以上のリスク因子(表2)を認めた場合**は,直ちに降圧薬治療を開始する.

表2 問診・診察・スクリーニング検査の基準と解釈

	問診・診察・検査	基準	解釈
問診	年齢	≧65歳	リスク因子
	身長,体重	BMI≧25[体重(kg)/身長(m)^2]	
	喫煙	あり	
	家族歴	50歳未満発症の心血管疾患あり	
	発作性高血圧	頭痛,動悸,発汗を伴う一過性血圧上昇	二次性高血圧疑い
診察	甲状腺腫	あり(甲状腺機能亢進症など)	
	腹部血管雑音	あり(腎動脈狭窄症など)	
	頸部血管雑音	あり(大動脈炎候群を鑑別)	
血管	頸動脈エコー	IMT≧1.1 mm	血管障害（臓器障害）
	ABI	≦0.9(末梢動脈疾患)	
血液	HDLコレステロール	<40 mg/dL	脂質異常症（リスク因子）
	LDLコレステロール	≧140 mg/dL	
	中性脂肪	≧150 mg/dL	
	血糖	空腹時≧120 mg/dL,随時≧200 mg/dL	糖尿病（リスク因子）
	HbA1c	≧6.5%(NGSP値)	
	電解質	K≦3.5 mEq/L,Ca≧10.5 mg/dL	二次性高血圧疑い
	推定糸球体濾過量	<60 mL/分/1.73 m^2	腎臓病（臓器障害と二次性高血圧疑い）
尿	蛋白(アルブミン)	蛋白≧0.15 g/gCr,アルブミン≧30 mg/gCr	
	Na(Cr)	計算式による24時間Na排泄量の推定	食塩摂取量の推定
心電図		左室高電位,ストレインパターンなど	心疾患（臓器障害）
胸部X線		心胸郭比≧50%(左室肥大など)	
眼底		血管径,網膜の白斑,出血など（キース・ワグナー分類,シャイエ分類）	高血圧性網膜症（臓器障害）

IMT:intima-media thickness,内膜中膜複合体厚

症　例

症例1　ストレス性または仮面高血圧

- 48歳，男性．
- 仕事中に血圧を測定したところ148/98 mmHgであったため受診．
- 健診で高血圧を指摘されたことはない．
- リスク因子，臓器障害なし．
- 職場で血圧が測定しづらいため，24時間自由行動下血圧測定（ABPM）を行った．
- ストレス性（職場）高血圧であれば，心療内科や精神科に紹介する．

> **ヒント** 働いている中高年ではABPMを行うべきか？
> 888人の血圧160/105 mmHg未満の降圧薬を内服していない中高年（平均年齢45歳）の診察室血圧とABPM（覚醒時）の違いについて検討した研究（Schwartz JE, et al：Circulation 134：1794, 2016）において，診察室血圧では5.3％が高血圧であったが，ABPMでは19.2％が高血圧であり，15.7％が仮面高血圧であった．働いている中高年では，ABPMを積極的に行った方がよい．

症例2　高齢者

- 76歳，男性．
- 家庭血圧が毎日150～160/65～75 mmHgのため心配になり受診．
- 農家であり，ビニールハウスで働いている．
- 推定食塩摂取量は8 g/日．
- スクリーニング検査で糖尿病がみつかった．
- 熱中症や脱水に注意が必要な高齢者や肉体労働の場合は，利尿薬やRAS阻害薬を避け，まずはカルシウム拮抗薬を少量から開始する．

- **処方例**
  - **ランデル**®錠（20 mg）1錠，分1
  - **コニール**®錠（2 mg）1錠，分1
  - **カルブロック**®錠（8 mg）0.5錠，分1

症例3　臓器障害ありの場合

- 57歳，男性．
- 40歳頃から高血圧を指摘されてきたが，放置していた．
- 血圧158/95 mmHg，脈拍72 bpm，仕事はデスクワークのみ．
- 心電図で左室肥大の所見とストレインパターンあり．
- 推定食塩摂取量は15 g/日．
- 臓器障害（心肥大）あり，降圧薬を開始した．
- まずRAS阻害薬を開始．塩分摂取が多く，室内での仕事のため利尿薬も開始した．

処方例
- **RAS阻害薬**
  - **コバシル**®錠（2 mg）1錠，分1
  - **ミカルディス**®錠（20 mg）1錠，分1
- **利尿薬**
  - **ナトリックス**®錠（1 mg）1錠，分1

13 収縮期血圧180〜220 mmHg

重症高血圧

基本の考え方

- 発作性高血圧のことも多く，安静にさせ，繰り返し血圧を測定する．
- 単に血圧が高いだけの高血圧切迫症と，標的臓器を急性かつ進行性に障害する高血圧緊急症の鑑別をする．
- 高血圧緊急症は入院治療が原則であり，疑った場合は専門医のいる入院可能な施設へ速やかに紹介する．
- 高血圧切迫症の場合は外来診療可能で，数時間以内に降圧薬を開始し，1〜2日かけて160/80 mmHg程度を目標とする．

診察室で

聞く

- **いつから血圧が高いか？**
  → もともと血圧が正常の場合，より低い血圧で高血圧緊急症をきたす．
- 表1に示した**高血圧緊急症に関連した症状はあるか？**
- その症状が急に出現したのか？
- **（妊娠可能な女性に必ず確認）妊娠の有無は？**
- **抗がん剤［アバスチン®などのVEGF（vascular endothelial growth factor）阻害薬］投与の有無は？**

　　　ヒント　アバスチン®の副作用としての重症高血圧
  - 代表的なVEGF阻害薬であるアバスチン®による重症高血圧の頻度は7〜8％程度（Mohammed T, et al：Cardiooncology 7：14, 2021）と，まれな副作用ではない．
  - 高血圧緊急症に進展する危険性があり，その中止により血圧は低下する場合が多いことを説明し，早期に投与を受けている医療機関受診への受診を勧める，または紹介すべきである．

51

> 検査する

まずはここから

- 血圧を繰り返し測定.
- 表1に挙げた項目については最低限診察する.

表1　高血圧緊急症を疑う臨床症状と必要な診察および検査

	疑うべき疾患	診察	検査
妊娠	子癇		妊娠反応
頭痛	くも膜下出血		頭部CT
けいれん	脳出血	神経学的所見	
悪心	高血圧性脳症（可逆性白質脳症）	視野検査	頭部MRI
嘔吐	悪性高血圧（血栓性微小血管障害）	眼底検査	血液検査（血算，スメア）
意識障害	尿毒症（末期腎不全）		血液検査（腎機能，電解質）
視力異常	高血圧性脳症（可逆性白質脳症）	視野検査	頭部MRI
視野異常	乳頭浮腫	眼底検査	
	大動脈解離	血圧左右差，血管雑音	造影CT
鼻出血	重症鼻出血		血液検査（血算）
胸痛	急性冠症候群		心電図
	大動脈解離	血圧左右差，血管雑音	造影CT
呼吸困難	急性左心不全	Ⅲ・Ⅳ音，肺野湿性ラ音	胸部X線
	尿毒症		血液検査（腎機能）
背部痛	大動脈解離	血圧左右差，血管雑音	造影CT
浮腫	腎不全	圧痕性？　把握痛？	血液検査（腎機能），尿検査

- 血液検査，尿検査，胸部X線，心電図検査
- （妊娠可能な女性であれば）妊娠反応検査

急性（突然）発症の臨床症状を認める場合は

- 表1に示した検査などを追加する.

若年，未治療の高血圧，急性発症の場合は

- 二次性高血圧の頻度が高く，ベッドで安静（仰臥位）にさせた後，血圧を再測定する前（15分後）に各種ホルモン［カテコールアミン，血漿レニン活性，血漿アルドステロン，副腎皮質刺激ホルモン（ACTH），コルチゾール］を測定する.

対応する

- 妊娠や高血圧緊急症を疑う場合は，まず専門医のいる施設へ紹介し，専門医の指示を仰ぐことが重要．
- 安静にさせ，尿閉など血圧上昇の要素を取り除き，10〜15分間隔くらいで繰り返し血圧を測定する．
- 過度な降圧を避けるため，静注製剤のワンショット静注やニフェジピン（アダラート®）カプセルの投与は行わない．

症例

症例1　発作性高血圧

- 72歳，男性．
- 高血圧で通院中だが，急に家庭血圧が190/103 mmHgまで上昇した．
- 症状はなく，診察・検査結果は前回と比べて明らかな変化がない．
- 繰り返し血圧を測定しても180/95 mmHg程度までしか低下しない．

処方例
- **アダラートCR®**錠（10 mg）1錠，分1

- 1時間後くらいに血圧を再測定し，血圧160/80 mmHg程度まで低下していれば帰宅とし，翌日再診察とする．

症例2　高血圧切迫症

- 68歳，男性．
- 約20年前に糖尿病を指摘され通院中．
- 1週間前より足がむくんできた．診察室血圧186/98 mmHg．
- 採血でeGFR低下（15 mL/分/1.73 m^2）を認めたが，胸部X線では異常なし．

◀ ここで専門医に紹介

- eGFRの急激な低下はなく，薬物療法で対処．

処方例
- **ノルバスク®**錠（5 mg）1錠，分1
- **ラシックス®**錠（40 mg）2錠，分1

症例3　高血圧緊急症

- 17歳，女性．
- 1週間前より悪心・頭痛が出現し，昨日より視力が低下し，右上肢のけいれんが出現した．
- 診察室血圧230/186 mmHg，脈拍120 bpm．
- 眼底：Keith-Wagner（キース・ワグナー）分類Ⅲ度，低カリウム血症，頭部MRIで頭頂葉を中心に高信号領域を認めた（図1-A矢印）．

すぐに専門医のいる高次医療機関に紹介

- 可逆性白質脳症（PRES）であり，降圧薬点滴静注で改善．
- 造影CTの結果（図1-B矢印）から腎血管性高血圧と診断された．

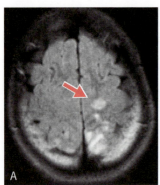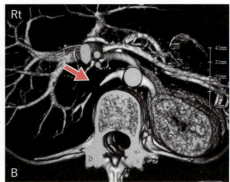

図1　症例3の頭部MRI（FLAIR像）(A)と造影CT（3D血管構築像）(B)

症例4　高血圧緊急症

- 30歳，男性．
- 喫煙時に突然，全胸部から上背部にかけて鈍痛が出現．
- 血圧：左上肢180/60 mmHg，右上肢80/－mmHg．
  → 血圧の左右差を確認する．心雑音あり．
- 心電図にてⅡ，Ⅲ，aV_F，V_4～V_6にST低下を認めた．
- 心エコーにてフラップ，上行大動脈拡張，大動脈弁閉鎖不全症を認めた．

すぐに専門医のいる高次医療機関に紹介

- 急性大動脈解離（スタンフォードA型）であり，緊急手術となった．

14 脂質異常症

家族性に要注意

基本の考え方

- 脂質値から脂質代謝のどの経路に異常があるのかを推定する．
- LDLコレステロール（LDL-C）が高い例では，**家族性高コレステロール血症（FH）** を鑑別診断する．
- 高中性脂肪血症では，リポ蛋白リパーゼ（LPL）欠損症などの原発性高カイロミクロン血症を鑑別診断する（表1）．

> **メモ** FHの診断基準（日本動脈硬化学会による）
> ①高LDL-C血症（未治療時のLDL-Cが180 mg/dL以上）
> ②腱黄色腫（手背・肘・膝などの腱黄色腫あるいはアキレス腱肥厚）あるいは皮膚結節性黄色腫．
> ③FHあるいは早発性冠動脈疾患の家族歴（二親等以内の血族）
> → 2項目以上があてはまる場合，FHと診断する．

表1 原発性脂質異常症（高脂血症）の分類と頻度

1. 原発性高カイロミクロン血症
   - 家族性リポ蛋白リパーゼ（LPL）欠損症：100万人に1人
   - アポリポ蛋白C-Ⅱ欠損症：きわめてまれ
   - アポリポ蛋白A-V欠損症：きわめてまれ
   - GPI-HBP1欠損症：きわめてまれ
   - リパーゼ成熟因子1（LMF1）欠損症：きわめてまれ
   - 原発性V型高脂血症：1,000人に1人
   - その他の原因不明の高カイロミクロン血症
2. 原発性高コレステロール血症
   - 家族性高コレステロール血症（FH）：300人に1人
   - 家族性複合型高脂血症：100人に1人
   - 多遺伝子性高コレステロール血症
3. 家族性Ⅲ型高脂血症
   - アポリポ蛋白E2ホモ接合体：1万人に1人
   - アポリポ蛋白E異常症：きわめてまれ
4. 原発性高トリグリセライド血症
   - 家族性Ⅳ型高脂血症
   - 原因不明の高トリグリセライド血症
5. 原発性高HDLコレステロール血症
   - CETP欠損症：HDL-Cが80 mg/dL以上の3人に1人
   - その他

診察室で

聞く

- 食事（鶏卵，魚卵，バター，洋菓子，揚げ物など）や生活習慣（間食，飲酒量，運動量）は？
- **家族歴**は？：できる限り家族の健診結果を教えてもらう．
  → FH家系が疑われたら，未受診の家族から採血して高LDL-C血症がいないかを確認する．

診る

- 手背の腱に黄色腫がないか？　角膜輪がないか？
- 手掌線状黄色腫がないか？　→ Ⅲ型高脂血症で現れることがある．
- 触診で**アキレス腱肥厚**の有無を調べる．
  → 疑わしい場合は軟線撮影でアキレス腱厚を測定する（男性は8 mm以上，女性は7.5 mm以上が陽性）．

検査する

まずはここから
- 血中脂質値，リポ蛋白電気泳動
- 心電図，頸動脈エコー

次のステップ
- アポリポ蛋白定量
- 中性脂肪が非常に高いときはヘパリン静注後血漿でのLPL蛋白量の測定．

> メモ　家族性で重症例の専門医への紹介の目安
> - 家族性高コレステロール血症で，内服治療でもLDL-Cが十分に下がらない．
> - 若年で心筋梗塞を起こした脂質異常症．
> - Ⅲ型高脂血症が疑われるとき，アポリポ蛋白Eアイソフォームの判定（保険適用外）．
> - 中性脂肪が1,000 mg/dLを超える（**図1**）．
> - 急性膵炎を起こした高中性脂肪血症．

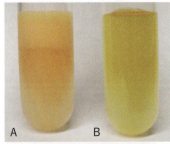

図1　高中性脂肪血症患者の血清
A：上部がクリーム層で，下部も白濁している．B：正常対照．

症例

症例1　FHへの薬物療法

- 50歳，女性．
- アキレス腱肥厚あり．父親がFHで冠動脈バイパス術を受けている．
- 健診で総コレステロール（TC）420 mg/dL，LDL-C 350 mg/dLであった．FHヘテロ接合体と診断し，スタチン系薬の内服を開始した．
- ロスバスタチン20 mg/日とエゼチミブ10 mg/日を併用し，LDL-Cは180〜140 mg/dLに低下した．
- 抗PCSK9モノクローナル抗体製剤の皮下注射（2週間に1回）を追加した後，LDL-Cは30 mg/dLへ低下した．

症例2　Ⅲ型高脂血症の治療

- 47歳，男性．耐糖能異常あり．
- 中性脂肪924 mg/dL，TC 375 mg/dLであった．リポ蛋白電気泳動でbroad β-bandを認めた．
- アポリポ蛋白Eアイソフォームの判定はE2のホモ接合体だったので，Ⅲ型高脂血症と診断した．
- 食事療法とフェノフィブラート内服で中性脂肪135 mg/dL，TC 157 mg/dLになった．

処方例

■ **LDL-Cが高いとき**

以下のいずれかの**HMG-CoA還元酵素阻害薬（スタチン系薬）**を処方する．選択肢は他にもある．

- **リピトール®**錠（10 mg）1錠，分1
- **クレストール®**錠（2.5 mg）1錠，分1
- アトルバスタチン（リピトール®）は最大20 mg/日，ロスバスタチン（クレストール®）は最大10 mg/日まで使用可．FHの場合，アトルバスタチンは最大40 mg/日，ロスバスタチンは最大20 mg/日まで増量可．

■ スタチン系薬で不十分な場合
- 小腸コレステロールトランスポーター阻害薬［エゼチミブ（**ゼチーア®**）］10 mg/日を併用する．スタチンとの合剤も発売されており，処方可能である．
- それでも不十分な場合は，**抗PCSK9モノクローナル抗体製剤**の追加を考慮する．

■ 中性脂肪が高いとき
フィブラート系薬［フェノフィブラート（リピディル®）］や選択的PPARαモジュレーター［ペマフィブラート（パルモディア®）］を処方する．
- **リピディル®**錠（53.3 mg）2錠，分1
- **パルモディア®**錠（0.1 mg）2錠，分2
- 血清クレアチニン値が高いときや胆石があるときは使用できない．

メモ　スタチン系薬の特徴と注意点

- スタチン系薬はコレステロール生合成の律速酵素（HMG-CoA還元酵素）を拮抗阻害し，細胞内コレステロール量を低下させる．その結果，LDL受容体の発現が亢進して，血中LDLの取り込みが促進され，LDL-Cが20〜40％低下する．LDL-Cを38.7 mg/dL下げるごとに，虚血性心疾患の発症率が約21％低下することが示されている．
- 副作用では肝障害と筋障害に注意する．
- 妊婦・授乳婦には禁忌．

ヒント　PCSK9

- PCSK9はLDL受容体の分解を促進する蛋白質である．PCSK9に対するモノクローナル抗体でこの蛋白の働きを抑えると，細胞表面にLDL受容体数が増加して，LDL-Cが減少する．スタチン系薬はPCSK9濃度を高めるので，抗PCSK9モノクローナル抗体と併用するとさらにLDL-Cが低下する．抗PCSK9モノクローナル抗体製剤は最大用量のスタチン系薬と併用する．保険適用のために症状詳記が必要である．
  ①使用が必要と判断した際のLDL-Cの検査値と検査の日付を記載する．
  ②食事療法や運動療法，禁煙などの治療や指導を行っていること．また，他の虚血性心疾患のリスク因子（例えば糖尿病や高血圧）の治療を十分行っていることを記載する．
  ③内服中のスタチン系薬の成分名と1日投与量を記載する．1日投与量はスタチン最大用量であることが通例である．
  ④FH以外の患者では，心血管イベントの発現リスクが高いと判断した理由を記載する．
- 筋痛などのためにスタチン系薬の内服が継続できない「スタチン不耐性」の場合には，単独使用が認められている．

メモ　PROMINENT試験

PROMINENTは，TG 200〜499 mg/dLかつHDL-コレステロール40 mg/dL未満，2型糖尿病，心血管疾患の既往もしくは男性50歳以上・女性55歳以上，LDLコレステロール70 mg/dL以下を対象にパルモディア投与の効果を評価した最近の臨床試験である．実薬でTGは有意に低下したが，期待に反して心血管イベントの減少は認められなかった．96％でスタチン系薬が投与されている母集団であり，この条件ではTG治療のメリットは小さいことが分かった．TG値がより高いときやスタチン系薬を十分使えないときはフィブラート系薬の出番はもっとあるかもしれない(Das Pradhan A, et al：N Engl J Med **387**：1923, 2022)．

患者さんを安心させるコツ・ポイント

内服を続けてLDLコレステロール値を管理すれば，心筋梗塞や狭心症が減ったという大規模介入試験のデータがある(Fulcher J, et al：Lancet **385**：1397-1405, 2015)．「根気よく続けてください」と説明する．

15 二次性の高コレステロール血症
糖尿病かメタボかをチェック

基本の考え方
- 原発性脂質異常症（家族性複合型高脂血症，家族性高コレステロール血症）の有無について検討する．
- 二次性高コレステロール血症は，糖尿病，肥満（メタボリックシンドローム），ネフローゼ症候群，甲状腺機能低下症（橋本病など）による場合が多い．
- 薬剤（サイアザイド系利尿薬，糖質コルチコイド，シクロスポリン，経口避妊薬，フェノチアジン系抗精神病薬）やまれな内分泌疾患（先端巨大症，クッシング症候群，褐色細胞腫）も原因となる．

診察室で

聞く
- 生活習慣は？
- 既往歴，現病歴，常用薬はあるか？
- 脂質異常症および若年性冠動脈疾患の家族歴はあるか？

診る
- 肥満，顔貌はどうか？　→ あればクッシング症候群，先端巨大症を疑う．
- 皮膚はどうか？　→ 乾燥していれば橋本病．斑状出血があればクッシング症候群，糖質コルチコイドを疑う．
- 甲状腺腫はどうか？　→ あれば橋本病を疑う．
- 下腿浮腫はどうか？　→ あればネフローゼ症候群を疑う．

検査する

まずはここから

- **血液検査**
  - → 血清脂質［総コレステロール（TC），HDLコレステロール（HDL-C），トリグリセリド（TG）］の測定は，空腹時採血を基本とする．LDL-Cはフリードワルド式（LDL-C＝TC－TG/5－HDL-C）を用いた間接法により算出する（TGが400 mg/dL未満の場合）．随時採血の場合やTGが400 mg/dL以上の際には，直接法によるLDL-C測定を考慮する．
  - → 一般生化学検査に加えて，甲状腺刺激ホルモン（TSH），FT3，FT4など．

念を入れるなら

- **血漿リポ蛋白：アガロースゲル電気泳動，ポリアクリルアミドゲル電気泳動**
- **アポリポ蛋白：アポ蛋白B・E・CⅡなど**
- 下垂体・副腎系ホルモン
- 甲状腺エコー

症例

症例1　橋本病による高コレステロール血症

- 52歳，女性．
- 前医よりHMG-CoA還元酵素阻害薬（スタチン系薬）開始後の高クレアチンホスホキナーゼ（CPK）血症（960 mg/dL）で紹介．
- 前医でLDL-C 182 mg/dL（TG，HDL-C正常）のためロスバスタチン2.5 mg開始．服薬開始後に初めてCPKを測定．
- 顔貌のむくみ，甲状腺腫大，TSH 98.0 μIU/mL，FT3 1.2 pg/mL，FT4 0.4 ng/dL，TPO抗体38 U/mL，サイログロブリン抗体70 U/mLより，橋本病による甲状腺機能低下症と診断．
- ロスバスタチン中止とレボチロキシン（チラーヂンS®）の開始・増量により，コレステロールおよびCPKは正常化．高CPK血症，高コレステロール血症は甲状腺機能低下症によるものであった．
- **高コレステロール血症では，甲状腺機能低下症の存在を念頭に置く．**

症例2　糖尿病性腎症およびネフローゼ症候群を伴う症例

- 60歳，男性．
- 糖尿病性腎症によるネフローゼ症候群により脂質異常症の悪化を認めた．
- TC 262 mg/dL，TG 290 mg/dL，HDL-C 36 mg/dL，LDL-C 168 mg/dL（ロスバスタチン2.5 mg内服下）を認めた．
- LDL-C 120 mg/dL未満を目標にロスバスタチンの増量あるいはエゼチミブ（ゼチーア®）の開始を検討する．
- その上で高TG血症に対してペマフィブラート（パルモディア®）やイコサペント酸（EPA，エパデールS®）を検討する．パルモディア®はスタチン系薬との併用注意であり，血清クレアチニン値2.5 mg/dL以上またはクレアチニンクリアランス40 mL/分未満の腎機能障害のある患者では単独での使用も禁忌．
- **ネフローゼ症候群に伴う脂質異常症は治療抵抗性である．**

処方例（図1）

- 原疾患の治療が優先である．
- 高コレステロール血症がLDL増加による場合と，それ以外のリポ蛋白［超低比重リポ蛋白（VLDL）やレムナントリポ蛋白が高値］増加による場合により治療薬を選択する．

■ **LDL-C高値**
- **ロスバスタチン** 2.5〜10 mg，分1，食後
- **ゼチーア®** 10 mg，分1，食後
  スタチン系薬による副作用やスタチンの効果不十分例に単独，あるいは併用．
- **コレバイン®ミニ** 2包，分2，朝夕食前
  TGが増加するので高TG血症を合併する症例では注意．

■ **LDL-C正常（VLDLやレムナントリポ蛋白の増加によりTCおよびTGが増加）**
- **パルモディア®** 0.2 mg，分2，朝夕食後
- **エパデールS®** 1,800 mg，分2または分3，毎食後

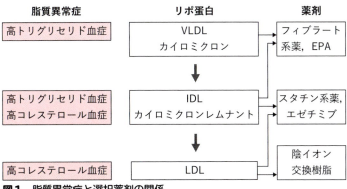

図1 脂質異常症と選択薬剤の関係

患者さんを安心させるコツ・ポイント

以下を患者に説明する．
- コレステロールが高ければ動脈硬化性疾患を起こすが，低下させることにより発症を防ぐことが可能であること．
- コレステロールが高くなる原因を明らかにして治療することにより，コレステロールも改善すること．
- 食事療法とともに様々な治療薬があり，安全にコレステロール値を下げることができること．

16 低LDLコレステロール血症
基本的に治療は不要!?

基本の考え方

- 明確な基準はないが，LDLコレステロール（LDL-C）60〜70 mg/dLを下回る場合，低LDL-C血症と考える．
- 多くは**二次性が原因**（主に**肝不全，甲状腺機能亢進症**．悪性腫瘍，低栄養や薬剤性が鑑別に挙がる）．
- 原発性は主に**家族性低βリポ蛋白血症**，もしくはまれだが家族性無βリポ蛋白血症．近年，PCSK9変異（PCSK9欠損症）でも生じる報告が増えている．
- 二次性であれば原疾患の治療が必要だが，**低LDL-C血症は治療を要さない**．
- 原発性であっても高度の低LDL-C血症でなければ**基本的に治療を要さない**．
- 原発性で高度の低LDL-C血症［特に総コレステロール（TC）50 mg/dL，トリグリセリド（TG）15 mg/dL以下］では，脂溶性ビタミン欠乏（特にビタミンE）による進行性の神経症状を呈し，著しいADLの低下を招くことがあり，小児期からの早期治療が重要．

診察室で（図1）

聞 く

- 低体重・体重減少やアルコール多飲，肝疾患歴がないか？
  → あれば**二次性**を疑う．
- 以前から低LDL-Cを指摘されているか？
  → 原発性ならば基本的に遺伝性なので，以前から低LDL-Cが持続している．
- 薬剤歴や**家族歴**は（併せて聴取することが望ましい）？
- （高度に低下している場合のみ）脂肪便・慢性下痢があるか？

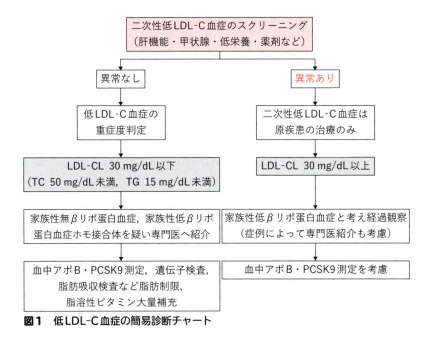

図1　低LDL-C血症の簡易診断チャート

診　る

- 甲状腺腫や眼球突出などはあるか？
- 肝硬変に続発する症状や病的な痩せはあるか？
- （高度に低下している場合のみ）視力低下・運動失調・知覚低下・腱反射消失などはあるか？

検査する

まずはここから

- 肝機能（特に合成能）
- 甲状腺機能

念を入れるなら

- 悪性腫瘍検索
  → 担がん患者はコレステロールが10～20 mg/dL下がると言われている．
- 血中アポリポ蛋白B（アポB）・PCSK9測定などを考慮
  → 二次性が否定的で低LDL-Cが高度（LDL-C 30 mg/dL未満）の場合は**速やかに専門医へ紹介**．

症例

症例1　バセドウ病による低LDL-C血症

- 20歳台，女性．
- 健診で低LDL-Cを指摘されて受診．
- 同時に低体重（BMI 17.5 kg/m^2），5 kgの体重減少あり．
- 血液検査：TC 115 mg/dL，TG 56 mg/dL，HDL-C 50 mg/dL，LDL-C 55 mg/dL
  → 甲状腺腫軽度，自覚症状なし
- 追加血液検査：肝機能ALP高値のみ，甲状腺機能でTSH感度未満，FT3 18.5 pg/mL，FT4 3.25 pg/mL
  → バセドウ病（二次性で原疾患治療）
  → 若年女性であり，甲状腺腫が明らかでなくとも頻度の高いバセドウ病は血液検査でスクリーニングすることが望ましい．

症例2　家族性低βリポ蛋白血症疑い

- 45歳，男性．
- 以前からコレステロール低値を指摘されていたが，放置していた．
- 高血圧で受診した際の血液検査で低LDL-C血症を認めた．
- 血液検査：TC 85 mg/dL，TG 36 mg/dL，HDL-C 40 mg/dL，LDL-C 38 mg/dL
- 追加検査：肝機能正常，甲状腺機能正常．BMI 23.5 kg/m^{2}で体重変化なし．
  → 家族性低βリポ蛋白血症を疑う場合，専門医への紹介ならびに血中アポB測定を考慮．

症例3　薬剤性低LDL-C血症

- 55歳，男性．
- 健診で低LDL-C血症を指摘されて受診．
- 血液検査：TC 128 mg/dL，TG 120 mg/dL，HDL-C 60 mg/dL，LDL 58 mg/dL
- これまで家族性高コレステロール血症ヘテロ接合体と診断され，加療されている．体重減少などはなく，肝機能正常，最近かかりつけ医の外来で注

射薬処方が始まった．
→抗PCSK9モノクローナル抗体製剤による低LDL-C血症．
■ スタチン系薬で著明な低LDL-C血症となることはまれだったが，抗PCSK9モノクローナル抗体薬の登場で薬剤性でも低LDL-C血症となるケースが増えている．LDLレセプターの増加に伴う肝でのクリアランス亢進のみであるため，経過観察でよい．

17 低アルブミン血症
隠れた原因を突き止める

基本の考え方

- 原因の多くは以下の3つに集約される．
  - ①**肝臓における合成能低下**（慢性肝炎，肝硬変・肝不全など）
  - ②**腎臓からの喪失**（ネフローゼ症候群，糖尿病性腎症など）
  - ③**慢性的な栄養失調**（栄養不良，悪性腫瘍，炎症性腸疾患など）
- 低アルブミン（Alb）血症は血液検査上の1つの症候に過ぎない．多くは問題となる病態が隠れているため，原因検索が重要となる．
- 腎臓から蛋白が喪失する代表疾患はネフローゼ症候群．突然発症し，急速に低Alb血症が進行するため，速やかに専門医へ紹介する．

診察室で

聞 く

- 肝障害を指摘されたことはないか？　アルコール依存はないか？　蛋白質・カロリー摂取不足はないか？
  → Alb産生障害の原因検索のため．
- 尿の泡立ちはないか？　慢性腎疾患や糖尿病の罹患歴はないか？
- 慢性的な下痢・軟便はないか？　→ Alb喪失増加の原因検索のため．

診 る

- 体格はどうか？
  → 栄養状態に問題がないかを確認（ベルトサイズの変化など）．
- 体重の増減はあるか（急激または緩徐）？
- 下腿浮腫はあるか？
  → 圧痕性浮腫は高度の低Alb血症を示唆する．

> **ヒント　低 Alb 血症の診療方針**
> 一般に，低 Alb 血症に対してのみ治療を行うことはない．必ず原因となる病態を精査する必要がある．血清 Alb は**膠質浸透圧**の維持に中心的な役割を担っている．浮腫は，低 Alb 血症に伴う膠質浸透圧の低下によって生じるが，低 Alb 血症が高度（2 g/dL 以下）にならない限り，膠質浸透圧の低下は浮腫に寄与しない．圧痕性浮腫を認める場合は，高度の低 Alb 血症の存在を疑うか，心不全などの**静水圧**上昇をきたす病態が隠れていないかを鑑別する．

検査する

まずはここから

■ **血液検査**
- 血算，総蛋白，血清 Alb，コレステロール，血糖，HbA1c
- 肝機能検査：AST/ALT，乳酸脱水素酵素（LDH），コリンエステラーゼ（ChE），プロトロンビン値（PT）
- 腎機能検査：尿素窒素（BUN），Cre，eGFR

■ **尿検査**
- 尿試験紙法
- 尿蛋白（定量），尿 Alb（定量），尿 Cre（蓄尿は不要）

念を入れるなら

■ **甲状腺機能検査：FT3，FT4，TSH**

■ **肝炎ウイルス検査**

■ **蛋白分画**

■ **脳性ナトリウム利尿ペプチド（BNP）**
→ 体液過剰による相対的な低 Alb 血症の除外

> **メモ　コレステロール値の捉え方**
> 一般的にコレステロール値は脂質異常症の評価項目であるが，肝臓における合成能の指標として捉えることもできる．飢餓状態や慢性的な肝障害がある場合，肝臓における合成能低下から，コレステロール値は低下する．一方，ネフローゼ症候群などで Alb が体外に喪失してしまう場合，肝臓ではその代償として蛋白合成が亢進する．これに伴いリポ蛋白合成も亢進し，血中のコレステロールが増加する．低 Alb 血症に高コレステロール血症を伴う場合は，Alb が喪失する病態が隠れていないかを精査する必要がある．

症例

症例1　むくみで靴が履けない

- 18歳，女性．
- 3日前から突然の体重増加，尿の泡立ち，むくみで靴が履けないことを主訴に来院．
- 血液検査・尿検査：血清Alb 2.0 g/dL，尿蛋白3＋
  → ネフローゼ症候群を疑う．

ここで専門医に紹介

症例2　食欲不振を訴える高齢男性

- 76歳，男性．
- 2ヵ月前から食欲低下，腰痛を主訴に来院．
- 血液検査・尿検査：血液検査上，総蛋白9.4 g/dL，血清Alb 2.3 g/dL，尿蛋白＋（総蛋白が高値にもかかわらず，Albが低値!?）
  → 血液検査での蛋白質評価は，総蛋白だけではなく，血清Albの評価も必ず行う．Albは血清においては総蛋白の60％程度を占める．これ以上なら，他の蛋白分画が増加している可能性が高い．
- 血清蛋白分画の評価：γグロブリン分画にM蛋白を認めた．
  → 多発性骨髄腫である可能性が高い．

ここで専門医に紹介

18 血清ナトリウム≦136 mEq/L
低ナトリウム異常（低ナトリウム血症）

比較的頻度の高い低ナトリウム（Na）血症を中心に述べる．

基本の考え方

- 低Na血症のうち血清Na値が24〜48時間以内で低下したものを**急性**，48時間以上低値を持続したものを**慢性**と考える．時間経過が不明の場合は慢性と考える．
- 急性発症で120 mEq/L以下では重篤な症状が発現しやすく，**脳浮腫による死亡**のリスクもある．
- 低Na血症として対処を要するものは**低張性**（有効浸透圧の低下）．
- **高張性**（高血糖，マンニトールなど他の有効浸透圧物質の存在），**等張性**（脂質異常症，高グロブリン血症など無効な浸透圧物質が増加する「偽性低Na血症」）の低Na血症をまず除外する．
- 実測の血漿浸透圧＜275 mOsm/kgは低張性の所見．
- 非低張性の低Na血症では脳浮腫などはきたさないため3％食塩水による補正は適応がない．

> **メモ** 2014年欧州の診療ガイドライン
> - 2014年の欧州の3学会合同によるガイドラインで，Na低下度は130〜135 mEq/Lが軽度，125〜129 mEq/Lが中程度，125 mEq/L未満が高度（profound）とされた（Spasovski G, et al：Intensive Care Med **40**：320-331, 2014など）．高度低下の閾値は125 mEq/L未満とやや高めに設定されている．根拠として，それ未満では低Na血症症状の頻度が増加し，急速補正に伴うリスクへの注意が必要となることが挙げられている．
> - 経過時間は，脳浮腫のリスクが増す48時間以内を目安として急性・慢性とのみ分類．
> - 症状の程度は，特に死亡リスクとの関連から，中程度に重篤（嘔吐のない悪心，錯乱，頭痛），重篤［嘔吐，循環・呼吸障害，異常で深い傾眠，けいれん，GCS（Glasgow Coma Scale）8以下の昏睡］とのみ分類．

診察室で

聞く
- 心臓，腎臓，肝臓の既往歴は？
- 口渇，飲水量の異常がないか？
- 体重の変化がないか？
- 常用薬はあるか（特に利尿薬の有無）？

診る
- 体液量異常の所見：浮腫，皮膚トーヌス低下などはあるか？
- 軽微な神経所見：腱反射の減弱などはあるか？ → あれば判断材料となる．

検査する
- 一般的な検査項目に，特に以下を追加する．
- 血清（血漿）検査：心房性ナトリウム利尿ペプチド（ANP），脳性ナトリウム利尿ペプチド（BNP），抗利尿ホルモン（ADH），レニン，アルドステロン，コルチゾール，ACTH，TSH，FT3，FT4，浸透圧
- 尿検査：Na，K，Cl，Cre，尿酸，蛋白，浸透圧

対処する
- 症状がなくても24〜48時間以内の急性発症，または血清Na 120 mEq/L未満では入院適応と考える．
- 症状があれば血清Na 120〜130 mEq/Lでも入院適応を考える．

治療する

①緊急補正
- 3%食塩水による緊急的補正は入院での実施が前提．
  → 上記ガイドラインでは，浸透圧性脱髄症候群（ODS）予防のため20分間の短時間投与を繰り返し，Na値の上昇幅として最初の24時間は10 mEq/L以下，その後は24時間ごとに8 mEq/L以下を推奨している．

> **ヒント** 3％食塩水による緊急補正の例
> ①低張性低Na血症が判明し重篤な症状があれば
> - 3％食塩水150 mL（または2 mL/kg）を20分間で静注．20分ごとに血清Naを測定しながらNa値が計5 mEq/L上昇するまで，同じ静注を計3回まで繰り返す．
> - 上記で5 mEq/L上昇で症状が改善すれば，以後は0.9％食塩水の少量持続投与とし，原因疾患への個別的治療を行う．
> - 5 mEq/L上昇でも症状が改善しない場合，3％食塩水の持続静注を血清Naの上昇速度が1 mEq/L/時間となるように（4時間ごとに再検しながら）継続する．症状の改善，血清Naの計10 mEq/Lの上昇，または130 mEq/Lへの到達のいずれかがあれば中止．症状の改善がなければ低Na血症以外の原因を考慮．
> ②中程度の重篤症状のみ，あるいは明らかな症状がなくても急性経過で10 mEq/L以上の上昇であれば
> - 3％食塩水150 mLの20分投与を1回のみ推奨．

②慢性低Na血症の治療

■ 血清Na 130 mEq/L以上，または無症状で120～130 mEq/Lでは必ずしも入院を要しない．

■ 原因薬物の中止や原因疾患の特異的治療を行う．
  → 上記ガイドラインでは，細胞外液量は判定の難しさから鑑別アルゴリズムの上位項目ではない．表1のような鑑別が考えられるが，複数の原因が寄与している可能性も考える．

■ 共通する治療として飲水制限（15～20 mL/kg/日）や食塩摂取（場合により3～9 g/日の食塩を処方）を行う．

■ ［尿中Na（mEq/L）＋尿中K（mEq/L）］／血清Na（mEq/L）＞1　では低Na血症進行の恐れがあり，ループ利尿薬やトルバプタンを併用する．

処方例

- **サムスカ**®OD錠（7.5 mg）1～2錠/日，分1
- 脱水や体液過剰，血圧コントロールを悪化させない範囲で対処する．
- デメチルクロルテトラサイクリン，リチウム製剤は副作用などの点から積極的には推奨されない．

■ 治療により，長期的には生命予後改善や骨粗鬆症予防などの効果が期待されている．

表1 低張性低Na血症の鑑別

尿浸透圧>100 mOsm/kg	尿浸透圧≦100 mOsm/kg			心因性多飲 溶質摂取不足
	尿中Na >30 mEq/L	利尿薬または腎不全あり		利尿薬（漢方など含む），腎不全
		利尿薬，腎不全なし	細胞外液量減少	嘔吐，原発性副腎不全，塩類喪失性腎症
			細胞外液量正常	SIADH，MRHE，続発性副腎不全
	尿中Na ≦30 mEq/L	細胞外液量減少		下痢と嘔吐，サードスペース貯留，熱傷
		細胞外液量増加		心不全，肝硬変，ネフローゼ症候群

SIADH：抗利尿ホルモン不適合分泌症候群，MRHE：鉱質コルチコイド反応性Na血症

メモ 高Na血症

- 原因は，不十分な飲水行動（小児や高齢者，意識障害など），腎髄質の高浸透圧による水分喪失（高血糖による浸透圧利尿など），ADH作用不足（尿崩症）に大別できる．
- 不穏，傾眠，けいれんなどを呈し，血清Na 160 mEq/L以上では脳実質の萎縮による脳出血，くも膜下出血のリスクがあるため入院適応となる．
- 高Na血症では多くの場合，重篤な原因疾患のため口渇感の欠如または飲水不能の状態にあると考えられ，5％ブドウ糖液などによる高値是正のため原則として入院が必要である．

19 血清カリウム≦3.5 mEq/L
低カリウム血症

基本の考え方

- 血清カリウム(K) 3.5 mEq/L以下を低K血症という．
- 多くは無症状だが血清K 3.0 mEq/L以下になると悪心，脱力，筋力低下などの症状を認める場合がある．
- しばしば**内服薬(甘草，グリチルリチン，利尿薬など)により低K血症をきたす**．
- ホルモン異常(バセドウ病，原発性アルドステロン症，クッシング症候群など)によることがある．

診察室で

聞く(表1)

- **服用している薬剤**はあるか？
  → 薬剤による可能性があれば速やかに中止または変更する．
- **心疾患**はないか？
  → 心疾患があると軽度の低K血症でも不整脈を生じやすい．
- **下痢，嘔吐などの消化器症状**はあるか？
  → 下痢や嘔吐によるものなら，急性に生じた可能性が強い．

表1 低カリウム血症の症状・心電図変化と主な原因

症 状	心電図変化	主な原因
筋力低下，四肢麻痺，多尿，口渇，不整脈(心室頻拍や心室細動)	T波平低化，U波出現，QT延長	・**排泄増加**：原発性アルドステロン症，尿細管性アシドーシス，バーター症候群，クッシング症候群，ACTH産生腫瘍，薬剤性(利尿薬，甘草，ステロイド，下剤)，嘔吐・下痢 ・**細胞内移行**：アルカローシス，インスリン過剰，甲状腺機能亢進症 ・**摂取不足**：神経性食思不振症

- **自覚症状はあるか？**
  → 症状によっては緊急治療が必要になる．

診る

- **血圧は高くないか？**
- **甲状腺腫大や手の震えはあるか？**
- **満月様顔貌はあるか？**
  → あれば，原発性アルドステロン症，バセドウ病，クッシング症候群などの内分泌疾患を疑う．

検査する（図1）

まずはここから

- **心電図（表1），血液ガス，尿生化学検査，血清・尿浸透圧**

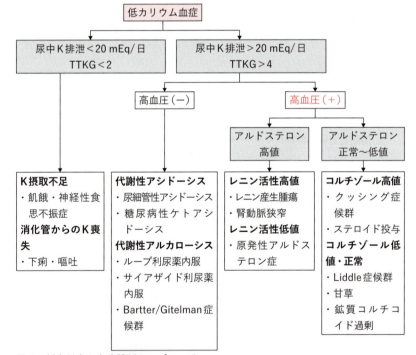

図1　低カリウム血症診断のアプローチ
TTKG＝（尿中K濃度×血漿浸透圧）／（血清K濃度／尿中浸透圧）
ただし，尿浸透圧＞血漿浸透圧，かつ尿中Na≧25 mEq/Lのときのみ計算可能．

内分泌疾患が疑われるなら
- ホルモン検査：ACTH，コルチゾール，アルドステロン，レニン活性，TSH，FT3，FT4．
- 腹部CTなど

治療する

- 低K血症の原因を考え，その原因を取り除くのが治療の原則．
- 緊急性のない場合はK製剤の経口投与を行う．改善しないときはK保持性利尿薬であるスピロノラクトンの投与を考慮する．

症例

症例1　自覚症状がない若年性高血圧

- 40歳，女性．
- 健診で高血圧を指摘され来院．血圧176/100 mmHg
- 血液検査で血清Na 142 mEq/L，血清K 3.2 mEq/Lと軽度の低K血症を認めた．
- 血液ガスでは代謝性アルカローシスを呈しており，尿中Kの排泄増加を示していた．
- ホルモン検査で血清アルドステロン濃度300 pg/mL，レニン活性0.3 ng/mL/時．
  → 精査の結果，原発性アルドステロン症と診断．
  → 血清アルドステロン濃度/血漿レニン活性≧200かつアルドステロン濃度≧60 pg/mLならば原発性アルドステロン症を疑う．

症例2　手足が動かなくなり救急車で来院

- 27歳，男性．
- 四肢筋力低下，歩行困難のため来院．
- 身体所見ではびまん性甲状腺腫大，眼球突出を認めた．
- 血液検査で血清Na 146 mEq/L，血清K 1.9 mEq/Lと著明な低K血症を認めた．
- 心電図ではT波の平低化と頻脈がみられた．

- 甲状腺機能検査で甲状腺ホルモン高値，TSH受容体抗体陽性．
→ バセドウ病による周期性四肢麻痺と診断．

症例3　筋力低下を主訴に来院

- 75歳，女性．
- 四肢筋力低下が持続するため来院．
- 血圧165/90 mmHgと高血圧を呈し，血液検査で血清Na 147 mEq/L，血清K 1.5 mEq/Lと著明な低K血症を認めた．
- 血液ガスでは著明な代謝性アルカローシスを呈していた．
- 服薬状況を確認したところ，長期に芍薬甘草湯を内服していた．
- ホルモン検査で低レニン，低アルドステロンを呈していた．
→ 偽性アルドステロン症と診断．

処方例

- **塩化カリウム**徐放錠（600 mg）4錠，分2
- **アルダクトンA**®錠（25 mg）2〜4錠，分1
- 血清K 2.5 mEq/L以下で麻痺や不整脈があるとき心電図をモニターしながら点滴による治療を行う．
- **K.C.L**®注20 mEq＋生理食塩水500 mLを1時間以上かけて点滴　輸液速度は20 mEq/時を超えないように，また輸液濃度は40 mEq/Lを超えないように投与する．

患者さんを安心させるコツ・ポイント

「筋力低下や筋肉痛は治療をすれば良くなりますので安心して下さい」と説明する．

20 血清カリウム ≧ 5.0 mEq/L

高カリウム血症

基本の考え方

- 血清カリウム（K）5.0 mEq/L 以上を高 K 血症という．
- 腎障害を伴うことが多い．
- **内服薬 [K 保持性利尿薬，ACE 阻害薬，アンジオテンシンⅡ受容体拮抗薬（ARB），ミネラルコルチコイド受容体拮抗薬，β 遮断薬，ST 合剤，非ステロイド性抗炎症薬（NSAIDs）など] により高 K 血症をきたすことがある**ため，内服薬の確認をする．
- ホルモン異常（インスリン不足，副腎皮質機能低下など）により生じることがある．
- 細い血管からの過度な陰圧による採血，長時間の検体放置などによる**偽性高 K 血症は日常診療でよくみられるため，常に念頭に置く**．

診察室で

聞く

- **現在治療中の疾患**（特に糖尿病による腎障害，慢性腎臓病，高血圧症など）があるか？
- **服用している薬**はあるか？
  → 原疾患の悪化によるものなのか，薬剤によるものなのかが推測できる．
- **食生活**に変化がないか？
  → 果物や生野菜などによる **K 過剰摂取**がないか確認する．

診る

- 高血圧や低血圧はあるか?
- 浮腫(特に下肢や顔面)はあるか?
- 唇や爪に色素沈着はあるか?
- 低血糖症状はあるか?
- 内分泌疾患が潜んでいないか?

検査する

まずはここから

- 心電図(表1),血液ガス,血糖,尿生化学検査,血清・尿浸透圧

表1 高カリウム血症の症状・心電図変化と主な原因

症 状	心電図変化	主な原因
脱力,口唇のしびれ 不整脈(徐脈性不整脈)	テント状T波,P波消失,幅広QRSなど	・**排泄障害**:薬剤性(K保持性利尿薬,ACE阻害薬,ARB),腎不全,アジソン病,低アルドステロン症 ・**細胞外移行**:アシドーシス,横紋筋融解症,消化管出血 ・**偽性**:溶血,白血球・血小板増多症 ・**摂取過剰***:K製剤,食品(果物・野菜,ナッツ,豆腐など)

*腎機能正常者ではまれ.

- (腎障害があれば)腹部エコー

内分泌疾患が疑われるなら

- ホルモン検査[副腎皮質刺激ホルモン(ACTH),アルドステロン,コルチゾール,インスリン,アルドステロン],下垂体MRI,腹部CTなど

治療する

- 緊急性がないときはイオン交換樹脂製剤やフロセミドを処方しつつ,原因検索を行う.
- **高K血症を生じる可能性のある薬剤は,直ちに中止する.**

症 例

症例1　熱中症のため救急車で来院

- 21歳，男性．
- 手足のつり，しびれ，嘔吐．
- 口腔乾燥が著明．
- 血液検査：AST 142 IU/L，ALT 129 IU/L，LDH 402 IU/L，総蛋白 10.7 g/dL，BUN 35.1 mg/dL，Cre 2.66 mg/dL，尿酸 14.0 mg/dL，CK 383 IU/L，血清Na 139 mEq/L，血清K 7.7 mEq/L
  → 肝・腎障害および著明な高K血症を認めた．
- 心電図ではテント状T波を呈していた．
  → 高度脱水による急性腎不全に伴う高K血症と診断した．

症例2　健診で高K血症を指摘され来院（自覚症状なし）

- 50歳，男性．
- 健診で血清K 6.5 mEq/Lと高K血症を指摘され来院．
- 腎機能正常，白血球・血小板増加なし，心電図異常なし．
- ヘパリン採血で血清K濃度正常．
  → 溶血による偽性高K血症と診断．

処方例

- **カリメート®**20％経口液（25 g），3～6包，分2～3，または**ポリスチレンスルホン酸Ca**経口ゼリー，3～6包，分2～3
  腸閉塞には禁忌．
- **ラシックス®**錠（20 mg）1～2錠
- **ロケルマ®**懸濁用散分包（10 g）3包，分3，2日間
  経口薬では効果発現が早い．
- **血清K 6.0 mEq/L以上の場合**

致死性不整脈を防ぐ目的で①グルコン酸カルシウム（カルチコール®）を静注し，その後，②グルコース・インスリン（GI）療法を行う．アシドーシスがあれば，③炭酸水素ナトリウムを投与する．④⑤尿・便中へのK

排泄を促進する．
①**カルチコール**®注 10 mL を 3〜4 分かけて静注
②50％グルコース 50 mL ＋**ヒューマリン**®R10 単位静注
　→ 高血糖時はブドウ糖は投与せずヒューマリン®R10 単位のみ静注．
③**メイロン**®注 40 mL を 5 分以上かけて静注
④**ラシックス**®注 40 mg ＋生理食塩水 500 mL を点滴
⑤**カリメート**®散 30 g ＋微温湯 100 mL を注腸投与
⑥血液透析

患者さんを安心させるコツ・ポイント

「カリウム値は食事療法や薬物療法で下げることができます．まずはカリウムが多く含まれる食品の摂り過ぎに注意しましょう」と説明する．

21 血清カルシウム≧10.4 mg/dL

高カルシウム血症

基本の考え方

- 原因は**副甲状腺機能亢進症**，悪性腫瘍（骨転移や多発性骨髄腫に限らない）が多く，他に薬剤性（**ビタミンD**，サイアザイド系利尿薬，ビタミンAなど），甲状腺機能亢進症，**慢性肉芽腫性疾患**（サルコイドーシス，結核），不動．
- 比較的軽度の症状は多尿，脱水，食欲不振，悪心，便秘．
- 血清カルシウム（Ca）14 mg/dL以上で筋力低下，不整脈，精神状態の混乱，昏睡．
- 慢性症状として血管，腎臓，心臓（弁）の石灰化．

診察室で

聞く

- ビタミンDなどの原因薬剤を内服していないか？

診る

- 一般的な身体所見以外で診るべき特異的な所見は少ない．

検査する

まずはここから

- 血清アルブミン，Ca，リン，intact PTH，マグネシウムと尿中Cre．Ca，リンは少なくとも初期検査項目に入れる．
  → 高Ca血症でintact PTHが基準範囲内の高め以上なら，原発性副甲状腺機能亢進症が原因と考えられる．

> 念を入れるなら

- 副甲状腺ホルモン関連蛋白（PTHrP）が高値．
  - → 悪性腫瘍が原因と疑われるが確定的ではない．
- 25-(OH)ビタミンDや1,25-(OH)$_2$ビタミンDが高値．
  - → ビタミンD作用の過剰がある．
  - → 原発性副甲状腺機能亢進症や肉芽腫性疾患の可能性があり，画像検査で全身（特に胸部）を検索．

> 対処する

- 血清Ca 12 mg/dL未満では原因薬剤の中止，脱水や臥床の回避．
- 血清Ca 14 mg/dL以上なら緊急補正の適応（入院が前提）．血清Ca 12〜14 mg/dLでも症状の程度により考慮．
- 緊急補正として生理食塩水200〜300 mL/時を補液（尿量100〜150 mL/時目標）．ループ利尿薬の併用は心不全がある場合には考慮．
- カルシトニン製剤の併用は即効性がある．

― 処方例
- **エルシトニン**®注80単位/日，分2，筋注

- 即効性はないが効果が持続的なビスホスホネート製剤も考慮．

― 処方例
- **ゾメタ**®注4 mg/100 mLを15分かけて静注（悪性腫瘍のみ保険適用）

- 血液透析は腎不全，心不全がある場合に考慮．

22 血清カルシウム≦8.0 mg/dL
低カルシウム血症

基本の考え方

- 副甲状腺ホルモン（PTH）が低めなら，原因として**副甲状腺機能低下症**（切除術後や自己免疫性），血清マグネシウムの上昇および低下，Ca感知受容体などの遺伝子疾患がある．
- PTHが高めなら，原因として**ビタミンD作用不足**（摂取や日照の不足，慢性腎不全，肝切除後），急性の高リン血症に伴う異所性沈着，偽性副甲状腺機能低下症（遺伝子疾患）によるPTH感受性低下がある．
- クエン酸などのCaキレート製剤が薬剤性の原因となる．
- 症状として**テタニー**，知覚過敏，けいれん，**徐脈・心収縮力低下**による血圧低下や心不全症状がある．
- 慢性症状として**異所性石灰化**（大脳基底核石灰化による認知機能低下など），白内障がある．

診察室で

聞く

- 頸部の手術歴はあるか？
- 骨折既往はあるか？

診る

- 神経症状[テタニー，Chvostek（クボステック）徴候，Trousseau（トルソー）徴候]はあるか？

検査する

まずはここから
- 低アルブミン血症なら補正Ca値を計算する[4－アルブミン(g/dL)を加える].
- アルカローシスではCa正常でも遊離Ca(イオン化Ca)低下の可能性があり,測定での確認が有用.
- 心電図でQT延長所見.
- 原発性副甲状腺機能低下症などのPTH低下状態で,リンは一般に高めとなる.

念を入れるなら
- (特にリン低めなら)25-(OH)ビタミンDや1,25-(OH)$_2$ビタミンDを測定.

対処する

- 血清Ca 7.0 mg/dL未満または症状があれば静注にて補正(入院適応).

処方例
- **カルチコール®** 注10〜20 mLを10〜20分で投与

- 低マグネシウム血症があればマグネシウム製剤を投与.

処方例
- **マグネゾール®** 注20 mLを10分で投与

- 無症候性,または血清Ca 7.0〜8.0 mg/dLではCa製剤内服にて対処.

処方例
- **炭酸カルシウム** 3〜6 g/日＋**アルファロール®** 3 μg/日(開始用量例)

漫然と長期投与されて末期腎不全に至ることがある.血清Ca 8.0〜8.5 mg/dLと低めを目標とし,尿中Ca/Cre比を0.3 g/gCre以下とする(随時尿でよい).

23 血清リン≧5.0 mg/dL

高リン血症

基本の考え方

- 慢性高リン（P）血症の原因としてステージ4〜5の**慢性腎臓病**（CKD）は頻度が高く，糸球体濾過量（GFR）低下のためP排泄が低下する．非CKDでP再吸収が亢進するものに薬剤性（**ビタミンD製剤**，ビスホスホネート製剤など），**副甲状腺機能低下症**，成長ホルモン過剰がある．P摂取過剰（乳製品など）も原因となるが，非CKDでは少ない．
- 急性の原因として下部内視鏡前処置としてのP含有製剤がある．**組織崩壊**（腫瘍崩壊症候群，横紋筋融解症），糖尿病悪化状態では細胞内から細胞外にPが移行する．
- 慢性期症状として，**異所性石灰化**による動脈硬化，慢性腎不全，皮膚掻痒症などがある．
- 急性期症状として，異所性石灰化（急性腎不全など），低Ca症状（テタニーや心収縮力低下）がある．強い低Ca症状は生命のリスクもある．

診察室で

聞く

- ビタミンD製剤を内服しているか？
- 乳製品などの過剰摂取はないか？

診る

- 特異的所見は少ないが，テタニーなどの低Ca症状がないか？

検査する

鑑別に有用な検査として

- 非CKDで尿細管リン再吸収閾値（TmP/GFR）[＝血清P−（尿中P×血清Cre）／尿中Cre]が4.5 mg/dL以上ならP再吸収亢進がある．
  → PTH低値なら副甲状腺機能低下症を，低値でなければその他の再吸収亢進の原因を考える．

対処する

- P摂取過剰の原因（食事，薬剤）を除去し，P吸着薬（炭酸カルシウムなど）を投与する．
- 急性期症状があれば生理食塩水輸液によるP排泄促進（入院適応）．腎不全があれば血液透析を考慮する．

24 血清リン＜2.5 mg/dL

低リン血症

基本の考え方

- 低リン（P）血症は，**全身状態が不良で低栄養の患者**に起こりやすい．
- **Pの細胞外から細胞内への移行**が原因となるのは，インスリン・ブドウ糖・グルカゴン・アドレナリンの過剰状態（絶食後のリフィーディング症候群など），呼吸性アルカローシス．
- **P摂取・吸収低下が原因**の場合，下痢や制酸薬，P吸着薬内服が重なると起こりやすい．
- **Pの腎排泄過剰**によるものには，副甲状腺機能亢進症（原発性，腎移植後の三次性），ビタミンD欠乏やくる病などの遺伝子疾患がある．薬剤性では利尿薬，静注鉄剤，一部の抗がん剤など．Fanconi（ファンコニ）症候群は広範な近位尿細管障害で，P以外の電解質も低下する（テトラサイクリンや多発性骨髄腫などによる）．肝切除後（ビタミンD活性化障害）も原因となる．
- **透析によるP除去の過剰**も原因となる．
- ミネラル代謝障害による症状として，**くる病**や**骨軟化症**．
- **細胞内ATP低下による症状**として，脳症，心筋収縮力低下，横隔膜筋力低下（呼吸障害），四肢近位筋力低下，嚥下障害，イレウス，横紋筋融解，溶血をきたしうる．

診察室で

聞く

- 食事摂取が十分か？
- 下痢など消化器症状はあるか？
- アルコール依存はあるか？

診る

- 一般的な身体所見以外で診るべき特異的な所見は少ない．

検査する

鑑別に有用な検査として

- Pの排泄率（Pクリアランス/Creクリアランス）を計算：
 （尿中P×血清Cre）／（血清P×尿中Cre）×100
 → 5％未満なら腎排泄過剰は否定的．

対処する

- 血清P 2 mg/dL以上で無症状ならP補充は不要．
- 血清P 1〜2 mg/dLで症状があれば，乳製品などの摂取や経口薬による補充．

処方例
- **ホスリボン®**配合顆粒（1包0.48 g中にPとして100 mg含有）：Pとして20〜40 mg/kg/日を目安に，数回に分割して経口投与

- 血清P 1 mg/dL以下では症状が出現しやすく静注で補正するが（入院適応），Ca・Pの結合による不整脈などの低Ca症状，腎石灰化による腎不全発症に注意．

処方例
- **リン酸Na補正液®**（1Aあたり10 mmol/20 mL）1Aをソルデム®1号液500 mLに希釈し，数時間かけて点滴

25 心房細動

抗凝固療法の適応を判断

基本の考え方
- 発作性，慢性にかかわらず抗凝固療法の適応を判断する．
- 器質的心疾患（特に弁膜症）と心不全の有無を評価する．

診察室で

聞く
- 動悸，息切れなどの自覚症状は？ → 症状が強ければ専門医に紹介．
- 自覚症状があればどれくらい持続しているか？
  → **48時間以上持続しているか持続時間が不明なら，除細動は塞栓症のリスクがあるため禁忌．**

診る
- バイタルサイン → 血行動態が不安定であれば緊急除細動を検討．
- 聴診 → 心雑音があれば，可能なら心エコーを施行．
- 心不全徴候（頸静脈怒張，下腿浮腫）はあるか？ → あれば専門医に紹介．
- 貧血（蒼白結膜），甲状腺機能亢進症の徴候（甲状腺腫大，発汗，手指振戦，体重減少，眼球突出など）はあるか？ → あれば専門医に紹介．

検査する

まずはここから
- 心電図 → 心拍数だけでなくQRS波形［左室・右室肥大，デルタ波（WPW症候群）の有無］やST変化，f波の高さの評価も重要．
- 心電図V_1誘導でのf波の高さ → 慢性化するとf波の高さは低くなる．
- 胸部X線 → 心拡大，肺水腫，両側胸水などの心不全の有無．

- ■ 血液検査：可能なら甲状腺機能，脳性ナトリウム利尿ペプチド（BNP）まで．

念を入れるなら
- ■ 心エコー
  → 左室壁運動，僧帽弁狭窄症などの弁膜症の有無，左房径，左室径，左房内血栓の有無，左室肥大の有無の確認．

治療する

- ■ 洞調律維持か心拍数調節かを選択する前に，まず抗凝固療法の適応を判断する．
- ■ **CHA$_2$DS$_2$-VAScスコア**で心房細動の脳梗塞のリスク評価を行う（**表1**）．
- ■ 2022年に欧州心臓病学会が『心房細動の診断と管理に関するガイドライン』をアップデート（Hindricks G, et al：Eur Heart J 42：373-498, 2020）．機械弁，僧帽弁狭窄症にはワルファリンを投与．CHA$_2$DS$_2$-VAScスコアが0点なら抗凝固療法は原則不要，1点（女性は2点）なら抗凝固療法を考慮，2点（女性は3点）以上は直接経口抗凝固薬（DOAC）（もしくはワルファリン）による抗凝固療法が推奨されている．

表1 CHA$_2$DS$_2$-VAScスコア

		点数
C	congestive heart failure（心不全）	1
H	hypertension（高血圧）	1
A	age≧75（75歳以上）	2
D	diabetes mellitus（糖尿病）	1
S	stroke/TIA（脳卒中・一過性脳虚血発作の既往）	2
V	vascular disease ［血管疾患（心筋梗塞，末梢動脈疾患，大動脈プラークの既往）］	1
A	age（年齢：65～74歳）	1
Sc	sex category（性別：女性）	1

各患者の因子の有無に応じてすべてを加算する．簡単な問診で0～9点の点数がつく．

症　例

症例1　自覚症状が強い発作性心房細動

- ■ 45歳，男性．
- ■ 心拍数110～120 bpm．3時間前からの動悸．症状が強い．

- 心雑音を聴取せず，QRS波形が正常，胸部X線で心胸郭比（CTR）＜50%，肺うっ血なし．
  → 心機能は正常と診断．
- CHA$_2$DS$_2$-VAScスコア0点．
  → 発症から48時間以内かつCHA$_2$DS$_2$-VAScスコアが0点であり，除細動による脳梗塞発症のリスクは低いと考え，抗不整脈薬での薬理学的除細動を試みる．

■ 処方例
- 若年者あるいは腎障害なし
  - サンリズム®50〜100mg（100mgが基本），頓用
- 高齢者あるいは腎障害あり
  - タンボコール®50〜100mg（100mgが基本），頓用
  高齢者では減量を考慮．

- 抗不整脈薬の初回投与の場合には心房細動停止時の洞停止による失神・転倒の可能性や心房粗動への移行も考慮して，必ずモニター監視下で数時間経過観察する．
- 抗不整脈内服下でも発作が頻回で自覚症状を伴うときはカテーテルアブレーションを考慮する．

症例2　自覚症状がなく，発作性か慢性か分からない

- 68歳，男性．
- 心拍数70〜80 bpm．健診で心房細動を指摘された．
- しばらく健診を受けていないので，どういう経過か分からない．心電図のf波は明瞭．
- 65歳以上なので少なくともCHA$_2$DS$_2$-VAScスコア1点．
  → 抗凝固薬の「メリットが大きい」かどうかは不明だが，「考慮してもよい」状況なので，腎機能正常を確認してイグザレルト®15 mg/日を開始．

ここで専門医に紹介
- 背景疾患や洞調律の可否については専門医に紹介した．
  → DOACは安全性が比較的高い脳梗塞予防薬である．CHA$_2$DS$_2$-VAScスコアが低くても抗凝固薬を開始する頻度が高くなった．また，心房細動の治療には多くの要素を考慮する必要がある．心エコーやBNPを評価する前に専門医に紹介するのも賢明な選択である．

26 胸部X線における心胸郭比増大

呼吸困難を伴う？

> **基本の考え方**
> - 成人における心胸郭比（CTR）は50%未満．
> - 50%以上の拡大を認めた場合，**心不全・腎不全による心室拡大，心房細動による心房拡大，心嚢液貯留など**を疑う．
> - 心拡大を認めても，自覚症状やバイタルサインの異常がなければ，緊急性が低いことが多い．

診察室で

聞く

- 心拡大のみで症状はあるか？
  → ない場合，酸素化も良好．もしくは下腿浮腫のみであれば後日専門医に紹介．
- 呼吸困難を伴う心拡大か？ → すぐに専門医に紹介．

診る

- 聴診：**心雑音，肺雑音**があるか？
- **体浮腫・頸静脈怒張**があるか？

検査する

まずはここから
- 血液検査（血算，生化学，BNP），心電図，胸部X線

次のステップ
- 心エコー，CT

> **メモ** 胸部X線の評価
> - 胸部X線を評価する際は，深吸気かどうか，PA像かどうか（AP像はPA像より拡大される），以前のX線と比較してどうかなどに注意．
> - X線で心拡大が疑われても，心エコーでは拡大を認めず，心臓が横に寝ている横位心であることもある．

症例

症例1　労作時呼吸困難のある心不全症例

- 79歳，女性．
- 陳旧性下壁心筋梗塞の既往あり．
- 2週間前より労作時呼吸困難，下腿浮腫を認めたため紹介となった．
- 聴診では明らかな心雑音や肺雑音は認めず，経皮的動脈血酸素飽和度（SpO$_2$）96％（室内気）であった．
- 胸部X線を施行したところ，CTR 60％，両側胸水を認めた（図1）．

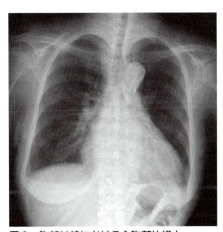

図1　胸部X線における心胸郭比増大

- 血液検査［全血算（CBC），腎機能，BNP，CPK，トロポニンなど］，心電図，心エコーを施行し，心不全の程度，並存疾患，虚血性心疾患の増悪がないかを確認．
  → 急性冠症候群や虚血性心疾患増悪の所見はなかったが，BNP 627.2 pg/mLと高値であった．
- 入院とし，酸素投与，利尿薬による加療を行った．
  → 状態安定していれば外来加療も検討だが，呼吸困難があれば入院が妥当．
  → もし入院を拒否した場合は下記を処方．

■ 処方例

- **ラシックス®** 錠（20 mg）1錠，分1＋**アルダクトンA®** 錠（25 mg）1錠，分1
腎障害や高カリウム血症があれば使用しない．

- 外来加療であれば数日から1週間後には再診を促す．

症例2　無症状だが心拡大を指摘された症例

- 80歳，男性．
- 自覚症状はないが，胸部X線で拡大を認めたため紹介．
- 胸部X線ではCTR 59％で胸水貯留は認めなかった．
- 血液検査，心電図，心エコーを施行．心房細動を認め，心エコーでは左室拡大はなく両心房拡大を認めた．
  → 心房細動でも心房拡大により心胸郭比拡大をきたすため，心エコーは必須．
  → BNP 30 pg/dLと低値であり症状もないため，抗凝固療法のみ導入し外来加療とした．

症例3　動悸精査で心拡大を指摘された症例

- 50歳，女性．
- 動悸・頻脈にて受診．
- 胸部X線でCTR 62％と拡大あり．
- 血液検査は特記所見なく，心エコー・CTで大量の心嚢液貯留を認めた（図2）．

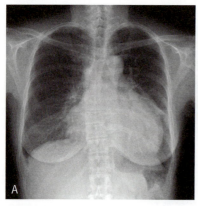
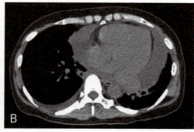

図2　胸部X線（A）およびCT（B）における心胸郭比増大

→ 心タンポナーデになりかけており，穿刺排液を行った．
→ 悪性リンパ腫と診断し，化学療法を開始した．

頻度の高い自他覚徴候

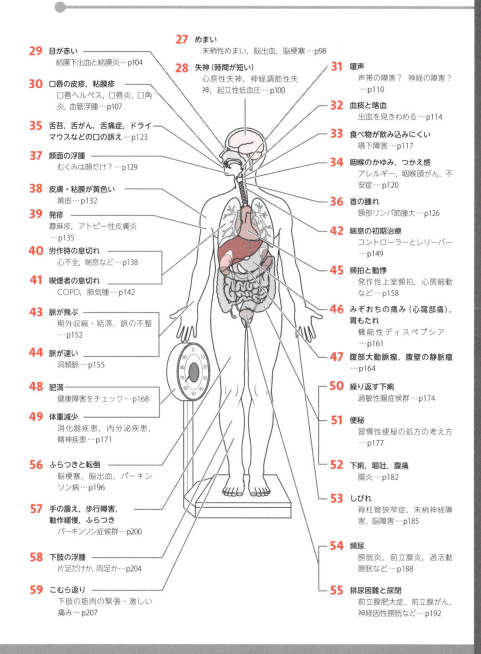

29 目が赤い
結膜下出血と結膜炎…p104

30 口唇の皮疹，粘膜疹
口唇ヘルペス，口唇炎，口角炎，血管浮腫…p107

35 舌苔，舌がん，舌痛症，ドライマウスなどの口の訴え…p123

37 顔面の浮腫
むくみは顔だけ？…p129

38 皮膚・粘膜が黄色い
黄疸…p132

39 発疹
蕁麻疹，アトピー性皮膚炎…p135

40 労作時の息切れ
心不全，喘息など…p138

41 喫煙者の息切れ
COPD，肺気腫…p142

43 脈が飛ぶ
期外収縮・結滞，脈の不整…p152

44 脈が速い
洞頻脈…p155

48 肥満
健康障害をチェック…p168

49 体重減少
消化器疾患，内分泌疾患，精神疾患…p171

56 ふらつきと転倒
脳梗塞，脳出血，パーキンソン病…p196

57 手の震え，歩行障害，動作緩慢，ふらつき
パーキンソン症候群…p200

58 下肢の浮腫
片足だけか，両足か…p204

59 こむら返り
下肢の筋肉の緊張・激しい痛み…p207

27 めまい
末梢性めまい，脳出血，脳梗塞…p98

28 失神（時間が短い）
心原性失神，神経調節性失神，起立性低血圧…p100

31 嗄声
声帯の障害？ 神経の障害？…p110

32 血痰と喀血
出血を見きわめる…p114

33 食べ物が飲み込みにくい
嚥下障害…p117

34 咽喉のかゆみ，つかえ感
アレルギー，咽喉頭がん，不安症…p120

36 首の腫れ
頸部リンパ節腫大…p126

42 喘息の初期治療
コントローラーとレリーバー…p149

45 頻拍と動悸
発作性上室頻拍，心房細動など…p158

46 みぞおちの痛み（心窩部痛），胃もたれ
機能性ディスペプシア…p161

47 腹部大動脈瘤，腹壁の静脈瘤…p164

50 繰り返す下痢
過敏性腸症候群…p174

51 便秘
習慣性便秘の処方の考え方…p177

52 下痢，嘔吐，腹痛
腸炎…p182

53 しびれ
脊柱管狭窄症，末梢神経障害，脳障害…p185

54 頻尿
膀胱炎，前立腺炎，過活動膀胱など…p188

55 排尿困難と尿閉
前立腺肥大症，前立腺がん，神経因性膀胱など…p192

27 めまい

末梢性めまい，脳出血，脳梗塞

基本の考え方

- めまいでは死なない．
- ほとんどのめまいは，末梢性めまい(内耳性めまい)である．しかし，頭痛があり，神経症状があれば，脳出血や脳梗塞を念頭に置く．

診察室で

聞 く

- いつ発症したか？　今も続いているか？
- 回転性か？　浮動性か？
- 耳症状(耳鳴，耳閉感，難聴)はあるか？
  → あれば末梢性めまいを疑う．
- 吐いたか？　→ 吐いていれば重症．
- 頭位の変化により誘発されたか？
- 歩けたか？
  → 立って歩ければ問題ないことが多い．
- 既往歴は？
  → 最近の頭部外傷，糖尿病，心疾患，肺疾患，薬物，アルコール乱用の有無を確認．

診 る

- 眼振はあるか？　→ あれば，めまいが強くなくても入院が無難．
- 耳の横で指を擦り，その音が聴こえれば難聴はない．
- 指鼻指試験およびロンベルグ試験を行い，小脳機能を評価する．

検査する

- 可能なら頭部CT/MRI
  → ごくまれに，めまい症状主体の小脳出血のことがある．

①回転性めまいなら
- 原因には末梢前庭系が関係している：良性発作性頭位めまい症，メニエール症候群，前庭神経炎，内耳炎
  → 耳鼻咽喉科に紹介．

②浮動性めまいなら
- 原因は耳鼻咽喉科的な原因でないことが多い．
- めまいに加えて頭痛，局所の神経学的異常が認められたら，頭部CT/MRIを考慮
  → 脳神経内科/脳神経外科に紹介．
- 特に高齢患者では，薬剤の副作用も疑う．
  → 高血圧，狭心症，心不全，不安に対する薬剤に加えて，抗菌薬，抗ヒスタミン薬，睡眠薬などの浮動性めまいの原因となる薬剤を服用していることがある．

- 回転性めまい，浮動性めまいは，ときに心因性のことがある：パニック障害，過換気症候群，不安，抑うつ

28 失神（時間が短い）

心原性失神，神経調節性失神，起立性低血圧

基本の考え方

- 失神をきたす病態は様々であるが，脳全体の一過性低灌流により生じる意識消失と定義される．意識の回復が遷延する場合は，意識障害と診断する．
- 高リスクの失神，心原性失神であるかどうかを判断することが重要．
- 脳血管障害は，失神の原因としては頻度が低い．

診察室で

聞く

- **頻度，前駆症状は？**
  → 前駆症状がなければ，心原性失神あるいは神経調節性失神を疑う．
- **発作時の姿勢は？**
  → 臥位での失神ならば心原性を疑う．
  → 長時間の立位に続いて失神が起こったのであれば，神経調節性失神（反射性失神）を疑う．
- **動悸や胸痛などの随伴症状は？**
  → 運動時に動悸あるいは胸痛が先行すれば，心原性失神を疑う．
- **突然死の家族歴は？**
- **降圧薬などの定期薬の服用は？**

> **メモ　神経調節性失神（NMS）**
> 排尿・咳嗽・食後など特定の状況で発生する**状況失神**，疼痛・恐怖あるいは驚愕など情動ストレスにより惹起される**情動失神**，および**血管迷走神経性失神**による失神を総称する概念とされる．

診る

- **バイタルサイン（左右の血圧まで）**
  → 説明のつかないSpO_2低下は肺塞栓の可能性を念頭に置く．
- **血圧の左右差** → あれば鎖骨下動脈盗血症候群や大動脈解離を疑う．
- **聴診** → 心雑音があれば，可能なら心エコーを施行．
- **外傷はあるか？** → あれば経過観察入院が望ましい．

検査する

まずはここから

- **心電図**
  → 心拍数だけでなく，脚ブロックの有無やQT間隔（QT延長症候群），デルタ波（WPW症候群），J波（早期再分極症候群），Brugada（ブルガダ）パターン（Brugada症候群）の評価も重要．
- **血液検査** → 特に貧血や低カリウム血症など電解質異常の有無．
- **臥位，立位の血圧測定**

念を入れるなら

- **心エコー**
  → 左室壁運動，大動脈弁狭窄症などの弁膜症の有無，左室肥大の有無（閉塞性肥大型心筋症），右室拡大（肺高血圧や肺塞栓）の有無などの評価ができる．
- 失神の頻度が週1回以上で頻回であれば，ホルター心電図を行う．
- 失神の頻度が少ないか不定期であれば，植込み型心電計（植込み型ループレコーダー）の植込みを考慮する．　→ 専門医に紹介．
- 失神の原因が不明な場合には，高リスク所見の有無をチェックする（**表1**）．
  → 高リスクであれば早期に原因検索を行う必要があり，専門医に紹介する．

> **ヒント　失神をきたす疾患**
>
> - 失神の原因別頻度：神経調節性失神，起立性低血圧，心原性失神のうち神経調節性失神の頻度が高いが，最も注意を要するのは心原性失神である．理由は，心原性失神を認める患者の年間死亡率は30％と高率だからである．心原性失神は，徐脈性不整脈に対するペースメーカ，心室頻拍などの致死性頻脈性不整脈に対する植込み型除細動器（ICD），大動脈弁狭窄症に対する経カテーテル大動脈弁留置術（TAVI）を含めた大動脈弁置換術など多くの治療の選択肢があり，見逃さないことが重要である．

表1　心原性失神のリスク所見

1. 重度の器質的心疾患あるいは冠動脈疾患
   心不全，LVEF低下，心筋梗塞既往
2. 臨床上あるいは心電図の特徴から不整脈性失神が示唆されるもの
   ①労作中あるいは仰臥時の失神
   ②失神時の動悸
   ③心臓突然死の家族歴
   ④非持続性心室頻拍
   ⑤二束ブロック（左脚ブロック，右脚ブロック＋左脚前枝または左脚後枝ブロック），QRS≧120 msのその他の心室内伝導異常
   ⑥陰性変時性作用薬や身体トレーニングのない不適切な洞徐脈（<50/分），洞房ブロック
   ⑦早期興奮症候群
   ⑧QT延長または短縮
   ⑨ブルガダ心電図パターン
   ⑩ARVC/ACMを示唆する右前胸部誘導の陰性T波，ε波，心室LP
3. その他
   重度の貧血，電解質異常など

［日本循環器学会ほか：2022年改訂版 不整脈の診断とリスク評価に関するガイドライン（日本循環器学会/日本不整脈心電学会合同ガイドライン）〈https://www.j-circ.or.jp/cms/wp-content/uploads/2022/03/JCS2022_Takase.pdf〉（2023年2月閲覧）より許諾を得て転載］

- 起立性低血圧による失神：臥位から立位となり，3分以内に収縮期血圧が20 mmHg以上低下するか，収縮期血圧が90 mmHg未満に低下すれば診断．
- 神経調節性失神：チルト試験が診断に有用（症例2参照）．
- 心原性失神
  - 徐脈性不整脈　→　洞不全症候群，房室ブロック
  - 頻脈性不整脈　→　上室性，心室性
  - 薬剤誘発性の徐脈，頻脈
  - 弁膜症　→　大動脈弁狭窄症など
  - 急性心筋梗塞　→　合併する不整脈（洞徐脈，房室ブロック，心室頻拍，心室細動など）により失神をきたす
  - 閉塞性肥大型心筋症　→　左室流出路狭窄のため
  - 肺塞栓，肺高血圧
- 一過性脳虚血発作などの脳血管障害：失神の原因としては頻度が低い．

> **メモ　チルト訓練**
> 両足を壁の前方15〜20 cmに出し，殿部，背中，頭部で後ろの壁に寄りかかる姿勢を30分継続するものである．これを1日に1〜2回，毎日繰り返すことで有効性が報告されているが，継続性など患者のコンプライアンスが低いことが問題である．

症例

症例1 心原性失神

- 50代の男性．失神を主訴に来院．
- 心雑音を聴取せず，胸部X線で心胸郭比（CTR）＜50％，肺うっ血なし．
- 来院時の心電図では右脚ブロック＋左軸偏位を認めている（**図1**）．
- ホルター心電図にて，症状に一致する完全房室ブロックを認めた．
  → ペースメーカ移植術を行った．

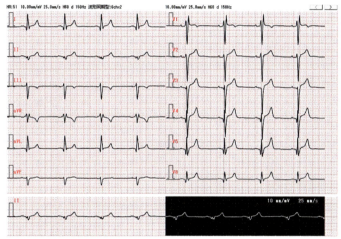

図1 来院時の心電図

症例2 神経調節性失神

- 10代女性．月2～3回ほどの主に立位時の失神を繰り返している．
- ホルター心電図での失神の原因となる不整脈は認められなかった．また，脳波や頭部MRIでも異常は認められなかった．
- 神経調節性失神を疑い，ヘッドアップティルト（チルト）試験を行った．
  → チルト試験単独では陰性であったが，イソプロテレノール負荷後の立位3分後に失神を伴う血圧低下と徐脈を認め，チルト試験陽性と判断し，神経調節性失神と確定診断した．
  → 脱水や睡眠不足の回避といった生活指導と，自宅でのチルト訓練（前頁参照）を行うよう指導を行った．

29 目が赤い
結膜下出血と結膜炎

> **基本の考え方**
>
> - **眼脂（めやに）やかゆみ・痛みを伴う**結膜炎と，白目が赤い以外は**無症状**の結膜下出血を鑑別する．
> - 結膜下出血であれば，特に治療を要さず自然吸収を待つ．1～2週間かかる．
> - 結膜炎であれば，原因（細菌性，ウイルス性，アレルギー性）に合わせた点眼治療を行う．
> - アデノウイルス感染による**流行性角結膜炎（はやり目）**は眼脂を介した感染力が強いため，手洗い励行，タオルを共用しないなどの感染防御を説明する．感冒症状や耳前リンパ節腫脹を伴うことが多い．
> - 眼脂が1～2週間以上と**長引くもの**や**角膜（黒目）**に**混濁**を認める場合は眼科受診を勧める．
> - 結膜下出血を繰り返すものは，高血圧や凝固系異常がないかをチェックする．

診察室で

聞く

- ■ かゆみ，痛み，眼脂はあるか？
  - → ない場合は結膜下出血，ある場合は結膜炎を考える．
- ■ きっかけで何か思い当たることないか？
- ■ ぶつけた，いきんだ，抗凝固薬の内服はあるか？
  - → あれば結膜下出血（特にきっかけがないこともある）を疑う．
- ■ プール・温泉の利用，感冒症状，発熱，周りに赤目の人がいるか？
  - → あれば感染性結膜炎，特にアデノウイルス感染による流行性角結膜炎を疑う．

- **かゆみが強い，鼻水，花粉症の症状は？**
    - → あればアレルギー性結膜炎を疑う．

診 る

- **眼球結膜（白目）の赤さはどうか？**
    - → べたっと部分的に真っ赤（**図1，図2**）であれば，結膜下出血．
    - → 毛細血管が拡張した充血で全体がピンク色～赤（**図3，図4**）であれば，結膜炎．

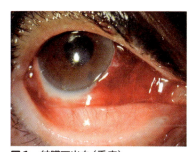

図1　結膜下出血（重度）
眼球結膜（白目）は真っ赤だが，眼瞼結膜（下まぶたの裏側）の充血はあまりない．

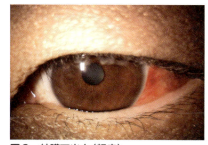

図2　結膜下出血（軽度）
［大宮はまだ眼科西口分院　福岡詩麻先生の厚意により掲載］

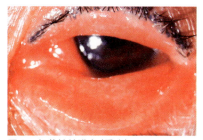

図3　細菌性結膜炎（重度）
眼瞼結膜・眼球結膜の強い充血，浮腫．眼脂も大量に認めた．

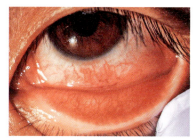

図4　アレルギー性結膜炎（重度）
眼球結膜，眼瞼結膜の充血が強い．眼脂は多くない．

- **下眼瞼結膜（あっかんべしてピンク色に見える下まぶたの裏側）の赤さはどうか？**
    - → あまり赤くなければ，結膜下出血．
    - → 赤い（充血あり），偽膜，眼脂付着があれば，結膜炎．

治療する

- 結膜下出血：特に治療を要さず，自然吸収を待つ．1〜2週間かかる．

処方例

感染性結膜炎で細菌性感染が疑われる場合

- **ベストロン®**点眼用0.5％を1日4回，または**クラビット®**点眼液1.5％を1日4回

  ウイルス性には特異的治療はないが，細菌性感染合併が考えられるとき，上記抗菌薬点眼時，対症療法として症状が強いときは，フルメトロン®点眼用0.1％1日4回を検討する．感染拡大防止策（手洗い敢行，タオルを共用しないなど）について説明する．

アレルギー性結膜炎

- **パタノール®**点眼液0.1％を1日4回，または**アレジオン®**LX点眼液0.1％を1日2回
- **フルメトロン®**点眼液0.1％を1日2〜4回

  眼圧上昇の副作用を起こすことがあるので，長期に使用しない．

30 口唇の皮疹，粘膜疹

口唇ヘルペス，口唇炎，口角炎，血管浮腫

基本の考え方

- □ **口唇ヘルペス**には初感染の場合と**再活性化**の場合がある．
- □ 口唇ヘルペスの再発は再活性化によって起こるが，初発では初感染の場合と再活性化の場合がある．
- □ 口唇炎の原因には一次刺激と**アレルギー性接触皮膚炎**が考えられる．
- □ 口角炎は治療前に**カンジダ性口角炎**の可能性を考える必要がある．
- □ **血管浮腫**には遺伝性，特発性，アレルギー性がある．

診察室で

聞く

- 経過は慢性か急性発症か？
    → 皮膚と異なり口唇粘膜では肉眼的特徴が見分けにくく，経過の情報が鑑別に有用．
- 症状は初めてか，繰り返しているか？
    → 繰り返し生じる疾患も少なくないため，再発も想定した診療が必要．
- 痛みはあるか？　かゆみはあるか？
- 薬剤の内服はあるか？　外用薬や化粧品の使用はあるか？

診る

- 口唇の視診：水疱はあるか？　落屑はあるか？　びらんはあるか？　腫脹はあるか？
- 全身の視診：口唇以外にも口腔内，外陰部，その他皮膚に症状がないかを確認する．

検査する

水疱があったら
- Tzanck（ツァンク）テスト → ヘルペスかどうかの鑑別に有用．
- イムノクロマト法による単純ヘルペスウイルス（HSV）抗原検査
- 血中のHSV抗体を調べる．
  → 既感染の場合，病変がヘルペスであるとの証拠にはならない．

アレルギー性接触皮膚炎が疑われる場合
- パッチテスト

口角にびらんがある場合
- 直接鏡検（KOH法）によるカンジダの検出．
  → カンジダは常在菌のため，培養での陽性は診断価値がない．

口唇の浮腫
- 小児期より繰り返す場合は遺伝性血管浮腫を考え，血清補体価を調べる．
- 固定薬疹が疑われる場合はパッチテストを行う．

症例

症例1　繰り返し生じる口唇の水疱

- 36歳，女性．
- 2〜3年に一度，口唇に疼痛を伴う水疱を生じる．
- 下口唇に水疱がみられる（**図1**）．
- Tzanckテスト
  → 必須ではないがヘルペスであることを確認するのに有用．
- 血液検査（HSV抗体価）
  → 必須ではないが，抗体陰性であればヘルペスを否定できる．
- 抗ウイルス薬投与を試みる．

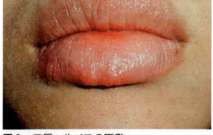

図1　口唇ヘルペスの再発

― 処方例
腎機能低下がなければ

- **バルトレックス®**錠（500 mg）2錠，分2
- **ファムビル®**錠（250 mg）3錠，分3

再発で中等症までであれば，5日間の内服で十分．

症例2　落屑を伴う口角のびらん

- 72歳，女性．
- 以前より口角にびらん，亀裂があり治癒しない．
- KOH法による真菌直接鏡検を試みる．
  → カンジダ陽性（**図2**）だったためカンジダ性口角炎と診断．
- 抗真菌薬外用を試みる（下記以外にも選択肢がある）．

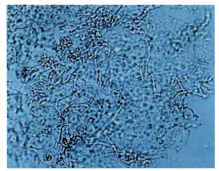

図2　KOH法で見られたカンジダ菌糸

— 処方例
- **ニゾラール®**クリーム，1日1回患部に塗布
- **マイコスポール®**クリーム，1日1回患部に塗布

- カンジダ顕微鏡検査ができない場合や難治の場合は皮膚科専門医に紹介．

症例3　繰り返す口唇の腫脹

- 36歳，女性．
- 数ヵ月前から誘因なく口唇が腫脹し，半日程度持続する．
- 腫脹は自然に消退するが繰り返す．
- 口唇の腫脹以外にも体のかゆみや数時間持続する膨疹もみられる．
- 血液検査（血清補体価）
  → 必須ではないが，遺伝性の血管浮腫が疑われる場合に検査する．
  → 血液検査結果に異常なく，薬剤内服などの誘因がないことから，特発性の慢性蕁麻疹と血管浮腫と診断．
- 抗ヒスタミン薬投与を試みる（下記以外にも選択肢がある）．

— 処方例
- **アレジオン®**錠（20 mg）1錠，分1
- **アレロック®**錠（5 mg）2錠，分2

31 嗄声

声帯の障害？ 神経の障害？

基本の考え方

- 嗄声の原因には，声帯そのものの障害と，声帯の運動に関連する神経の障害がある（表1）．
- 大半は軽症の上気道炎であるが，緊急性のある疾患と悪性疾患を見逃さないことが重要．
- 原因は上気道炎，声の出し過ぎ，喫煙や飲酒，悪性疾患など多岐にわたる．
- まず致死的疾患による嗄声を除外し，その後，落ち着いて原因検索をする．

表1　嗄声の原因

声帯の直接障害	声帯の運動に関連する神経の障害
・急性喉頭蓋炎 ・急性扁桃炎，喉頭炎 ・喉頭頸部腫瘍（喉頭がん，甲状腺がん） ・気道異物 ・アナフィラキシー ・甲状腺機能低下症（粘液水腫） ・胃食道逆流症（GERD） ・声帯ポリープ，声帯結節 ・アルコールやタバコによる炎症 ・カラオケ，スポーツ観戦などによる大声 ・吸入ステロイド ・加齢	・肺がん，食道がん ・大動脈瘤（大動脈解離） ・外傷や術後の反回神経麻痺 ・多発性硬化症，重症筋無力症，Wallenberg（ワレンベルグ）症候群などの神経内科領域疾患 ・サルコイドーシス

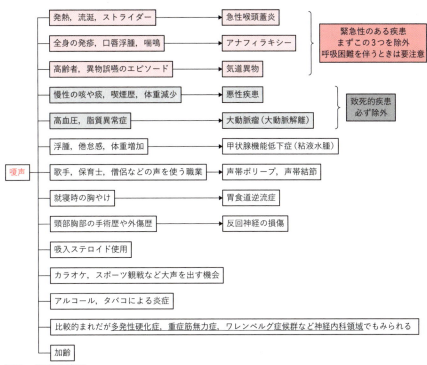

図1 嗄声の診断

診察室で

聞く・診る（図1）

- **いつから？**
  → 急性の場合は致死的な疾患（アナフィラキシー，急性喉頭蓋炎）を見逃さないことが重要．
- **他に症状はあるか？**
- **既往歴，外傷歴は？**
- **生活歴（喫煙歴，飲酒，趣味，声を出す習慣）は？**
- **職業歴は？**
  → 原因が多岐にわたるため生活習慣や，既往歴，職業歴の詳細な問診が診断のカギとなる．

- 服薬歴は？
  → 吸入ステロイドによる嗄声など，薬剤が原因のこともまれではない．

検査する

まずはここから
- 全例で可能な限り喉頭ファイバーによる観察．

次のステップ
- 急性喉頭蓋炎が疑われるとき
  → 気道確保の準備とともに直ちに**耳鼻咽喉科に紹介**．
- アナフィラキシーが疑われるとき
  → 心肺蘇生の準備とともにアナフィラキシーガイドラインに従った緊急措置．
- 気道異物が疑われるとき
  → 胸部X線，**耳鼻咽喉科に紹介**．
- 大動脈瘤（大動脈解離）が疑われるとき
  → 胸部X線，胸部造影CT，心エコー．
  → **血管外科もしくは循環器内科に紹介**．
- 悪性疾患（喉頭頸部腫瘍，肺がん，縦隔腫瘍，甲状腺がん，食道がん）が疑われるとき
  → 胸部X線，頸部胸部の造影CT，頸部エコー．
  → **耳鼻咽喉科，各内科専門医に紹介**．

症例

症例1　肺がんによる嗄声

- 60歳，男性．
- 1ヵ月前から続く嗄声が主訴．耳鼻咽喉科に紹介受診．**喫煙歴あり**．
- 喉頭ファイバーによる観察で**左声帯麻痺**を認めた．
- **胸部造影CT**を行ったところ，右下肺野に肺がんを疑う腫瘤と肺門・縦隔リンパ節の腫大を認めた．
  → **肺がん**のリンパ節転移による反回神経麻痺が疑われた．

　ここで呼吸器内科に紹介
- 肺小細胞がんと診断され，化学・放射線療法が開始された（**図2**）．

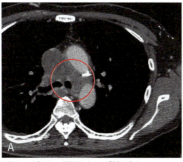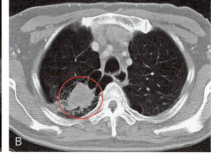

図2 肺門・縦隔リンパ節腫大

32 血痰と喀血

出血を見きわめる

基本の考え方

- □ 血痰は血液が混ざった痰であり，喀血は血液が喀出されたものである．
- □ 消化管出血の鑑別が重要である．
- □ 気管支拡張症，肺がん，下気道感染によるものが多い．
- □ 肺結核や肺動脈血栓塞栓症，胸部大動脈瘤破裂，血管炎症候群を見逃さない．
- □ 大量喀血の症例では，気管挿管による気道確保を行い，気管支動脈塞栓術や手術を考慮する．

> **メモ** 上・下気道出血と消化管出血の鑑別
> - 上気道出血：鼻腔，副鼻腔，口腔内出血の咽頭部への垂れ込みを考慮する．
> - 下気道出血：咳嗽，呼吸困難，泡沫を含む痰を呈することがある．
> - 消化管出血：悪心・嘔吐を伴い，食物残渣が混入することがある．

> **メモ** 気道出血の評価
> - 少量：ティッシュペーパーに付着する程度．
> - 中等量：コップ１杯程度．
> - 大量：洗面器１杯程度 (400〜600 mL/日)．

診察室で

聞く

■ 出血の量，頻度は？
→ 持続する，あるいは中等量以上の出血では，入院治療を考える．

■ 発熱，食欲不振，体重減少，胸痛など，出血以外の症状とその発症時期，経過は？
→ 随伴症状には出血の原因についてのヒントが隠されている．

診る

- まずバイタルサインを確認.
  - → バイタルサインの変化を伴う症例は，入院治療を考える.
- 喀出されたものの観察・確認.
- 口腔内視診 → 血性後鼻漏，口腔内出血はあるか？
- 聴診
  - → 肺野のラ音，気管気管支音などの聴取で気管支拡張症や肺炎を疑う.

検査する

まずはここから

- 胸部X線，喀痰細胞診，一般細菌・抗酸菌の塗抹・培養検査
- 末梢血，生化学検査，凝固機能検査 → 貧血の有無を確認する.

必要に応じて

- 胸部造影CT
- 血液ガス分析，MPO-ANCA，PR3-ANCA
- 気管支鏡検査（出血を惹起する可能性もあり，適応は慎重に検討する）

治療する

- 止血薬を経口，あるいは経静脈的に投与する.
  - → 止血薬投与でコントロールできない出血や重篤な出血では，**気道，呼吸，循環管理**を行い，気管支動脈塞栓術や手術について放射線科や呼吸器外科へ紹介する.
- 原疾患の治療を行う.

症例

症例1　血痰を繰り返す気管支拡張症

- 76歳，女性.
- 昨年10月に少量の喀血があり，近医を受診．気管支拡張症を指摘された.
- 受診当日にコップ1杯程度の喀血があり，救急受診した.
- 胸部X線（**図1-A**）にて両側下肺野にtram lineと透過性低下を認め，気管

支拡張症が示唆される．
- 胸部CT（**図1-B**）にて右肺中葉の気管支拡張像と，右中葉・左舌区・両側下葉に粒状影，左下葉に浸潤影を認める．
  → 気管支拡張症による中等量の喀血と診断し，止血薬の経静脈投与を行い軽快，退院した．

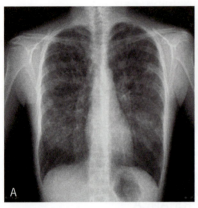
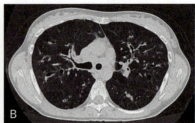

図1 症例1の胸部X線（A）およびCT（B）

■ 処方例
以下のいずれかを止血が得られた後まで継続する．
- **アドナ®** 錠（30 mg）3錠，分3
- **トランサミン®** カプセル（250 mg）6カプセル，分3
- **アドナ®**（100 mg）1A＋**トランサミン®**（1,000 mg）1A＋生理食塩水100 mLを，1日2回

33 食べ物が飲み込みにくい

嚥下障害

基本の考え方

- 進行食道がんと胃噴門部がんの消化器がんが原因の多くを占める．頻度は少ないがアカラシアの可能性がある．
- 口腔から咽頭にかけては咽頭がん，扁桃炎，舌炎なども原因となる．
- 神経疾患［脳梗塞が原因の球麻痺，重症筋無力症，筋萎縮性側索硬化症（ALS），ギラン・バレー症候群など］，膠原病関連疾患（皮膚筋炎，強皮症）が原因となる．

診察室で

聞く

- 食べ物が飲み込みにくい，つかえやすいということが多いか？
- 神経症状の合併があるか？
- 膠原病関連疾患の初発症状［Raynaud（レイノー）現象，多関節痛，手指や手のこわばりなど］があるか？
- 年齢（高齢），性別（男性），嗜好（飲酒歴，喫煙歴）は？
  → 食道がんのハイリスクファクター．
- 背部痛，胸痛，嗄声（反回神経麻痺）はあるか？
  → 食道がん随伴症状として出てくることがあるので，訴えを聞き逃さない．

なぜ聞くか？

- 食道がんのハイリスクファクター，随伴症状を聞くことで食道がんを予測する．
- 嚥下障害の原因となる比較的まれな疾患を見落とさない．

診 る

- 食道がんなら多くは進行がんであり，体重減少，食事中の嚥下困難，嗄声，貧血などを伴う．
- 神経学的所見の有無 → 神経疾患由来かを想定する．

検査する

まずはここから
- 血液検査，胸部から上腹部のCT（単純），胸部X線，心電図

念を入れるなら
- 胸部から上腹部のCT（造影），食道造影検査

対応する

- 食道がんなどを疑うときは消化器内科医に紹介．**上部消化管内視鏡検査**を行う．
- 外科手術，遠隔転移を認め，進行がんの場合は放射線化学療法を行う．

症 例

症例1　食道がんによる嚥下障害

- 78歳，男性．
- 限局性強皮症で通院．
- 4〜5ヵ月前から胸のあたりが突かれる感じがするため紹介受診．
- CREST症候群の食道蠕動低下による可能性を考えたが，上部消化管内視鏡検査を施行．
  → 内視鏡検査で下部食道にtype 2の進行食道がんを認めた（**図1-A**）．
- 造影CTでは下部食道に食道がんを認めた（**図1-B**）．
  → 明らかな遠隔転移はなく，外科手術または放射線化学療法の適応と考えられた．

症例2　アカラシアによる嚥下障害

- 28歳，男性．
- 2年前から物を食べたときに心窩部あたりの通りが悪い．

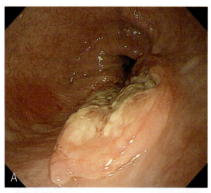

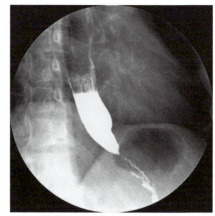

図2 症例2のX線造影

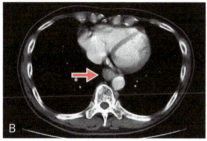

図1 症例1の内視鏡所見（A）および造影CT（B）

- 嚥下時の心窩部の違和感が出現し来院．アカラシアが疑われ上部消化管内視鏡検査，X線造影検査を施行．
  → 上部消化管内視鏡検査では積極的にはアカラシアの診断には至らなかった．
  → X線造影検査で下部食道に紡錘形の造影剤貯留を認め，アカラシアの診断．胃への造影剤の流出は良好であった（図2）．
- 内視鏡的バルーン拡張術を施行．

> **患者さんを安心させるコツ・ポイント**
> 嚥下障害の原因精査を進め，治療（手術，放射線化学療法など）により症状が改善する可能性があることを説明する．

34 咽喉のかゆみ，つかえ感

アレルギー，咽喉頭がん，不安症

基本の考え方

- 口腔や咽喉のかゆみの場合は，口腔・咽喉のアレルギーが考えられる．原因として食物・金属・薬物などが挙げられる．
- 花粉症の一つとして，咽喉のかゆみはしばしばみられる．特に口蓋・咽喉にかゆみが生じることが多い．
- 咽喉のつかえ感や違和感は様々な要因で起こるが，大きく①局所的・②全身的・③精神的な要因で生じる．
  ①局所的な要因：慢性炎症（副鼻腔，喉頭，扁桃など），形態異常（頸椎異常など），腫瘍（咽喉頭腫瘍など），甲状腺疾患，食道疾患，アレルギーなど
  ②全身的な要因：低色素性貧血・糖尿病・更年期障害・自律神経失調症・薬剤性など
  ③精神的要因：不安神経症やうつ病など
- 咽頭違和感が持続する場合は，咽頭がんや喉頭がんの初期症状のこともあるので注意を要する．

診察室で

聞く

- 訴えを聞くだけでなく，指で頸部の愁訴部位を指し示してもらうとよい．
- 具体的にはどのような症状か？：かゆい・つかえる・腫れている・痛みがある・異物感・息苦しさ・ヒリヒリする・イガイガするなど
- 発生時間，頻度はどうか？：持続or一時的か？　食前・食後か？　就寝中も起こるか？
- 症状は悪化しているか？　同じ症状が続いているか？
  → 異物感などの症状が増悪する場合は，喉頭ファイバーなどで観察が必要

- ■ 随伴症状はあるか？：咳や痰，鼻閉，後鼻漏，口呼吸，いびきはあるか？　声枯れ（嗄声）はあるか？　胸やけはあるか？　痛みを伴うか？
  - → 嗄声・呼吸困難のある場合は，腫瘍の可能性があるため早急に専門医へ紹介．
- ■ 食事と関係はあるか？　夕食後，就寝まで時間をとっているか？
- ■ 全身疾患はあるか？：糖尿病・貧血（Plummer-Vinson症候群）・喘息・甲状腺疾患・花粉症・胃食道逆流症（GARD）など
- ■ 喫煙歴・飲酒歴などはあるか？
- ■ 薬物治療歴（ステロイド吸入，胃薬）は？
- ■ 最近不安なことや寝れないことはあるか？
- ■ 家族歴は？：親類などに頸・咽喉・胃がんの既往はあるか？

診る

- ■ かゆみやつかえ感の生じる部位はどこか観察：口腔・口蓋・扁桃・喉頭など
- ■ 扁桃腺の大きさや副鼻腔炎や咽頭炎による後鼻漏の有無，口腔粘膜色調，浮腫，乾燥度，唾液分泌低下の有無などの観察．
  - → 口腔・扁桃より下部は視診が困難なため，症状が持続する場合は耳鼻咽喉科へ紹介．
- ■ 頸部リンパ節の腫脹の有無・甲状腺の腫脹の観察・触診
  - → 腫瘍があればCTなど画像検査．
- ■ 明らかな所見がないにもかかわらず，がんに対する不安が強い場合や不眠などが続く場合は精神科へ紹介．
- ■ 更年期の女性で明らかな所見がなく，症状が継続する場合は婦人科へ紹介．

検査する

- ■ 主に視診や喉頭ファイバーでの診察が重要となるので，視診が困難な部位では専門医への紹介が望ましい（症状の持続・増悪の際は必須）．
- ■ アレルギー検査（血清IgE，好酸球，RAST検査など）
- ■ 血液検査（貧血など）．
- ■ 画像検査（CT，MRI，エコーなど）

症 例

症例1　喉頭がん

- 咽喉のつかえ感・嗄声で来院.
- 上記症状が徐々に増悪してきたため，耳鼻咽喉科へ紹介受診.

▶ ここで専門医に紹介

- 喉頭ファイバーで左声帯に腫瘍性病変を確認した（**図1**）.
- 病理検査にて喉頭がんと診断.

症例2　甲状腺腫瘍（良性）

- 近医に咽喉のつかえ感で通院.
- 頸部腫脹を認めたため耳鼻咽喉科へ受診.

▶ ここで専門医に紹介

- CT（**図2**）にて甲状腺腫瘍と診断.
- 細胞診では悪性所見はなし．甲状腺良性腫瘍と診断.

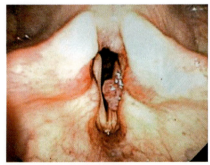

図1　症例1の喉頭鏡画像

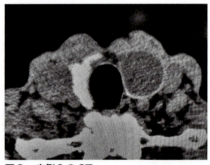

図2　症例2のCT

35 舌苔，舌がん，舌痛症，ドライマウスなどの口の訴え

基本の考え方

- 口腔・舌の病変は直接肉眼で観察でき，触診もできる．
- 口腔病変には，口腔局所の疾患と，全身疾患の一部の症状が口腔に現れるものがある．
- 小児では，口腔に生じる疾患は**ウイルス感染症**が多い．
- 成人では**性感染症**もある．
- 高齢者の場合，加齢による影響ばかりでなく，**薬の副作用**で**口腔乾燥**などが生じる．
- **齲（う）歯，飲酒，タバコ**は**舌がん**の要因になる．

診察室で

聞く

- 痛みはあるか？　口の中全体or一部か？　しみる？　ぴりぴりするか？
- 口が乾燥するか？　全身疾患や内服薬はあるか？
- 味が分からない，味が薄く感じる，口の中が苦いなどの味覚障害はあるか？内服薬や偏食はあるか？
- 摂食障害はあるか？　痛みによるものか？　舌の動きが悪い？
- 歯科治療歴や薬物治療歴（ステロイド吸入，降圧薬，ムスカリン受容体拮抗薬，抗ヒスタミン薬など）はあるか？

診る

- 視診

①痛みを伴うような病変（アフタ，水疱，びらんなど），腫脹（軟部組織か

骨組織か），舌苔（舌苔の色や厚みなど）はあるか？
②舌・口腔粘膜の乾燥度，変色や色素沈着はあるか？
③開口障害や嚥下障害はあるか？
④出血を伴った潰瘍や腫瘍はあるか？　→　あれば専門医に紹介．
⑤齲歯や歯肉の腫脹はあるか？　→　あれば歯科へ紹介．
- 触診：硬結はあるか？　乾燥しているか？　病変は脱落するか？　易出血性か？
- 口臭の確認：齲歯など口腔内病変によるものか？　全身疾患によるものか？

検査する

- 細菌検査（舌苔や口腔粘膜から）
- 血液検査（通常の血液生化学検査）：ウイルス抗体価（アデノウイルス，ヘルペスウイルスなど）．
  - → 味覚障害の場合：微量元素（Znなど）
  - → 口腔乾燥の場合：抗SSA/SSB抗体など
  - → 性感染症を疑う場合：ヒト免疫不全ウイルス（HIV），梅毒（STS，TP抗原），淋菌やクラミジアなど
- 組織検査（腫瘤や腫瘍の場合）

症例

症例1　口腔乾燥症

- 75歳，男性．
- 口の渇き（**図1**），眼の乾燥感で紹介受診．合併症に間質性肺炎．
- CRP 0.19 mg/L，抗SSA/SSB抗体陽性
- ガムテスト陽性（5 mL，正常＞10 mL）
- 確定診断：口唇小唾液腺組織検査　→　シェーグレン症候群

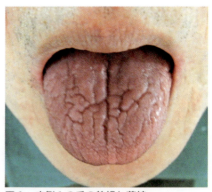

図1　症例1の舌の乾燥と萎縮

■ 処方例
- **サリベート®** エアゾール（人工唾液，50 g）口腔乾燥時に適宜使用
- **エボザック®** カプセル（30 mg）3カプセル，分3

症例2　舌がん

- 65歳，男性．
- 以前から舌が歯に当たって痛くなっていたが，最近，舌にできものができた．
- 生活歴：タバコは20本/日×40年，飲酒はビール2,000 mL×3回/週
- 視診上は大きな潰瘍を伴った腫瘤．触診すると硬く易出血性（図2）．
- 舌がんの可能性があり組織検査．

◀ ここで耳鼻咽喉科・頭頸部外科に紹介

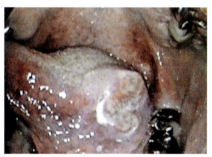

図2　舌がん

■ 処方例

- **味覚障害の場合**
  - **プロマック®** 錠（75 mg）2錠，分2
  - **ノベルジン®** 錠（50 mg）2錠，分2
- **舌炎の場合**
  - **デキサメタゾン** 口腔用軟膏0.1%「NK」：適量を1日数回塗布
  - **アズノール®** うがい液：適量を水で薄めてうがい
- **口腔内真菌症（カンジダ症）の場合**
  - **フロリード®** ゲル経口用（2%）5 g，分3，毎食後口腔内に塗布した後に嚥下

36 首の腫れ

頸部リンパ節腫大

基本の考え方

- 感染症（細菌，ウイルス）に伴うものが最も多い．
- 腫瘍性のものは，通常 **2 cm** 以上の大きさになる．
- 局在（限局性or全身性），増大速度，全身症状，基礎疾患，年齢などにより，鑑別を絞る．
- **急速に進行**する症例は，**その日のうちに**専門医に相談．
- リンパ節生検を行うときは，病理医への正確な臨床情報の提供，フローサイトメトリー，染色体検査，培養などの提出が重要．

診察室で

聞く

■ いつ気づいたか？　大きさの変化は？

①急に（数日〜数週）腫れてきて，圧痛がある場合
→ 発熱，だるさ，ネコの飼育，歯科疾患，キス，性行為歴などは？
→ 細菌感染，ウイルス感染による反応性のものが多い．若年者では伝染性単核球症，菊池病（組織球性壊死性リンパ節炎）も考える．

②急に（数日〜数週）腫れてきて，圧痛はない場合
→ アグレッシブリンパ腫や急性白血病の鑑別が必要．全身状態，検査結果が悪ければ，すぐ専門医へ相談．

③ゆっくり（数ヵ月〜）腫れてきた場合
→ 発熱，だるさ，基礎疾患，服薬などは？
→ 良性疾患［膠原病，Mikulicz（ミクリッツ）病，サルコイドーシス，Castleman（キャッスルマン）病，結核性リンパ節炎など］から悪性腫瘍［頭

頸部がん，胃がん，肺がん，乳がん，低悪性度リンパ腫，メトトレキサート（MTX）関連リンパ増殖性疾患など］まで鑑別は様々．
→ 硬く可動性のない場合は，悪性腫瘍のリンパ節転移（頭頸部がん，胃がん，肺がん，乳がんなど）を疑う．

なぜ聞くか？

- 急速に進行する造血器腫瘍では，数日の対応の違いで転帰が分かれてしまうため，診断・専門医紹介までの時間的猶予を判断しなくてはいけない．
- 若年者が①を訴えたとき，菊池病では「複数の医療機関で抗菌薬を繰り返し処方されたが，解熱しない」などのエピソードが診断のヒントになる．

診 る

- 視診：扁桃の腫大はあるか？
- 触診：頸部だけでなく腋窩・鼠径・肘窩・膝窩部も．リンパ節の圧痛，大きさ，硬さ，可動性を診る．肝腫大，脾腫も評価．

検査する

まずはここから
- 血液検査（血算，生化学），胸部X線

次のステップ
- 造影CT，リンパ節生検
  → 伝染性単核球症［「78. 肝機能異常やリンパ節腫大を伴う発熱」参照］，菊池病と診断できれば生検はしない．
  → 非ホジキンリンパ腫（可溶性IL-2レセプター，血清β_2ミクログロブリン），キャッスルマン病（IgG，IgA，IgM），ミクリッツ病（IgG4，IgG），サルコイドーシス（ACE），結核性リンパ節炎（IGRA），急性HIV感染症（抗HIV抗体，HIV-RNA），胃がん（腫瘍マーカー，消化器内視鏡検査）など，鑑別によって検査を追加する．

症 例

症例1 菊池病

- 17歳，女性．
- 3週間前から39〜40℃の発熱，リンパ節腫大．近医で繰り返し抗菌薬，解

熱薬を投与されたが，高熱が持続．
- 触診：両側頸部に著明な圧痛を伴う1〜2cm程度のリンパ節腫大が多発．両腋窩・鼠径リンパ節も腫大あり．
- 血液検査：白血球はやや低値で異型リンパ球なし，肝機能正常，CRP上昇
  → 伝染性単核球症ではない．
- 検査結果，経過から菊池病と臨床診断．NSAIDs投与されているが2週間以上解熱が得られておらず，すぐにステロイド開始．

■ 処方例
- **プレドニン**®錠（5mg）4錠，分2

- 翌日より解熱．ステロイドは2〜3ヵ月で漸減し終了．
  → NSAIDsのみでコントロール可能な例，自然治癒する例も多いが，数週間以上高熱が続く例や神経障害など合併症を伴う例ではステロイドが適応となる．
  → 再燃する症例の確定診断にはリンパ節針生検を行い，MPO陽性マクロファージの確認を．

症例2　MTX関連リンパ増殖性疾患

- 70歳，女性．
- 関節リウマチにてリウマトレックス®内服中．1ヵ月前から頸部リンパ節が腫れてきたため，耳鼻咽喉科へ紹介されリンパ節生検．
  ここで専門医に紹介
  → 組織所見はびまん性大細胞型リンパ腫（EBウイルス陽性）であった．
- FDG-PET/CTにて両側頸部・腋窩・縦郭・腹腔内のリンパ節，両肺の多発結節影にFDG取り込みあり．
- 病理組織の結果，MTX内服歴からMTX関連リンパ増殖性疾患と診断．
  → リウマトレックス®休薬
  → MTX関連リンパ増殖性疾患は，約半数がMTX（リウマトレックス®）休薬にて症状改善する．ただし，休薬後2〜4週間で増悪する症例では治療が必要．

> **患者さんを安心させるコツ・ポイント**
> 菊池病でステロイドを始める場合は，通常，すぐに解熱することを説明する．

37 顔面の浮腫

むくみは顔だけ？

基本の考え方

- 浮腫は過剰な体液の細胞間質への蓄積もしくは体液の分布異常である．浮腫を診察する上で重要なポイントは3つ．
  ①全身性か？　局在性か？
  ②圧痕性浮腫か？　非圧痕性浮腫か？
  ③全身の理学所見から得られる情報は？（感染症？　血腫？）
- 患者の訴える「むくみ」は本当に浮腫か？　局在性か全身性か？　鑑別はここから始まる．

診察室で

聞く

- いつ頃から症状が出現したか？　→ 病勢の評価
- むくみを訴える部位は？　→ 局在性の評価
- むくみの場所に熱感や疼痛はないか？　→ 感染などの炎症徴候の評価

診る

- 浮腫の分布はどうか？
  → **局在性浮腫**：局所の病変によって生じる．蜂窩織炎やリンパ管閉塞・静脈閉塞，上大静脈症候群などを鑑別する．
  → **全身性浮腫**：ネフローゼ症候群や心不全などの病態をまずは鑑別する．
- 圧痕性浮腫or非圧痕性浮腫か？
  → 非圧痕性なら，甲状腺機能異常やリンパ性浮腫を鑑別に．
- 皮膚の色調はどうか（炎症徴候は）？
  → 紫斑や紅斑はアレルギーや血管炎も鑑別に．

> **ヒント** pit recovery time
> 圧痕性浮腫（pitting edema）の圧痕は浮腫の蛋白含有度に依存するといわれている．圧痕の回復時間により，40秒以上の「slow edema」と40秒未満の「fast edema」に分類される．腎不全や心不全で血清アルブミンが保たれている場合はpit recoveryは遅く，ネフローゼや肝硬変で血清アルブミン値が低いと速くなる．一般にfast edemaを呈する場合，血清アルブミン値は2.5 g/dL以下である可能性が示唆される．なお，圧痕性浮腫の確認は，脛骨前面や前頭部などの骨が皮下に近接した部位で評価する．

検査する

まずはここから
- 血液検査：血算，総蛋白，アルブミン，甲状腺機能検査（FT3，FT4，TSH），肝機能検査（AST/ALT，LDH，ChE，PT），腎機能検査（BUN，Cre，eGFR）．
- 胸部Ｘ線

診断に難渋するときは
- 胸部造影CT（3D-CT）
- 主要な静脈の閉塞や狭窄がないか，またその原因を精査する．

症例

症例1　左顔面と上腕の浮腫

- 78歳，男性．
- 1ヵ月前から左上肢の浮腫を自覚．2週間前から左顔面の浮腫が出現した．
- 血液検査上，異常所見は指摘できず．造影CTを施行．
  → 左腕頭静脈の高度狭窄が指摘された．
  → 中枢静脈の狭窄による末梢静脈のうっ滞から浮腫を呈したものと診断．

症例2　突然の顔面浮腫（Emergency！）

- 24歳，女性．
- 頭痛を主訴に来院．アセトアミノフェンを処方し経過観察とした．
- アセトアミノフェン内服30分後に眼瞼浮腫が出現し，急速に顔面全体に浮腫が進行．再来院した時点で呼吸困難出現．
  → アセトアミノフェンによるアナフィラキシーのため，早急に0.1％アドレナリン筋注を行った．

→ 院内救急体制を利用し支援要請を行った．

患者さんを安心させるコツ・ポイント

患者が訴える浮腫と臨床的に問題となる浮腫は，その認識に大きく隔たりがあることも多い．明らかに問題となる病態がない場合は，「問題がない」こともしっかりと説明し安心してもらうことも大切．

38 皮膚・粘膜が黄色い

黄疸

基本の考え方

- 血中ビリルビン値の増加のため，ビリルビンが皮膚・粘膜などに沈着し，組織が黄染する病態．
- **眼球結膜や皮膚などに肉眼的な黄染として認められるとき（顕性黄疸）は，血中総ビリルビン値が２～３ mg/dLを超えている．蛍光灯下では分かり難いことがある．**
- 血中ビリルビン値が上昇していても肉眼的に黄疸として認められない病態を，潜在性黄疸という．
- 特に感染を伴った閉塞性黄疸・劇症肝炎や肝不全による黄疸は緊急を要するので，速やかに専門医療機関に転送すべきである．

診察室で（図1）

聞く

- 既往歴・家族歴・現病歴は？
- **内服薬**はあるか？：最近追加された薬や感冒薬など（市販薬も含む），サプリメントや健康食品など摂取しているものをすべて聞き出す．
- 腹痛，倦怠感，褐色尿，濃褐色や灰白色便，皮膚搔痒，皮疹などの自覚症状はあるか？
- 最近の生活歴［飲酒歴，体重変化，生もの摂取（生牡蠣など），海外渡航歴，性交渉］は？

診る

- バイタルチェック：発熱・血圧低下・意識障害はあるか？
- 視診：全身の皮膚・眼球結膜などに黄染があるか？　皮膚搔痒感に伴う擦過傷

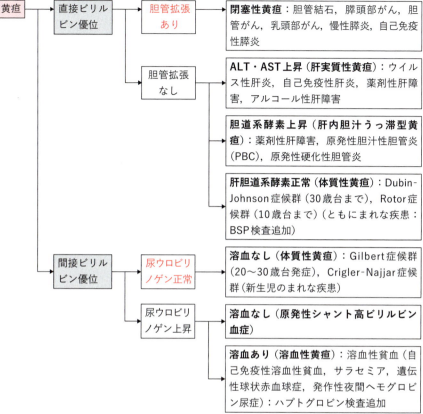

図1 黄疸の鑑別

はあるか？
→ 手掌のみの場合は柑皮症（柑橘類などの過剰摂取）であることが多い．

検査する

まずはここから
- 肝胆道機能検査，末梢血液検査，血栓止血検査（PTなど），膵機能検査，炎症マーカー検査，尿検査
- 画像検査［腹部エコー，腹部CT，MR胆管膵管撮影（MRCP）など］

念を入れるなら
- 腫瘍マーカー検査，ウイルス検査（各種肝炎ウイルス，EBウイルス，サイトメガロウイルスなど），自己免疫疾患関連検査（抗核抗体，抗ミトコンドリア抗体，

IgMなど）を追加する．

> **メモ** ビリルビンについて
> - **間接ビリルビン**：老化赤血球中のヘモグロビンなどのヘム分子が分解されて生じるビリルビン．脾臓を中心とする網内系を介し，最終的にアルブミンと結合して血液中に存在し，肝臓に運ばれる（非水溶性）．グルクロン酸抱合される前なので，非抱合型ビリルビンともいう．
> - **直接ビリルビン**：間接ビリルビンが肝細胞においてグルクロン酸抱合され，水溶性になったビリルビン．抱合型ビリルビンともいう．胆汁の一成分として胆管から腸管に分泌される．腸内細菌によりウロビリノゲンになり，大部分は糞便中に排泄される．
> - **尿ウロビリノゲン**：腸管に分泌された直接ビリルビンがウロビリノゲンになり，一部腸管より吸収される．肝細胞に取り込まれて再び胆汁中に排泄されるが，肝細胞に吸収されなかったものは尿中に排泄される．溶血があると著増する．

39 発疹

蕁麻疹，アトピー性皮膚炎

基本の考え方

- 発疹を生じる疾患は多岐にわたり，感染症，アレルギー疾患，膠原病/自己免疫疾患，血液疾患など様々なものを考える必要がある．
- 発疹の性状をみる場合，表面に変化があるかどうか，分布が均一か，偏りがあるか，消長があるかなどが参考になる．
- 急性か，慢性か，繰り返しているかどうかなどの経過を考える．
- 急性で全身症状を伴う重症例では，入院施設のある施設への紹介を検討する．
- 難治性の場合は専門家への紹介を検討する．

診察室で

聞く

- 経過は慢性か急性発症か？
- 症状は初めてか，繰り返しているか？
- かゆみはあるか？ 発熱はあるか？ 呼吸困難はあるか？
- 薬剤の内服はあるか？ 家族などに同じ症状があるか？
- 喘息やアレルギー性鼻炎などのアレルギー疾患があるか？

なぜ聞くか？

- 鑑別診断に必要である．
- 急を要する場合，対応を誤らないようにする必要がある．

診る

- 皮膚の視診：紅斑のみか？ 水疱はあるか？ 落屑はあるか？ びらんはあるか？ 分布は均一か？

- 全身の視診：口腔内，外陰部，眼球結膜などの粘膜に症状がないか確認する．

検査する

まずはここから

- バイタルサイン → 蕁麻疹を伴うアナフィラキシーをまず否定する．
- 白血球数や分画 → 急性発疹症がウイルス性か，細菌感染症か，薬疹などアレルギー性かを鑑別．
- CRP，赤沈など炎症反応 → 重症度の判断の参考になる．
- 蕁麻疹が疑われる場合 → 皮膚描記症［人工蕁麻疹：皮膚を強く擦り，赤く腫れるかを確認（図1）］で確認．
- アトピー性皮膚炎が疑われる場合 → 血清IgE値

症例

症例1　昨晩急に生じたかゆみと膨疹

- 36歳，男性．
- 昨晩就寝中に急なかゆみと膨疹を生じた．現在は発疹が消退している．
- 呼吸困難などの症状はない．
- 皮膚描記症を確認．
  → 発疹がないときに人工蕁麻疹があることを確認するのに有用（図1）．
- 抗ヒスタミン薬投与を試みる（下記以外にも選択肢がある）．

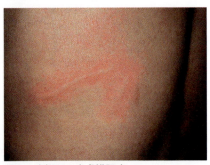

図1　症例1の皮膚描記症

― 処方例

自動車の運転などの予定がなければ
- タリオン®錠（10 mg）2錠，分2
- ルパフィン®錠（10 mg）1錠，分1

- 内服を中止した時点で再燃する場合は，皮膚科専門医を受診させる．

症例2　体幹，四肢の紅斑と落屑

- 32歳，女性．
- 小児期に喘息があり，アトピー性皮膚炎と言われたことがある．しばらく状態が良かったが，ここ1ヵ月仕事が忙しくかゆみを伴った発疹が続いている（図2）．
- ステロイドの外用を試みる（下記以外にも選択肢がある）．

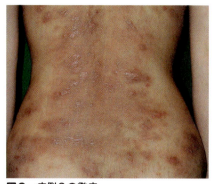

図2　症例2の発疹

処方例
- **リンデロン®** V軟膏，1日2回患部に塗布
- **メサデルム®** 軟膏，1日2回患部に塗布

- アトピー性皮膚炎は慢性疾患であり，長期にわたる管理が必要となる．中等症以上の場合は早い段階で皮膚科専門医に紹介するのがよい．

40 労作時の息切れ

心不全，喘息など

基本の考え方

- □ 心疾患か肺疾患かの見きわめが重要だが，難しいことも多い．
- □ 心不全，心筋梗塞，肺塞栓，喘息，気胸，急性喉頭蓋炎など緊急性のある疾患を見逃さない．
- □ 高齢者の心筋梗塞では息切れが主訴のことがある．

診察室で

聞く

- ■ 心不全の既往は？ → あれば専門医に紹介．
- ■ 症状の変動（日内，日々，季節）あるいは発作性の呼吸器症状（呼吸困難，喘鳴，咳の反復），40歳以前の喘息の既往 → あれば喘息を疑う．
- ■ 中高年発症，喫煙歴あり，症状の変動が少なく，呼吸困難が進行性・持続性なら
  - → 慢性閉塞性肺疾患（COPD）の存在を念頭に置く．
- ■ 咽頭痛や胸痛などの随伴症状は？
  - → 発熱と咽頭痛があり急性喉頭蓋炎を疑えば頸部X線側面，胸痛があればすぐに心電図．

> **メモ** 心不全の予測因子
> 心不全の既往，起坐呼吸，発作性夜間呼吸困難，Ⅲ音，湿性ラ音，胸部X線の肺うっ血所見，心房細動．

診る

- ■ 全身の診察：貧血（蒼白結膜），チアノーゼの所見はあるか？
  - → 症状が強く，チアノーゼや冷汗を伴うなら救急外来で早急に対応．

- ■ 聴診：心雑音や呼吸音（喘鳴，ラ音，呼吸音左右差，呼気延長，呼吸音減弱）だけでなく可能なら**Ⅲ音の有無**も．喘息の喘鳴は，強制呼気時に頸部で聴取しやすい．
  - → 心雑音があれば，可能なら心エコーを施行．
- ■ 心不全徴候（頸静脈怒張，下腿浮腫）があれば専門医に紹介．
  - → 説明のつかないSpO_2低下は肺塞栓（PE）の可能性を常に念頭に置く．PEを予測する方法として，**Wells PEスコア**がある（**表1**）．
  - → Wells PEスコア4点以下かつD-ダイマー陰性の組み合わせが，PEの除外に有用である．

表1　Wells PEスコア

PEあるいは深部静脈血栓症の既往	1.5点
心拍数＞毎分100	1.5点
最近の手術あるいは長期臥床	1.5点
深部静脈血栓症の臨床的徴候	3点
PE以外の可能性が低い	3点
血痰	1点
がん	1点

検査する

まずはここから

- ■ 心電図
  - → 心室肥大や心筋梗塞，肺塞栓の否定のため．
  - → 肺塞栓の心電図所見：肺性P波，右軸偏位，前胸部誘導でR波の増高，前胸部誘導で陰性T波，$S_IQ_{III}T_{III}$（Ⅰ誘導で深いS波，Ⅲ誘導で異常Q波とT波の逆転），V_5，V_6で深いS波（**図1**）．
- ■ 胸部X線
  - → 心拡大，肺水腫，両側胸水を認めたら，心不全を疑う．

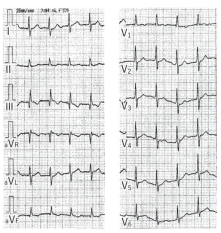

図1　肺塞栓の心電図
肺性P波は不明瞭で右軸偏位はない，$S_IQ_{III}T_{III}$，前胸部誘導でR波の増高を認める．心拍数は高めになる．

- → 胸部X線で気胸や肺炎をみつける．
- → 肺の過膨張や透過性亢進はCOPDを示唆する．
- ■ **血液検査（可能なら甲状腺機能，BNP，トロポニン，D-ダイマーまで），動脈血液ガス分析**
  - → 呼吸困難のある患者でBNP＜100 pg/mLなら，心不全は否定的である．

念を入れるなら

- ■ **心エコー**
  - → 左室壁運動，大動脈弁狭窄症など弁膜症の有無，心嚢液貯留，右室の拡大，下大静脈の評価（拡大と呼吸性変動の有無）などができる．

治療する

- ■ 喘鳴が著明なとき，胸部X線で肺うっ血があれば心不全，なければ喘息として治療開始．
- ■ **クリニカルシナリオ（CS）（表2）**
  - → 急性心不全の初期治療を収縮期血圧だけでシンプルに振り分けることができ，実践的．

表2　クリニカルシナリオ（CS）

	CS1	CS2	CS3	CS4	CS5
SBP	＞140 mmHg	100～140 mmHg	＜100 mmHg	ACS	右心不全
病態生理	血管不全	慢性の充満圧上昇	ショック/非ショック例ともにあり	急性心不全の症状・徴候	右室機能不全
発症	急速	緩徐	急速/緩徐	急速	急速/緩徐
肺水腫	＋	±	±	＋	－
浮腫	±	＋	±	±	＋
主な病態	肺水腫	全身性浮腫	低灌流	冠動脈プラークの破綻	全身性静脈うっ血
治療	NPPV，血管拡張薬（利尿薬は第一選択にならない）	NPPV，血管拡張薬，体液貯留には利尿薬	循環血液↓：輸液．強心薬で回復しない場合：スワン-ガンツカテーテル．低灌流持続：血管収縮薬	ACSの管理：アスピリン，ヘパリン，再灌流療法．NPPV，血管拡張薬，大動脈内バルーンパンピング	SBP＞90 mmHgおよび慢性の全身性体液貯留の場合：利尿薬．SBP＜90 mmHgの場合：強心薬

SBP：収縮期血圧．ACS：急性冠症候群．NPPV：非侵襲的陽圧換気

症例

症例1　急性心不全

- 83歳，女性．
- プール後に労作時の息切れが出現し，前医受診．急激に呼吸困難増悪し，紹介受診．
- 搬入時，チアノーゼあり起坐呼吸で意識レベル不良（JCS Ⅱ桁）であり，NPPVマスクを直ちに装着し，以降の精査を進めた．
- 来院時血圧190/88 mmHg．胸部に湿性ラ音．下腿浮腫は軽度で，循環血液量の増加を示唆する所見は認められない．
- 胸部X線で肺うっ血（**図2**）．
- 血液検査：BNP 659.6 pg/mLと高値，高感度トロポニン陰性．
  → 急性冠症候群（ACS）は否定的．
- CS1の急性心不全と診断し，NPPV療法および血管拡張薬（硝酸薬）で初期治療を行った．

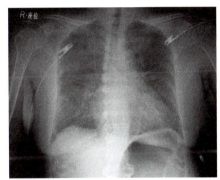

図2　症例1の胸部X線

- 処方例
  - **ミリスロール**® 原液（0.05％）3 mL/時で開始

- 心エコー → 重症の大動脈弁狭窄症が判明．
- 心不全改善後に大動脈弁置換術を行った．

41 喫煙者の息切れ

COPD，肺気腫

基本の考え方

- **COPD**（慢性閉塞性肺疾患）は長期の重喫煙が原因となる．高齢男性に多い．
- 息切れで受診する例は氷山の一角．循環器疾患患者に潜在するCOPD例（未治療群）も少なくない．
- 息切れを起こす他疾患（貧血，心不全，甲状腺機能亢進症，悪性腫瘍など）も精査する．
- 入院を要する増悪反復症例のみでなく，感冒などで小増悪を繰り返す症例もある．
- 肺気腫と特発性間質性肺炎（IPF）を合併する気腫合併肺線維症（**CPFE**）が知られる．肺がん発症に注意する（CTブラに隣接する結節は要注意）．
- CPFEでは，一秒量は正常でも肺拡散能は低下する．
- CPFEでは軽労作で息切れ，酸素飽和度低下を認め，在宅酸素療法を要する例も多い．肺高血圧を合併することが多い．
- 気管支喘息とCOPDを合併するasthma-COPD overlap（**ACO**）が知られる（表1）．
- ACOには呼吸機能低下が早い症例がある．
- COPD治療は吸入長時間作用型抗コリン薬（LAMA）が主体，ACO症例では吸入ステロイド（ICS）を併用する．
- 気管支喘息ほどにはICSは有効ではない．予後良好とはいえない．

診察室で

聞く

- 喫煙はいつから？　1日の量は？　階段や坂道で息切れは？

表1　ACOの診断基準

基本的事項	
40歳以上，慢性気流閉塞：気管支拡張薬吸入後1秒率（FEV$_1$/FVC）が70％未満	
【COPDの特徴】1，2，3の1項目	【喘息の特徴】1，2，3の2項目あるいは1，2，3のいずれか1項目と4の2項目以上
1. 喫煙歴（10pack-years以上）あるいは同程度の大気汚染曝露	1. 変動性（日内，日々，季節）あるいは発作性の呼吸器症状（咳，痰，呼吸困難）
2. 胸部CTにおける気腫性変化を示す低吸収領域の存在	2. 40歳以前の喘息の既往
3. 肺拡散能障害（%D$_{LCO}$＜80％あるいは%D$_{LCO}$/V$_A$＜80％）	3. 呼気中一酸化窒素濃度（FeNO）＞35ppb
	4-1）通年性アレルギー性鼻炎の合併
	-2）気道可逆性（FEV$_1$＞12％かつ＞200mLの変化）
	-3）末梢血好酸球＞5％あるいは＞300/μL
	-4）IgE高値（総IgEあるいは通年性吸入抗原に対する特異的IgE）

1. ACOの診断は，COPDの特徴の1項目＋喘息の特徴の1，2，3の2項目あるいは1，2，3のいずれか1項目と4の2項目以上.
2. COPDの特徴のみあてはまる場合はCOPD，喘息の特徴のみであてはまる場合は喘息（リモデリングのある）と診断する.
3. ACOを診断する際に喘息の特徴を確定できない場合，喘息の特徴の有無について経過を追って観察することが重要である.
4. 通年性吸入抗原はハウスダスト，ダニ，カビ，動物の鱗屑，羽毛など，季節性吸入抗原は樹木花粉，植物花粉，雑草花粉など，である.

【参考1】胸部単純X線などで識別を要する疾患（びまん性汎細気管支炎，先天性副鼻腔気管支症候群，閉塞性汎細気管支炎，気管支拡張症，肺結核，塵肺症，リンパ脈管筋腫症，うっ血性心不全，間質性肺疾患，肺癌）を否定する.

【参考2】咳・痰・呼吸困難などの呼吸器症状は，喘息は変動性（日内，日々，季節）あるいは発作性，COPDは慢性・持続性である.

［日本呼吸器学会喘息とCOPDオーバーラップ（Asthma and COPD overlap：ACO）診断と治療の手引き2018作成委員会：喘息とCOPDオーバーラップ診断と治療の手引き2018より許諾を得て転載］

　　→　重喫煙者であればCOPD精査．
■ **感冒などをきっかけに悪くなったのか？**
　　→　感染による増悪が疑われるならば専門医に紹介．
■ **安静時の呼吸困難，胸痛などは？**
　　→　あれば循環器科に紹介（特に初診ケースは心電図を行うこと）．

診る

- 聴診：呼吸音を確認し，ラ音などあるか？ → もしあれば他肺疾患も疑う．
- 貧血，下腿浮腫 →消化器内視鏡や心疾患も考慮．
- 合併症（高血圧，糖尿病，胃潰瘍など）やフレイル・痩せの徴候があるか？

> **メモ フレイルとCOPD**
>
> 最近はフレイルなどが循環器の分野でも取り上げられている．体重減少・疲れやすい・歩行速度の低下・握力の低下・身体活動量の低下など簡便なスクリーニングを行う（**表2**）．医療サイドがフレイルを早期発見し，リハビリテーションを早期に介入できれば，活動性低下を防ぐ可能性がある．心臓外科など大きな手術前の評価にも有用．COPDもフレイルに陥りやすい病態であり，フレイルを防ぐことは重症COPD患者で必要である．

表2 フレイルの評価項目

① 握力の低下
② 活動量の低下
③ 歩行速度の低下
④ 疲労感：何をするのも面倒だと週に3〜4日以上感じる
⑤ 体重減少：意図しない年間4.5kgまたは5%以上の体重減少

①〜⑤のうち，3つ以上該当はフレイル，1〜2つ該当はプレフレイル，該当なしは健常高齢者．
[Fried LP, et al：J Gerontol A Biol Sci Med Sci **56**：M146-M156, 2001 より引用]

検査する

まずはここから
- 心電図，胸部X線，胸部CT，血液検査（貧血，甲状腺機能，BNP），呼吸機能検査，SpO_2

念を入れるなら
- 心エコー，D-ダイマー，血液動脈ガス，肺拡散能，気道可逆性試験，6分間歩行試験
- 経過や臨床像，胸痛や突然発症したものなどは心電図を行い，はじめから循環器科に紹介．

症例

症例1　1ヵ月の間に何回も感冒症状を繰り返す例

- 74歳，男性．
- 20～70歳まで1日1箱の喫煙歴，多いときは2箱のときもあった．
- 近医で糖尿病を治療中．HbA1c 8％前後とコントロール不良．最近は散歩の際に坂道で息が切れ，歩く距離が短くなった．
- 感冒症状，痰が切れない，咳，微熱も出る．
- 胸部X線，胸部CT，喀痰培養検査（細菌，結核）
  → 喀痰が出れば，必ず結核をチェックする．肺気腫と合併する結核は見落されやすい．喀痰，CTで肺結核が否定的なら，呼吸機能検査を行う．
  → 肺気腫や間質性肺炎では，CTでの評価が困難．高齢者では非典型的画像，下葉にコンソリデーションが発生するとき，非空洞症例，気管支拡張症例などがある．

> **患者さんを安心させるコツ・ポイント**
>
> 患者には，「COPDが原因と考えますが，心疾患・気管支喘息・間質性肺炎を除外するために検査を行いましょう．可能性は低いと考えますが，肺結核も除外するために痰の検査をしましょう」と説明する．

- 血液検査：血算，白血球分画（末梢血好酸球数），生化学検査，血糖，HbA1c，BNP，IgG（ステロイド使用で低下），IgE，KL-6
  → 気管支喘息・間質性肺炎のチェック．糖尿病コントロール不良は感染誘発の一因．
- 次回の予約は専門医に相談．
- 室内気でSpO_2 92～94％と低く，将来的に在宅酸素療法導入も予見された．
- 糖尿病管理，肺結核の否定，禁煙厳守，ワクチン接種．
- COPD増悪時のABC［Antibiotics（抗菌薬）＋Bronchodilater（気管支拡張薬）＋Corticosteroid（副腎ホルモン）］による対応を行った．

処方例

- **抗菌薬：セフェム系薬・ペニシリン系薬を第一選択に用いる．**
  - **メイアクト®**MS錠（100 mg）6錠，分3

肺結核が否定されれば，ニューキノロン系薬のガレノキサシン[**ジェニナック**®錠（200 mg）2錠，分1]も考慮される．

■ **気管支拡張薬**
COPD治療に実績のある吸入抗コリン薬を用いる[吸入LAMA（長時間作用性抗コリン薬）や吸入LAMA＋LABA（長時間作用性β_2刺激薬）など]．
→ 吸入デバイスの使用・操作方法に関する理解に問題がない場合は，ソフトミスト製剤のLAMAを使用．

①**吸入LAMA**：自覚症状が強い場合に第一選択
- **スピリーバ**®レスピマット®：1回2吸入，1日1回，朝

②**吸入LAMA＋LABA（簡便なデバイス）**：自覚症状が強い場合に推奨
- **ウルティブロ**®吸入用カプセル：1回1吸入，1日1回，朝
- **スピオルト**®レスピマット®

③**吸入LABA**：前立腺肥大症の悪化や緑内障悪化が疑われる場合に第一選択
- **オーキシス**®：1回1吸入，1日2回，朝夕

■ **ステロイド（経口ステロイド）**
- **プレドニン**®：20～40mg/日，2週間を上限に投与（漸減せず中止可能）

感冒を繰り返す場合には，漢方薬（補中益気湯）の追加も検討．

症例2　軽労作ですぐに酸素飽和度が低下する間質性肺炎合併（CPFE）例

■ 78歳，男性．
■ 過去にCOPD増悪で入院歴がある．歩くとすぐに酸素飽和度低下が出現する．
■ 胸部CTで両側下肺野に蜂巣肺を認め，間質性肺炎と自覚症状との関連を確認できた．
  → 蜂巣肺，気腫肺の近傍は肺がん発生の母体となり，胸部CTでのフォローが必須．胸部X線では評価困難である．
■ 呼吸機能（一秒量）の評価は良好に維持され，重症度が見かけ上は低いと評価される．6分間歩行試験（短時間の歩行労作で終了）や肺拡散能も評価する．
■ 症例1と同様に，COPDに対して吸入薬は吸入LAMAを使用．
■ 合併する間質性肺炎に対し，従来使用されたステロイドや免疫抑制薬は推奨されない．

■ 処方例
- **クラリス®**錠（200 mg）2錠，分2（慢性好中球性肺疾患に保険適用が導入）
マクロライド系抗菌薬の好中球性炎症への抑制効果．びまん性汎細気管支炎（DPB）に著効する．

■ 抗線維化薬は呼吸機能低下と急性増悪を抑制するとされているので，患者に内服薬を紹介する．

　▶ ここで専門医に紹介

■ 抗線維化薬ピルフェニドン（ピレスパ®）やニンテダニブ（オフェブ®）を説明する．

症例3　気管支喘息を合併する症例

■ 75歳，男性．
■ 重喫煙歴と胸部CT上に肺気腫があり，COPDの治療を受けている．
■ 聴診上喘鳴を聴取する．血中好酸球数上昇や喀痰中のシャルコー・ライデン結晶（好酸球顆粒），IgE値，放射性アレルゲン吸着試験［RAST検査（ハウスダスト，ダニ）］が陽性．
■ 降圧薬に選択性が低いβ遮断薬を使用すると，発作誘発の原因となる（併用薬に注意）．
■ 呼気NOの測定
　→ 非侵襲的に気道の好酸球炎症を評価．保険適用がある．
■ 症例1と同様に，COPDに対して吸入薬には吸入抗コリン薬を使用（肺気腫が胸部CTで診断）．
■ 気管支喘息に対しては吸入ステロイド（ICS）を上乗せする．

■ 処方例
①ICS
- **オルベスコ®**インヘラー（200μg）：1回1吸入，1日1回，就寝前
1日1回で吸気努力の少ない加圧噴霧式定量吸入器（pMDI）．うがいも基本的に不要．

②ICS・LABA配合剤
- **シムビコート®**タービュヘイラー®：1回1吸入，1日2回，朝夜

③ICS・LAMA・LABA配合製剤（トリプル製剤）：肺気腫と気管支喘息の両者に保険適用．ACOにも用いられている

- **テリルジー®**100エリプタ：1日1回，吸入
  テリルジー®200は重症喘息のみに保険適用

ヒント COPD治療にICSは必要か？

気管支拡張薬＋ICSの治療中に，気管支拡張薬のみを残しICSを漸減し休薬する群とICS併用を継続する2群を比較した報告（Magnussen H, et al：N Engl J Med 371：1285-1294, 2014）がある．ICSを継続使用することによる増悪頻度のリスク回避は確認できなかった．むしろ感染リスクを高める可能性がある．一方，ICS継続使用のメリットとして呼吸機能改善の可能性があった．以上より，増悪など自覚症状の悪化した際には必要（重症度）に応じてICSを上乗せして治療する必要がある．ただし，治療にて呼吸機能改善が確認された症例や，慢性安定期に漫然とICSを併用することは控えること．ICSを長期に使用する際には，高用量からの減量や，脂溶性から水溶性ステロイドへの移行も考慮する．

患者さんを安心させるコツ・ポイント

- 患者への禁煙指導が重要となるため，「禁煙が重要です．タバコを止めればCOPDの進行が止まると考えてください．禁煙に遅いということはありません」と強調する．また，「最初に禁煙をスタートして，その次にお薬（気管支拡張薬）が使えるようになります」と説明するとよい．
- 喫煙は，新型コロナウイルスによる肺炎でも重症化のリスクとなることも伝える．
- 「気道の炎症（火事）が起こっているときは，気管支拡張薬（消火器）だけでは効果が乏しい．禁煙（火の元を断つこと）も必要です」と伝えると理解してもらいやすい．

42 喘息の初期治療

コントローラーとレリーバー

> **基本の考え方**
> - □ **長期管理薬（コントローラー）** と **増悪治療薬（レリーバー）** を別に考える．
> - □ 長期管理においては，喘息治療ステップ（**表1**）に従い薬物療法を考える．
> - □ 喘息症状による活動制限のない状態を治療目標とする．

> **メモ** 治療強化の前に吸入手技を確認する
> - 長期管理薬の基本は吸入ステロイドである．
> - 治療のコントロールが悪い症例では，吸入手技が不適切な場合がある．
> - その場合，吸入指導によりコントロールが改善する症例もある．

診察室で

聞く

- ■ 喘息症状の発症時期，増悪因子，家族歴，入院歴，人工呼吸使用歴を確認．
  - → 小児喘息の30％が成人喘息へ移行し，成人発症は約70％を占める．
  - → 気道感染や，季節の変わり目により増悪する症例がある．
  - → 入院や人工呼吸を要する発作の病歴は，重症化リスクを示唆する．

診る

- ■ バイタルサイン，呼吸困難の状況を確認．
  - → バイタルサインの変化や安静時の呼吸困難を伴う症例は，まず発作治療を開始する．
- ■ 喘鳴の強さで気道狭窄の重篤度を大まかに評価する．
  - → 喘鳴なし：0度，深呼気時のみ：1度，通常呼気時のみ：2度，吸気呼気いずれでも聴取する：3度，呼吸音が聴取できない：4度

表1 喘息治療ステップ

		治療ステップ1	治療ステップ2	治療ステップ3	治療ステップ4
長期管理薬	基本治療	ICS（低用量）	ICS（低〜中用量）	ICS（中〜高用量）	ICS（高用量）
		上記が使用できない場合，以下のいずれかを用いる	上記で不十分な場合に以下のいずれかを併用	上記に下記のいずれか1剤，あるいは複数を併用	上記に下記複数を併用
		LTRA テオフィリン徐放製剤 ※症状が稀なら必要なし	LABA（配合剤使用可） LAMA LTRA テオフィリン徐放製剤	LABA（配合剤使用可） LAMA（配合剤使用可） LTRA テオフィリン徐放製剤 抗IL-4Rα抗体	LABA（配合剤使用可） LAMA（配合剤使用可） LTRA テオフィリン徐放製剤 抗IgE抗体 抗IL-5抗体 抗IL-5Rα抗体 抗IL-4Rα抗体 経口ステロイド 気管支熱形成術
	追加治療	アレルゲン免疫療法 （LTRA以外の抗アレルギー薬）			
増悪治療		SABA	SABA	SABA	SABA

ICS：吸入ステロイド，LABA：長時間作用性β_2刺激薬，LAMA：長時間作用性抗コリン薬，LTRA：ロイコトリエン受容体拮抗薬，SABA：短時間作用性吸入β_2刺激薬，抗IL-5Rα抗体：抗IL-5受容体α鎖抗体，抗IL-4Rα抗体：抗IL-4受容体α鎖抗体

［日本アレルギー学会：喘息予防・管理ガイドライン2021，協和企画，p109，2021より一部割愛して許諾を得て転載］

検査する

まずはここから
- 胸部X線，呼吸機能検査，気道可逆性試験，末梢血・生化学検査，白血球分画，非特異的IgE

必要に応じて
- 血液ガス分析，呼気中NO濃度測定，喀痰中好酸球比率

> 治療する

- 吸入ステロイドを基本に，LABA（長時間作用性β_2刺激薬），ロイコトリエン受容体拮抗薬などを使用する．
- 治療ステップ3でもコントロールが不良な症例では，生物学的製剤の使用，経口ステロイド，気管支熱形成術など，治療ステップ4への移行を考慮する．
- 生物学的製剤の導入や治療ステップ4を考慮する症例については，専門医への紹介を考慮する．

症例

症例1　アドヒアランス不良の喘息症例

- 35歳，男性．喘息増悪による入院歴はない．身長175 cm，体重62 kg．
- 小児期から喘息を指摘されていたが，成人してからは増悪はなく経過していた．
- 3日前から上気道感染症を発症し，夜間に喘鳴を伴う呼吸困難を自覚するようになったため外来を受診した．
- 上気道感染症を機に増悪した喘息として，短時間作用性β_2刺激薬（SABA）の吸入を2回行ったところ，喘鳴，呼吸困難は速やかに改善した．
- 以下の処方で，1週間後再診を指示し帰宅とした．

処方例
- **シムビコート®** タービュヘイラー®（10 μg）1回2吸入，1日2回
- **メプチン®** エアー：呼吸困難，喘鳴時に1回2吸入，1日4回まで．改善しない場合には受診すること．
- **プレドニン®** 錠（5 mg）6錠，分1，5日間

43 脈が飛ぶ

期外収縮・結滞，脈の不整

基本の考え方

- 多くは心房期外収縮（PAC）と心室期外収縮（PVC），およびその連発が原因．
- ほとんどの期外収縮は**予後に影響しない**．
- 心筋梗塞後などではPVCと予後との関連が示唆されているが，**抗不整脈薬で予後改善は期待できない**．
- しかし，期外収縮は**「器質的心疾患を見つけ出す糸口」**になる．

診察室で

聞く

- 持続性頻拍ではなく，結滞のみか？ → 頻拍なら専門医に紹介．
- 自覚症状は負担か？ → 負担がないなら経過観察．

診る

- 聴診：**心雑音があるか？** → あれば心エコーを施行．

検査する

まずはここから
- 心電図，胸部X線

念を入れるなら
- 心エコー，ホルター心電図
  → **小児の場合や虚血性心疾患を疑えば**，運動負荷試験を追加．
- 経過や臨床像から病的背景がないと判断すれば，心エコー，ホルター心電図，運動負荷試験の**いずれも行わないという選択**も十分に許容される．

> **メモ** PACの変行伝導
>
> PACも機能的な脚ブロック（変行伝導）を伴えば，QRS幅は拡大し，PVCと波形は似ている（**右図**）．どちらも予後への影響は小さく，検査の必要性も似たようなものであるため，PACかPVCか確信がなくても支障はない．

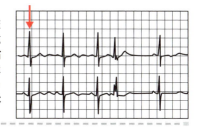

症例

症例1　症状は乏しいが頻発する右室流出路起源のPVC

- 50歳，男性．
- 検診でPVCを指摘された．それまで気づかなかったのに，最近は脈を取ると乱れがあるのが気になる．
- 流出路起源のPVC：最もありふれている．**II, III, aVF誘導で上向きのQRS波**（図1）．
- ホルター心電図，心エコーを行う．
  → 必須ではないが，心エコーは見ておきたい．器質的心疾患がみつかるかもしれない．
- 血液検査：血算，生化学検査，BNP
  → 必須ではないが，問題がみつかるかもしれない．

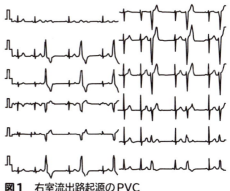

図1　右室流出路起源のPVC

> **患者さんを安心させるコツ・ポイント**
> 「一般に**危険性は低い**不整脈かと思いますが，**心臓の疾患を除外するために検査**を行いましょう」と説明する．

- 次回の予約は専門医でも，非専門医でも可．
- **症状が負担でない期外収縮は治療対象にはならない．**

症例2　自覚症状が強い心房期外収縮

- 70歳，女性．
- PACが散発する．自覚症状が強い．
- ホルター心電図で**期外収縮と症状との関連を確認**できた．
- QRS波形が正常，胸部X線で心陰影拡大はみられない．心雑音がなく，息切れなど心不全徴候がないので「心機能は正常」と考えた．
- 安全性の高い抗不整脈薬を試みる．
  → 腎機能低下がない場合，**低用量**を勧める．

― 処方例

- **サンリズム®**カプセル（50 mg）3カプセル，分3
  高齢者はしばしば潜在的な腎機能低下を持つ．25 mgカプセル×3への減量も考慮される．
- **リスモダン**カプセル（100 mg）常用量の3カプセル，分3ではなく，2カプセル，分2への減量
- **タンボコール®**錠（50 mg）2錠，分2

症例3　治療を希望するPVC

- 45歳，男性．
- PVCによる症状が強い．
- ホルター心電図でPVCの頻発があり，治療を希望．

ここで循環器専門医に紹介

- **カテーテルアブレーションで根治した．**
- どの程度を「頻発」と呼ぶかにルールはない．期外収縮が5,000個/日くらいないと治療しにくいと思われる．

> **ヒント　PVCのカテーテルアブレーションは得か**
> カテーテルアブレーションによるPVC減少の意義を検討したメタ解析（Zang M, et al：Heart 100：787-793, 2014）では，15の報告から712人のPVC症例を集積している．長期的な成功は66〜90％と異なっているが，左室駆出率（LVEF）は平均7.7％上昇し，左室拡張末期は4.6 mmの減少．PVCの起源と心機能回復とは関連がなかった．ベースラインでLVEF<0.5％に限れば，LVEFの改善率は12.4％と大きい．心機能の低下を認めるPVC頻発例の一部には，カテーテルアブレーションは有効かもしれない．

44 脈が速い

洞頻脈

基本の考え方

- 心拍数100 bpm以上なら洞頻脈である．
- 洞結節レートは100〜180 bpmとなる．最大心拍数は個人差があるが，年齢により減少する．
- 発作性上室頻拍と比較して，心拍数は徐々に上昇し，徐々に低下する．
- **原因検索が重要**である．
- 原因としては，**発熱，甲状腺機能亢進症，貧血**，不安，激しい運動，**脱水**，肺塞栓，**うっ血性心不全**，ショック，嗜好品（アルコール，ニコチン，カフェイン），**薬剤性**（シロスタゾール，テオフィリン，β刺激薬）が挙げられる．

診察室で

聞く

- 動悸，息切れなどの自覚症状は？ → 症状が強ければ専門医に紹介．
- 既往歴や内服薬は？

診る

- バイタルサイン（体温を忘れずに）
- 全身の診察：**甲状腺腫大，貧血（蒼白結膜），脱水**の所見はあるか？
- 聴診：心雑音はあるか？ → あれば心エコーを施行．
- **心不全徴候**（頸静脈怒張，下腿浮腫）はあるか？ → あれば専門医に紹介．
- 甲状腺機能亢進症の徴候（発汗，振戦，体重減少，眼球突出など）はあるか？
  → あれば専門医に紹介．

> 検査する

まずはここから
- 心電図，胸部X線，血液検査（可能なら**甲状腺機能，BNP**まで）

念を入れるなら
- 心エコー

> 治療する

- **原因の治療**（脱水患者への輸液，発熱患者の解熱など）を行う．
- β遮断薬と非ジヒドロピリジン系Ca拮抗薬（ワソラン®，ヘルベッサー®）は徐拍化に有用だが，薬剤による徐拍化を要することはまれであり，原因の除去が優先される．

メモ　洞頻脈を招く疾患

- 不適切な洞性頻脈（IST）：原因として生理的，病理的あるいは薬理学的な影響が見当たらないのに洞頻脈が持続している状態．治療は，イバブラジン，β遮断薬，Ca拮抗薬などが考慮される．
- 体位性起立頻脈症候群（POTS）：起立不耐症の1つである．症状は立位に伴う動悸，ふらつき，疲労感，全身倦怠感が主体である．病態生理は，神経調節性失神（NMS）に類似していることから診断はヘッドアップティルト試験にて行う（**表1**）．NMSと異なり，起立中に急激な血圧低下を認めない．また，失神をきたすことはまれだが，起立時の自覚症状によりQOLが制限される場合がある．
- ISTとPOTSは互いにオーバーラップしていると考えられ，鑑別が困難なこともある．

表1　LowらによるPOTSの診断基準

①起立またはチルト5分以内に心拍数増加≧30/分
②起立またはチルト5分以内に心拍数≧120/分
③起立不耐症の症状が持続する

注：上記すべてを満たすものは重症POTS，②を満たさないものは軽症POTS．
［Low PA, et al：Neurology 45（suppl 5）：519-525, 1995 より引用］

症例

症例1　耳鼻咽喉科の術前検査で指摘された頻脈

- 20歳, 女性.
- 耳鼻咽喉科の術前検査で頻脈を指摘された.
- 脈が非常に速くなっても, P波と先行T波ははっきり見分けられる(心拍数141 bpmの洞頻脈).
- 胸部X線：心拡大や肺うっ血なし.
- 心エコー：頻脈のため左室壁運動は全体的に正常下限程度だが, 器質的心疾患は認められない.
- 血液検査の結果, ヘモグロビンの低下やBNPの上昇など認められず, 甲状腺機能亢進症と判明. 抗甲状腺薬を開始し頻脈は改善した.

45 頻拍と動悸

発作性上室頻拍，心房細動など

基本の考え方

- 頻拍，動悸の場合にはその不整脈の鑑別が重要．
- 脈が等間隔で速くなるものは発作性上室頻拍の可能性が高く（心房粗動や心房頻拍もあり），**脈がばらばらで速くなるものは心房細動**が多い．

診察室で

聞く

- **頻拍の始まりと終わり**ははっきりしているか？
  - → 明らかであれば発作性上室頻拍である可能性が高い．
- 症状はどれくらいつらいか？　意識を失ったことがあるか？　動悸のときに歩けるか（走れるか）？　どれくらい持続するか？
  - → 問診でかなりの頻拍の鑑別，重症度の判定ができるため，最も重要である．
  - → 重症度によっては無治療，頻回に失神しているなら緊急入院といった選択肢もあり，症状のつらさ，運動能力などは治療法の選択に非常に重要である．

診る

- 頻拍中の診察では血行動態はどうか，ショック状態かを迅速に判断．
- （頻拍でないときの診察であれば）聴診による心雑音の確認，基礎心疾患のチェック．

> 検査する

- **ホルター心電図，心エコー，携帯型心電計**
  → 基礎心疾患のチェック，頻拍時の心電図を得る．
- **心臓電気生理検査** → 非臨床的な不整脈が誘発される可能性もある．

> メモ　Apple Watch，携帯型心電計
>
> Apple Watch Series 4以降では心電図が記録できる．また携帯型心電計もインターネット上でApple Watch Series 4より安く購入できる．スマートフォンのアプリで脈を計り画像にするものもあり，心電計には劣るものの，ないよりはましである．どうしても頻拍を捉えられないときには，患者にApple Watchの利用や携帯型心電計の購入を勧めている．

> 症　例

症例1　動悸のある入院患者

- 50歳台，男性．
- 食道がん手術で入院しており，術中術後頻拍発作が頻出．
- 帰室後動悸がするとの訴えあり．モニター心電図上でも頻拍を認め，看護師に12誘導心電図を指示（**図1**）．
- 意識清明，身長168 cm，体重76 kg．体温36.0℃．呼吸数18回/分．脈拍150 bpm，整．血圧76/48 mmHg．心エコーにて全周性の軽度左室壁運動低下．

> ■ 処方例
>
> - **ATP**注10 mgを急速静注
> - **ベラパミル**5 mgを緩徐に（5～10分）静注
> ・心機能低下例に注意する．
> ・喘息患者にはATPは使用しにくいため，問診で聞いておく必要がある．

- 頻拍発作があり，患者が困っている場合は，**カテーテルアブレーション**が最適な選択肢である．
- 心房細動の場合には心機能に応じて，レートコントロール薬，$CHADS_2$スコアに応じて抗凝固薬が重要である．

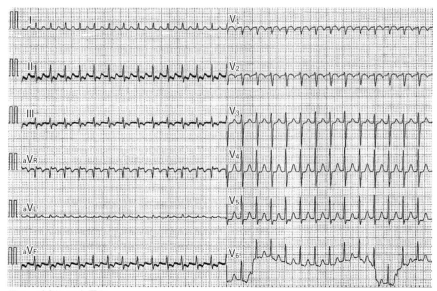

図1 症例1の心電図

患者さんを安心させるコツ・ポイント

基礎心疾患がない患者では不整脈で突然死することはまれである.「もともと心臓に病気がない人では,突然死することはあまりありません.心配し過ぎることはないですよ.これから検査をして調べていきましょう」と安心させる.

しかし心房細動では,「突然死はしませんが,脳梗塞のリスクが高まるので,血を固まりにくくする薬は飲みましょうね」とリスクもしっかりと説明することを忘れないようにする.

46 みぞおちの痛み（心窩部痛），胃もたれ
機能性ディスペプシア

基本の考え方

- 比較的新しい疾患概念．
- **原因となる器質的疾患がないのにもかかわらず**，心窩部痛や胃もたれといった症状が慢性的に持続する状態．
- 胃・十二指腸の運動能異常や微小炎症，心理社会的因子，遺伝的因子，ライフスタイルなどの**様々な因子が複合的に関与している**．

診察室で

聞く

- 警告徴候（アラームサイン）はあるか？：**体重減少，繰り返す嘔吐，血便や黒色便，嚥下障害，胃がん・食道がんの家族歴，高齢での初発症状**の有無を確認．
  - → FD と似た症状を呈する消化性潰瘍，消化管がん，慢性膵炎，膵がん，慢性胆嚢炎などの**器質的疾患を除外することが重要**．
  - → アラームサインを認める場合は器質的疾患の可能性が高い．
- 既往歴や検査歴はあるか？

診る

- 腹部触診
  - → **腫瘤や波動，限局的な強い圧痛**を認めたら器質的疾患を疑う．
  - → 血液検査，腹部エコー，腹部CTなど施行．

検査する

まずはここから
- まずは検査より問診が重要．
- 自己記入式質問票も有用．

次のステップ
- 器質的疾患を疑う場合は，腹部エコー，腹部CT，上部消化管内視鏡検査などを積極的に行う．

> **ヒント　上部消化管内視鏡検査**
> 『機能性消化管疾患診療ガイドライン2021』では，アラームサインがない場合には，上部消化管内視鏡検査は必須ではないとされている．しかし，FDの診断において**器質的疾患の除外は非常に重要**である．アラームサインがない場合でも，症状の訴えが強い場合，直近の検査歴がない場合，治療開始後も症状の改善に乏しい場合などには，**積極的に検査施行を検討**した方がよい．

治療する

- 治療効果の具体的な指標がないため，患者が満足できる程度の症状改善が得られることが，治療目標となる．
- 薬物療法は，酸分泌抑制薬，消化管運動改善薬，漢方薬などが有用．

処方例

酸分泌抑制薬（一次治療として投与を推奨）
- **ガスター**®錠（10 mg）2錠，分2，朝夕食後
- **パリエット**®もしくは**オメプラゾール**®もしくは**ネキシウム**®錠（10 mg）1錠，分1，朝食前
  食後投与でもよいが，効果不十分な場合は食前投与に変更する．

消化管運動機能改善薬
- **アコファイド**®錠（100 mg）3錠，分3，毎食前
  日本で唯一のFDに対する保険適用薬．
- **ガスモチン**®錠（5 mg）3錠，分3，毎食前

漢方薬
- **六君子湯**：3包，分3，毎食前（六君子湯は胃運動機能改善，上腹部症状改善にエビデンスあり）
- **半夏厚朴湯**：3包，分3，毎食前（つかえ感の訴えがあるとき）

- 4〜8週間治療効果がない場合は，治療法変更を検討する．
- 治療抵抗性や症状増悪を認めた際には，器質的疾患がないかを再検討する．施行していない場合には上部消化管内視鏡や画像検査を行う．
- 以上の治療で効果が不十分な場合は，抗うつ薬・抗不安薬の使用や，認知行動療法も検討する．
  → 心療内科と連携．

> **メモ** **FDとライフスタイル（運動・睡眠・食事内容や食習慣）**
> FD患者は健常者に比較して有意に運動の頻度が低いとの報告や，睡眠習慣の乱れがFD症状に関連するとの報告がある（Miwa H, et al：Neurogastroenterol Motil 24：464-471, 2012）．またFD患者では，不規則な食事パターン（朝食を食べない，深夜に食事を摂る）や早食いといった食習慣の乱れが認められやすいとも報告されている（Keshteli AH, et al：Br J Nutr 113：803-812, 2015）．ライフスタイルの修正はFD症状の関連に繋がるため，ガイドラインでも強く推奨されている．

患者さんを安心させるコツ・ポイント
- FDは慢性的に不快な上腹部症状が持続する状態であり，症状の原因がなかなか解明されないことに対して，患者は強い不安を感じていることが多い．器質的疾患が否定された場合は，生命予後に影響するような病態ではないことを説明する．その一方で，患者の症状の訴えを「医学的な対応が必要な病態」として受け止めていると伝えることも大切である．
- FDの病態には心理ストレスが関与していると考えられている上，FDの治療においてプラセボの効果が大きいことが報告されている（Moayyedi P, et al：Cochrane Database Syst Rev 4：CD001960, 2006）．主治医と患者との良好な関係を構築し，患者を安心させるような声掛けをすることは，治療にとって重要である．

47 腹部大動脈瘤，腹壁の静脈瘤

> **基本の考え方**
> - 腹部の拍動性腫瘤で最も重篤な経過をたどる可能性のある疾患は腹部大動脈瘤である．
> - 大動脈瘤は破裂前と破裂後で対応が異なる．非破裂時は無症状のことが多い．
> - その他に腹壁表面の静脈瘤などがある（p167のメモ参照）．

診察室で

聞く

- 腹痛の部位・範囲や発症の仕方（徐々にか，突然か，持続時間や放散の方向）は？
- 腹痛の変化はあるか？
- 喫煙歴は？

診る

- 腹部の拍動性腫瘤の触知
  → 膨張性に**拍動**する紡錘状もしくは囊状の腫瘤．痩身の患者では大動脈自体が腹壁から拍動性に触れることがある．**正中線より右**に拍動性腫瘤を触知すれば動脈瘤を疑う．
  → 腎動脈分岐部より下方が好発部位である．
- 血圧の変化はあるか？
  → 普段の血圧との差異に注意（特に高血圧症の患者）．起立性低血圧の可能性もある．

> [ヒント]
> - 腹部大動脈瘤破裂の3徴は腹痛・低血圧・拍動性腫瘤触知である．
> - 腹部動脈瘤発生率は男性で高いが，破裂のリスクは女性で高い．
> - 背部痛・腹痛が破裂に先行することがある．
> - 鑑別すべき疾患は腎疝痛（尿路結石），大腸憩室炎，消化管出血，膵偽嚢胞，膵炎，穿通性十二指腸潰瘍などである．
> - 尿路結石の既往のない50歳以上の患者が側腹部・背部の強い痛みを訴えた場合は，大動脈瘤破裂や大動脈解離などの血管障害を鑑別する．
> - 虫垂炎は痛みが正中から発症することが多く，憩室炎は圧痛が限局していることが多い．尿路結石は疝痛で発症初期に痛みが強い．
> - 他部位の動脈瘤の合併も考える．

検査する

まずはここから

■ **血液検査，尿検査**
→ 炎症所見の判定・出血の有無・尿路結石などの鑑別．

■ **腹部エコー**

念を入れるなら

■ **腹部CT**：瘤径は最大短径で評価．三次元再構成CTが利用可の場合，大動脈中心線に直行する断面で計測．
→ 破裂・切迫破裂を疑う際は造影が必要．
→ 非破裂症例で待機手術の適応を検討する場合は必須．

治療する

■ **禁煙・血圧コントロール**
→ 非破裂大動脈瘤の治療目標は**瘤の拡大抑制，破裂回避**．

■ **心血管リスクのコントロール** → 合併する動脈硬化性疾患のマネジメント．

■ **破裂前の待機手術（人工血管置換術とステントグラフト内挿術）の適応の判断**（『2020年改訂版 大動脈瘤・大動脈解離診療ガイドライン』より）．

> 1. 最大短径が **男性 55 mm，女性 50 mm**
> 2. 嚢状瘤
> 3. 半年で5 mm以上の瘤径拡大
>
>
>
> 侵襲的治療を検討

- → 適応と判断したら専門医に紹介．
- ■ **急激な血圧上昇**を生じる等張性運動を避ける．
- ■ 閉塞性睡眠時無呼吸症候群がある → 持続陽圧呼吸（CPAP）治療
- ■ 破裂の場合は緊急手術の適応 → 専門医に紹介．

症例

症例1 腹部大動脈瘤破裂

- ■ 54歳，男性．
- ■ 高血圧にて内服治療中，尿路結石の既往はなし．
- ■ 主訴は右側腹部痛と立ちくらみ．
- ■ 腹痛は強く，1時間以上持続．右側の腰痛も伴う．
- ■ 下腹部正中に拍動性の腫瘤を触知する．
- ■ 血圧は普段降圧薬の内服で140/90 mmHg程度であったが，来院時は108/67 mmHg，立位で76/45 mmHg．
- ■ 血液検査，尿検査，腹部エコー：貧血の有無，肝胆道系疾患や尿路結石の鑑別，腹部大動脈の観察．
- ■ 腹部造影CT：動脈瘤の診断，破裂の有無と出血の範囲の確認．
  - → 動脈瘤破裂が診断され，緊急手術の適応で血管外科に紹介．

症例2 多量飲酒による肝硬変症にみられた表在静脈の怒張

- ■ 78歳，男性．
- ■ 20歳頃より現在まで継続してアルコールの多飲歴あり．
- ■ 手掌紅斑，前胸部のくも状血管腫，腹部の体表に臍から放射状に屈曲した静脈怒張を認める．
- ■ 血液検査，腹部エコー：肝障害，肝予備能低下や血小板低下の有無，線維化マーカー，脾腫や肝萎縮・側副血行路の発達・肝腫瘤の有無の確認，肝硬度測定（エラストグラフィ）．
- ■ 腹部dynamic CT：腹部エコーで肝SOL（占拠性病変）が疑われた場合，肝細胞がんの診断．
- ■ 上部消化管内視鏡検査：食道静脈瘤の有無の確認．

メモ　腹壁の表在静脈

通常は明瞭には認められないことが多いが，門脈圧の亢進・上下大静脈の閉塞・右心負荷などで拡張し，さらに屈曲・膨隆・蛇行して静脈怒張の状態となることがある．腹壁静脈の拡張を認めた場合は走行の方向を確認後，図1のように血流の方向を確認する．静脈の走行方向と血流の方向により静脈拡張の原因を推測し，原因疾患の検索を行う（図2）．肝硬変などによる臍部から放射状に走行する静脈の怒張を，ギリシャ神話に登場する怪物になぞらえ，「メデューサの頭（caput medusa）」と呼ぶ．

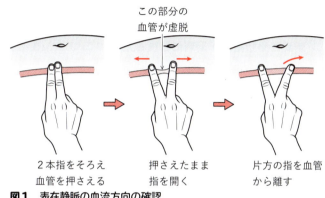

図1　表在静脈の血流方向の確認

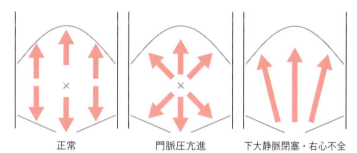

図2　表在静脈拡張原因別の血流の方向

48 肥満
健康障害をチェック

基本の考え方

- 肥満は脂肪組織が過剰に蓄積した状態で，**body mass index（BMI）25 kg/m² 以上**とする．
- 肥満に関連する健康障害の有無を調べる．
- 医学的に減量を必要とする病態を「肥満症」とする．
- 高度肥満症では，外科治療が選択肢に挙げられる．

> **メモ** 肥満の定義
> - 肥満は，「脂肪組織が過剰に蓄積した状態で，BMI が 25 kg/m² 以上」とする．BMI が 35 以上は高度肥満である．
> - 日本の『肥満症診療ガイドライン 2022』の定義は，WHO の定義と異なっていることに留意する．WHO では，BMI 25 以上を過体重，30 以上を肥満としている（主に西洋白人を対象）．
>   → 日本人では，BMI 26〜28 でも高血糖・高血圧・高トリグリセリド血症を発症する率が普通体重群の2倍以上になり，軽度の肥満でも健康障害につながりやすいとされているため．

診察室で

聞く

- **体重の推移**：子供のときから肥満があったか？ 太り始めた時期・きっかけは？
- **家族歴**：両親や兄弟に肥満があるか？
  → 遺伝素因や生育環境により，肥満は血族の中で多発することが多い．
- **食習慣**：摂食パターンの異常（早食い，夜中の間食など）や食行動の変容（ストレスによる過食など）がみられるか？
- **身体活動**：業務内容の変化（営業からデスクワークへ異動など），定期的な散

歩・運動の有無はあるか？
- 内服している薬はあるか？
  → 精神科の処方薬で，食欲が亢進し体重増加することがある．

診る

- 身長，体重を測定し，BMIを算出する．
- 腹囲，ウエスト周囲長を測定する．
  → ウエスト周囲長が男性85 cm以上，女性90 cm以上では，内臓脂肪蓄積が推定される．
- 上半身肥満か下半身肥満か？
- 中心性肥満・バッファローハンプがあれば，クッシング症候群の検査を行う．
- 血圧測定，家庭血圧測定

検査する

まずはここから
- 血液検査：肝機能，腎機能，脂質，血糖・HbA1c，尿検査
- 心電図，腹部エコー，アプノモニター
- 内分泌疾患（甲状腺機能低下症，クッシング症候群など）が疑われる場合は，各種ホルモン測定

念を入れるなら
- 腹部CTで内臓脂肪量測定を行う：臍レベル断面の内臓脂肪面積を測定する．
  → 内臓脂肪面積が100 cm^{2}以上の場合に内臓脂肪型肥満と判定する．ただし，日常臨床ではあまり行われていない．

> **メモ｜肥満症**
> 肥満と診断されたもののうち，以下の①②の場合を治療が必要な疾患「肥満症」とする．
> ①肥満に起因ないしは関連する健康障害*を有する，あるいは健康障害の合併が予測される場合で減量を要するもの（減量により改善する，または進展が防止されるもの）
>   *2型糖尿病，脂質異常症，高血圧，高尿酸血症，痛風，狭心症など
> ②ウエスト周囲長によるスクリーニングで内臓脂肪蓄積を疑われ，腹部CTによって確定診断された内臓脂肪型肥満．この場合は，健康障害を伴いやすい高リスク肥満と位置づける．

> 治療する

- **減量**：目標値は，肥満症では3～6ヵ月で現体重の3%，高度肥満症では5～10%.
- **食事療法**：摂取エネルギー量を25 kcal×標準体重以下に制限する．
  - → BMI 35以上の高度肥満症では，20～25 kcal×標準体重以下とする．
  - → 指示エネルギーのうち糖質を40%まで制限する糖質制限食も，体重制限に有効である．
  - → 減量が得られない場合は600 kcal/日以下の超低エネルギー食を考える．専門医へ紹介する．
- **運動療法**：運動制限が必要な循環器・整形外科的疾患がないことを確認する．
  - → 軽い運動から始めて，徐々に運動量を増加させていく．
  - → 10分以上継続する中強度（3～6 METs）の生活活動として，やや速足の歩行（4 km/時）を勧める．
- **行動療法**：肥満症では食行動異常を伴うことが多いので，食事内容・行動記録や自己体重測定を促して，食行動の問題点を抽出する．また，こうした問題行動を修正するように働きかける．
- **精神的な背景を探る**：高度肥満者はうつ病を伴っていることがある．また服用している精神科の薬で体重増加することもある．適宜，精神科医に相談する．
- **薬物療法**：現時点で，日本で処方できるものは中枢性食欲抑制薬のマジンドールのみである．
  - → この薬剤はBMI 35以上の高度肥満者に，投与期間はできる限り短期間で使用する．3ヵ月を限定として，1ヵ月以内に効果がみられない例では中止する．
  - → GLP-1受容体作動薬の肥満症に対する治験が行われるなど，将来新しい治療薬が登場する兆しがある．
- **手術療法**：高度肥満者に対して胃の容量を小さくする外科手術（スリーブ状胃切除術など）がある．適宜，専門医へ紹介する．手術後，長期的に減量を維持でき，肥満関連健康障害の改善効果も良好であることが示されている．

患者さんを安心させるコツ・ポイント

- 肥満と言われることがスティグマ（stigma）になっている患者が多いことを念頭に置く．
- 肥満に対する偏見（「自己管理ができない」など）を是正し擁護するアドボカシー（adovocacy）活動が進められている．

49 体重減少

消化器疾患，内分泌疾患，精神疾患

基本の考え方

- □ **6ヵ月間で5%以上の体重減少**がある場合と定義される．
- □ 成人の体重減少は，消化器疾患，原因不明，消化器がん，内分泌疾患，精神疾患，心肺疾患の順に多い．
- □ 高齢者の体重減少は死亡率増加と関連がある．
- □ 悪性疾患による体重減少の多くは身体診察，血液検査，画像検査の組み合わせで同定できる．

診察室で

聞く

- ■ 記録や衣服の着用感などで客観的に体重減少を確認できるか？
  - → 患者自身の自覚は不正確な場合が少なくない．
- ■ 意図的な体重減少か？
  - → 意図的なら問題ない可能性が高い．
- ■ 食欲はあるか？
  - → あれば，**甲状腺機能亢進症，糖尿病，吸収不良症候群**などの可能性．
- ■ 常用薬，飲酒，食行動異常，抑うつ気分，生活環境(特に高齢者)は？
  - → 薬剤性としては，利尿薬，下剤，NSAIDs，ジギタリス，テオフィリン，フェニトイン，コレスチラミン，コルヒチン，モルヒネ，免疫抑制薬など多数あり，添付文書などで副作用を確認する．

> **メモ** 摂食行動の異常
>
> 摂食行動に異常がある場合，下記に該当するか確認する．
>
> ■**神経性無食欲症の診断基準 (DSM-5)**
> ・年齢，性別，成長曲線，身体的健康状態からみて著しい低体重
> ・体重増加への恐怖，または体動増加を妨げる持続する行動
> ・病識に欠けるボディイメージの歪み
>
> 3ヵ月以内に自己誘発性嘔吐，下剤，利尿薬，浣腸の使用がない場合は制限型，ある場合は過食/排出型と病型分類される．

診 る

- 身長，体重，バイタルサイン
- 視力障害，貧血，黄疸，甲状腺腫大，リンパ節腫大，皮膚所見，肺雑音，**心雑音，腹部腫瘤，肝脾腫，直腸診**，血便，認知機能異常，神経学的異常，筋萎縮などはあるか？

検査する

まずはここから

- 血液検査（赤沈，TSH含む），尿検査，便潜血検査，胸部腹部X線

鑑別のために

①発熱，炎症反応上昇などあれば

- 抗核抗体，リウマトイド因子，抗CCP抗体，細菌検査，X線，CTなど画像検査（＋腫瘍マーカー），心エコー（経食道心エコーも）など
  → 悪性腫瘍，**肝・腎・肛門周囲膿瘍，結核**，HIV感染，**感染性心内膜炎**，成人スチル病，リウマチ性多発筋痛症，側頭動脈炎，偽痛風など

②動悸，頻脈，発汗過多，TSH低値などがあれば

- TSHレセプター抗体，TSH刺激性レセプター抗体，甲状腺エコー
  → 甲状腺機能亢進症，亜急性甲状腺炎など

③消化器症状があれば

- ACTH，コルチゾール，intact PTH，PTHrP，トリプシノーゲン，腹部エコー，腹部CT（＋腫瘍マーカー），内視鏡
  → 消化管潰瘍，消化管腫瘍，膵炎，**腹部アンギーナ，副腎不全**，下垂体機能低下症，アジソン病，副甲状腺機能亢進症など

④発熱，色素沈着，多毛，高血圧，胸部X線異常などがあれば

- CT，NSE，proGRP，血漿ACTH，デキサメタゾン抑制試験

→ 異所性ACTH産生腫瘍（クッシング症候群）があれば，肺小細胞がんの可能性．

⑤頭痛，血圧上昇，高血糖，発汗過多などがあれば
- 尿中メタネフリン，尿中ノルメタネフリン，腹部CT・MRI → 褐色細胞腫

⑥炎症性疾患を疑うもあたりがつかないとき
- Gaシンチグラフィ，FDG-PET

対応する

- 体重減少の原因は多岐にわたるため，専門外で対応困難ならあたりをつけて専門医へ紹介する．
- 特に悪性腫瘍，感染性心内膜炎，腹部アンギーナ，副腎不全，肝・腎・肛門周囲膿瘍，空気感染する結核などには注意が必要．

50 繰り返す下痢

過敏性腸症候群

基本の考え方

- 慢性下痢の原因は多岐に渡る．まずは**器質的疾患の除外**を行う．
- 過敏性腸症候群は，器質的疾患がないにもかかわらず，腹痛あるいは腹部不快感とそれに関連する便通異常が持続する状態である．
- 心理的ストレスや生活習慣，腸内細菌，粘膜炎症，遺伝子などの**様々な因子が病態に複合的に関わっている**．

> **メモ　過敏性腸症候群と腸内細菌**
> 過敏性腸症候群には腸内細菌が関与している．急性感染性腸炎の患者では，感染性腸炎に罹患しなかった患者の6〜7倍の確率で過敏性腸症候群を発症し，感染性腸炎後過敏性腸症候群と呼ばれる．また，過敏性腸症候群患者の腸内細菌叢は健常者と異なり，有機酸などの腸内細菌産物が腹部症状と関連することが報告されている（Tana C, et al：Neurogastroenterol Motil 22：512-519, 2010）．過敏性腸症候群患者の腸内細菌叢をプロバイオティクスにより改善しようという試みも行われており，実際に奏効している．

診察室で

聞く

- 随伴症状はあるか？
  → **血便，発熱，体重減少**を認める場合は専門医に紹介．
- 腹部症状，排便回数や便の性状は？：過敏性腸症候群のRomeⅢ診断基準（表1）をチェック．
- 心理的ストレスや食事内容と症状との関連は？
  → ストレス緩和，生活習慣の改善が重要．

表1　過敏性腸症候群のRomeⅢ診断基準

腹痛あるいは腹部不快感が最近3ヵ月間の中の1ヵ月につき少なくとも3日以上を占め，下記の2項目以上の特徴を示す．
①排便によって改善する．
②排便頻度の変化で始まる．
③便形状（外観）の変化で始まる．

注1）少なくとも診断の6ヵ月以上前に症状が出現し，最近3ヵ月間は基準を満たす必要がある．
注2）腹部不快感とは，腹痛とはいえない不愉快な感覚を指す．
［福土審ほか（監訳）：RomeⅢ 日本語版─機能性消化管障害，協和企画，2008より引用］

診る

- 腹部触診
  → **腫瘤や波動，限局的な強い圧痛**を認めたら腹部エコーや腹部CTを施行．
- 直腸診 → 腫瘤や血便がないことを確認．

検査する

まずはここから
- 血液検査，便培養検査，腹部X線

次のステップ
- 器質的疾患が否定できない場合は腹部CTを行う．
- 炎症性腸疾患との鑑別は大腸内視鏡検査が有用．専門医に紹介する．

治療する

- 症状をすべてコントロールすることは難しい．症状緩和や症状の自己制御を治療目標とする．
- 消化管を標的とした薬物療法と並行して，食生活や生活習慣，社会的ストレスなど症状増悪因子の改善指導を行う．
- 良好な患者-医師関係を築き，患者とともに増悪因子について話し合い，具体的な改善策を検討する．
- 以上の治療で不十分な場合は抗うつ薬・抗不安薬も用いられる．
- 催眠療法や認知行動療法といった心理療法の有効性も立証されている．
  → 心療内科や精神科と連携．

処方例

- **消化管運動機能調整薬**：便回数，便形状のコントロール
  - **セレキノン**®錠（100 mg）6錠，分3，毎食後
  - **コロネル**®錠（500 mg）3錠，分3，毎食後
- **プロバイオティクス**：低コストで副作用がほとんどない
  - **ミヤBM**®細粒：3包，分3，毎食後
  - **ラックビー**®微粒：3包，分3，毎食後
- **5-HT$_3$受容体拮抗薬**：便意切迫，排便回数，下痢といった症状改善
  - **イリボー**®錠（5 μg）1錠，分1，朝食後
- **抗コリン薬**：腹痛が強いとき
  - **ブスコパン**®錠（10 mg）1錠，腹痛時頓用
- **止痢薬**：長期間の使用は好ましくないが，一時的に下痢症状改善
  - **ロペミン**®カプセル（1 mg）1カプセル，下痢症状時頓用

> **ヒント　過敏性腸症候群の食事療法（低FODMAPダイエット）**
>
> 多くの研究で，過敏性腸症候群の腹部症状が食事内容に関連していると報告されている．コーヒー・アルコール・香辛料などの刺激物の摂取を控える，高繊維食を摂取するなどの食事療法が一般的に行われている．現在，食事療法に関する大規模な臨床研究は行われておらず有効な食事療法は確立されていないが，fermentable（発酵性），oligosaccharides（オリゴ糖），disaccharides（二糖類），monosaccharides（単糖類），polyols（ポリオール）を含む食品の摂取を制限する食事療法（低FODMAPダイエット）が一般的な食事療法と比較して有効であると英国の無作為比較化試験（Staudacher HM, et al：J Hum Nutr Diet 24：487-495, 2011）で明らかにされ，注目されている．

> **患者さんを安心させるコツ・ポイント**
>
> 過敏性腸症候群は経過が長く，患者の不安が強い場合が多い．器質的疾患の除外をしっかり行った上で，「緊急性のある病態ではないこと」，「同様の症状を呈する患者さんが少なくないこと」を説明し，不安を軽減するとよい．

51 便秘

習慣性便秘の処方の考え方

基本の考え方

- 大腸がん，腸閉塞，炎症性腸疾患を確実に除外する．
- 便秘型過敏性腸症候群や男性高齢者の便秘が増えている．
- **red flags（進行性の症状，体重減少，消化管出血，嘔吐・下痢，腹痛，腹部膨満）を見逃さない．**
- 50歳以上，大腸疾患既往歴，家族歴のあるハイリスクの急性便秘は，血液検査，画像診断で確認する．

診察室で

聞く

- 症状の発症時期は？
- 最近1週間の排便回数・性状，腹痛の有無，排便に要する時間，摘便や浣腸など補助の有無は？
- 症状の重症度は？
- どのような生活習慣（食生活，運動，排便の規則性）か？
- 便秘をきたす基礎疾患や薬剤性便秘の可能性は（**表1**）？

表1 続発性便秘の原因

便秘をきたす基礎疾患	腸疾患（腸がん，腸捻転，ヘルニアなど），甲状腺機能低下症，代謝障害（低K血症，高Ca血症など），神経疾患（脳梗塞や馬尾症候群など）
便秘の原因となりうる薬剤	向精神薬，抗コリン薬，オピオイド，Ca拮抗薬，抗ヒスタミン薬，抗けいれん薬など

診 る

- 身体所見，バイタルサイン
- 腹部所見：腹部膨隆や緊張，圧痛，腫瘤，鼓腸の有無，腸蠕動音の状態を確認．
- 直腸診，肛門鏡：腫瘍や炎症，便塊，肛門緊張の有無を確認．

検査する

まずはここから
- 血算・生化学 → 出血，炎症，内分泌・代謝，腫瘍性疾患を除外．
- 腹部X線 → 腸閉塞の有無，ガス，便の量を確認．

念を入れるなら
- 腹部エコー，腹部CT
  → 腸閉塞，腸管の炎症が疑われれば，これらの検査が有効．

治療する

- 器質的疾患を除外したら，外来にてグリセリン浣腸60〜120 mLで反応をみてもよい．
- 処方の基本は**緩下剤を優先し，刺激性下剤は頓服**で用いる．
- 食物繊維摂取や運動，規則正しい排便習慣や，直腸肛門角を鈍角にして排便しやすくする姿勢（squat position）を指導する．
- 難治性，長い病悩期間の患者なら，専門医外来を勧める．

症 例

症例1　小児の慢性便秘

- 9歳，女児．
- 3ヵ月前からの便秘，毎食後の吐き気，口が臭い．
- 腹部やや膨満，軟，腸音減弱．
- 腹部X線：直腸の便塊はそれほど多くはないが，糞便量・ガスが中等度みられた（**図1**矢印）．
- 食生活の改善，時間的な余裕を持った「朝うんち」や排便姿勢など，正しい排便習慣を指導する．

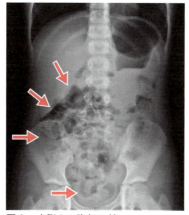

図1 症例1の腹部X線

■ 処方例

- **モビコール®**配合内用剤LD：2包（2歳以上7歳未満は1包），分1を，水やリンゴジュースなどに1包あたり60 mLで溶いて服用．
  ポリエチレングリコール製剤が2歳以上の小児に保険適用された．
- **ラキソベロン®**内用液：2歳以上の幼児5〜8滴/回，学童7〜15滴/回を1日1回，水分とともに服用．
- **グリセリン**浣腸液：1〜2 mL/kg/回，1日1回．直腸に便塞栓があれば，まず浣腸で除去する．

症例2　習慣性便秘（直腸性便秘）

- 72歳，女性．
- 元来便秘．ここ半年は硬便が10日に1回程度の排便で，最近は便意も消失するようになった．
- 腹部X線：直腸に便塊を認めた（**図2**矢印）．
- 直腸診：大きな便塊触知．腫瘤，出血なし．
- 外来処置：グリセリン浣腸液120 mLにて排便あり．

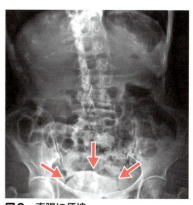

図2 直腸に便塊

- 処方例
  - **モビコール**®配合内用剤：2包，分1（増減可）
  - **グーフィス**®錠（10 mg）1錠，分1，食前（増減可）
  - **アローゼン**®顆粒（0.5 g）1包，頓用

症例3　便秘（下剤性結腸症候群による）

- 74歳，男性．
- 病悩期間20年の便秘．
- 市販の刺激性下剤を乱用．
- 腹部X線：S状結腸径14 cm（**図3**矢印）と，巨大結腸を認める．
- 食事療法と内服薬により症状改善を目指すが，難治性なら外科治療も適応．

▶ ここで専門医に紹介

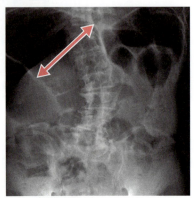

図3　巨大結腸

- 処方例
  - **モビコール**®配合内用剤：2包，分1（増減可）
  - **アミティーザ**®カプセル（24 μg）2カプセル，分2，朝夕食直後
  - **大黄甘草湯**7.5 g/日，分3

処方例

- まず以下のいずれかを選択．
- **モビコール**®配合内用剤（LD・HD）：初回は1日1回，2歳以上7歳未満ではLD 1包から，7歳以上はLD 2包またはHD 1包から開始．以降，適宜増減（1日1〜3回）
- **グーフィス**®錠（10 mg）1錠，分1，食前（増減可）
  胆汁酸再吸収抑制により，大腸内の水分増加，消化管運動を亢進させる．

- **リンゼス®**錠（0.25 mg）2錠，分1，食前
過敏性腸症候群（IBS）で腹痛を伴う便秘に有効．
- **アミティーザ®**カプセル（24 μg）2カプセル，分2
食後．悪心の副作用予防のため，最初は夕食直後1カプセルからの服用も可．妊婦には禁忌．
- **酸化マグネシウム**：1.5～3 g/日，分2～3，食後
高マグネシウム血症による死亡例も報告されており，高齢者や腎障害では特に注意．

■ 上記で不十分と思われる場合は，以下のいずれかを追加する
- **ラキソベロン®**内用液：10～15滴/回，頓用
- **アローゼン®**顆粒（0.5 g）1～2包/回，頓用
- **プルゼニド®**錠（12 mg）1～2錠/回，頓用

一般的に大黄を含有する漢方薬を用いることも多いが，刺激性下剤の乱用により大腸が疲弊し耐性が生じて弛緩性便秘となり，増量しないと効かなくなる下剤性結腸症候群を惹起しないよう注意する．

52 下痢，嘔吐，腹痛

腸炎

基本の考え方

- 水様性下痢を主症状として，嘔吐，腹痛，発熱といった症状を伴う．
- 外来受診患者の腸炎では腸管感染症が多く，健康な成人であればほとんどが対症療法のみで軽快する．
- **重症度（脱水・敗血症の有無など）の把握**，感染拡大の防止が重要．
- 感染症法や食品衛生法に従って，届け出が必要な腸管感染症を理解する（表1）．
- 非感染性腸炎としてはアルコール性，薬剤性，アレルギー性などのほか，炎症性腸疾患や虚血性腸炎が挙げられる．
- 鑑別としては**上腸間膜動脈塞栓症**が重要．

表1 届け出が必要な腸管感染症

感染症法
3類感染症：直ちに保健所に届け出 コレラ，細菌性赤痢，腸チフス，腸管出血性大腸菌感染症，パラチフス
5類感染症：7日以内に保健所に届け出 アメーバ赤痢，クリプトスポリジウム症，ジアルジア症（ランブル鞭毛虫）

食品衛生法
24時間以内に保健所に届け出 サルモネラ属菌，腸管出血性大腸菌，*Yersinia enterocolitica* O8血清群，*Campylobacter jejuni*，*C. coli*，コレラ菌，赤痢菌，チフス菌，パラチフスA菌

> **メモ ▶ 上腸間膜動脈塞栓症**
>
> 腸炎との鑑別で見逃してはならない疾患として，上腸間膜動脈塞栓症がある．上腸間膜動脈に血栓や塞栓が生じることで腸管虚血をきたす疾患で，腸管壊死や穿孔に至ると死亡率が非常に高くなるため，早期に診断し外科手術や血管内治療を行うことが重要である．症状としては強い腹痛や下痢であり，特異的な臨床症状はないが，突然発症であることが特徴．疑った場合は造影CTを施行し，早急に専門医に相談する必要がある．

診察室で

聞く

- 主症状，その他の随伴症状はあるか？
- 疑わしい食物摂取歴・摂取後から発症までの期間は？
  → 病原体が推定できる（**表2**）．
- 既往歴，内服歴，海外渡航歴，身近に同様の症状を呈する人がいるか？
- 血便を認めるか？
  → 認めたら，腸管出血性大腸菌感染症などの重症感染症や，非感染性腸炎の可能性があるため専門医に紹介．

表2　主な病原体と潜伏期間，食物摂取歴

病原体	潜伏期間	食物摂取歴
ノロウイルス	1〜2日	牡蠣などの2枚貝*
カンピロバクター	18時間〜8日	生肉，牛乳
サルモネラ属菌	8〜48時間	鶏卵，生肉
腸管出血性大腸菌	2〜12日	生肉
黄色ブドウ球菌	1〜6時間	おにぎり，加工食品

*近年は便や吐物を介したヒト-ヒト感染が多い．

診る

- バイタルサイン：頻脈や低血圧などはないか？
  → 脱水や敗血症によるショックに注意．
- 腹部触診：強い圧痛や腹膜刺激徴候はないか？

検査する

- 全身状態が良好な場合は検査不要．
- **高齢者や症状が強い患者**では，血液検査で脱水の有無を評価．
- 症状が強い場合，症状が4日以上遷延する場合，血便や発熱を認める場合，発展途上国への渡航歴がある場合は便培養を行う．それ以外では必須ではない．

治療する

- こまめな水分補給，安静により改善する場合がほとんどである．プロバイオティクスを投与してもよい．止痢薬は使わない．

■ **処方例**
- **ミヤBM®**細粒：3包，分3，毎食後
- **ラックビー®**微粒N：3包，分3，毎食後

■ 細菌性感染を疑っても基本的に抗菌薬は不要．
■ 高齢者，ステロイドや免疫抑制薬投与中などの免疫抑制患者，人工血管・人工弁置換患者，海外渡航歴のある患者，発熱や悪寒戦慄など敗血症が疑われる患者には抗菌薬投与を行う．

■ **処方例**
- **クラビット®**錠（500 mg）1錠，分1，朝食後
- **シプロキサン®**錠（200 mg）3錠，分3，毎食後
- **ロセフィン®**（2 g）1日1回

■ ただし，腸管出血性大腸菌による腸炎での抗菌薬使用は，毒素の排出によって溶血性尿毒症症候群を起こす危険性があり，使用については議論がある．またサルモネラ腸炎においても菌の排出期間を長引かせる可能性が指摘されており，注意が必要．
■ 高齢者や免疫抑制患者，水分摂取も困難なほど全身状態が不良なら入院加療が望ましい．

53 しびれ
脊柱管狭窄症，末梢神経障害，脳障害

> **基本の考え方**
> - しびれの原因としては**神経性**のものが最も多い．
> - **脳・脊髄・末梢神経**のいずれかに原因があり，出現することが考えられる．
> - 症状や神経学的所見から**部位を絞り込み，適切な検査**で原因を調べることが重要．

診察室で

聞く

- **いつから，どの部分に，どのくらい**の程度のしびれがあるか？
- 時間の経過とともに**どのように変化**しているか？
  - → 脊髄圧迫性病変がある場合，**痙性歩行や巧緻運動障害・膀胱直腸障害**を併存することがあり，原因特定の手がかりとなる．

診る

- 上下肢腱反射の異常や病的反射がないか？
  - → 下肢のしびれをきたしていると，腰部脊柱管狭窄症を最も疑いやすいが，**下肢腱反射の亢進**があり，頸椎や**胸椎レベル**にも顕著な狭窄性病変が併存していることに気づくことも多い．
  - → 四頭筋腱反射を調べるだけでみつかることがある．

検査する

まずはここから
- 神経学的所見

原因，高位が絞り込めたら

- （疑わしいところから順に）X線，MRI
  → **狭窄性病変**がないかを調べる．
  → 胸郭出口症候群，肘部管症候群や手根管症候群のように，**末梢神経レベルでの狭窄性症候群**もあるため，その際は**末梢神経伝導速度**を評価すると原因を特定できる．

治療する

- しびれだけでなく，疼痛や**筋力低下，膀胱直腸障害**をきたしている場合は，観血的治療の検討が必要．
- 保存的治療で改善しない，もしくは進行する症状がみられるときは，**麻痺が完成しないうちに整形外科・脳外科・神経内科へ紹介することが肝要**．

症例

症例1　両上下肢のしびれ

- 69歳，男性．
- 右手のしびれ，左膝の膝折れを自覚．次第にしびれを両上下肢にも自覚するようになり，手指巧緻運動障害や歩行障害も出現したため来院．
- 来院時，両上下肢にしびれがあり，両下肢に振動覚低下がみられた（**図1**）．

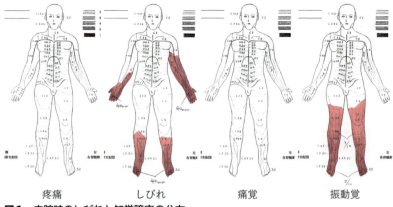

疼痛　　　しびれ　　　痛覚　　　振動覚

図1　来院時のしびれと知覚障害の分布

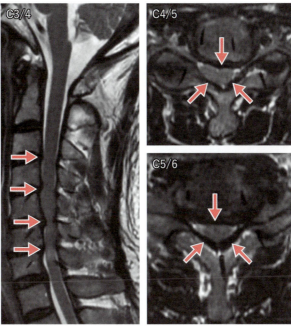

図2 C3/4～6/7レベルで脊柱管狭窄による脊髄の扁平化がみられる

- 上下肢腱反射亢進，病的反射陽性．上下肢筋力低下あり．
- 頸椎MRI：C3/4～6/7レベルにおいて脊柱管狭窄がみられる（**図2**）．
  → 髄内輝度変化も伴っており，明らかな頸髄症状がみられるため，脊椎外科医が勤務する整形外科へ紹介するのが適切．

◁ ここで専門医に紹介

- 椎弓形成術を施行し，症状は改善．

54 頻尿
膀胱炎, 前立腺炎, 過活動膀胱 など

基本の考え方

- 頻尿は**膀胱刺激症状**の1つ.
- 女性の場合は**膀胱炎**が多く, 男性では**前立腺炎**が多い. 男女とも**過活動膀胱**の可能性は考慮すべきである.
- 頻尿(尿がよく出る)を主訴に来院する患者は, 実は**残尿が多く排尿困難**が多々ある. 専門医への紹介を要する.
- 裏に隠された**重大な疾患**(膀胱がん, 膀胱結石, 前立腺がん, 神経因性膀胱など)を見逃さない.

> **メモ** **膀胱刺激症状**
> 排尿時痛, 残尿感, 頻尿の総称. 一般的には尿路感染によるものが多いが, 結石・腫瘍などによる刺激もある.

診察室で

聞く

- 疼痛が伴うか? 熱発はないのか? → 感染症を考慮.
  → 頻尿で熱発のある場合は腎盂腎炎を考える.
- 併存疾患は? → **神経因性膀胱**の有無の確認.
- 他の内服薬は?

診る

- 腹部触診:下腹部の膨隆はあるか? → あれば**慢性尿閉**を疑う.
- 腰部叩打痛はあるか? → あれば**腎盂腎炎**を疑う.

検査する

まずはここから
- **尿検査** → 膿尿なら尿培養，血尿があるなら専門医に紹介．

念を入れるなら
- **腹部エコー**
  → 水腎症の有無の確認．
  → 残尿量測定：残尿100 mL以上なら専門医に紹介．

> **メモ** エコーによる残尿量測定法
> 膀胱を楕円と考え，**図1**のように残尿量を推定する．誤差は60％程度あるといわれている．

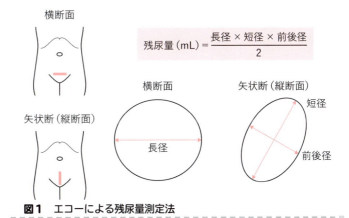

$$残尿量(mL) = \frac{長径 \times 短径 \times 前後径}{2}$$

図1 エコーによる残尿量測定法

症例

症例1　単純性膀胱炎

- 23歳，女性．
- 前日から頻尿，残尿感，排尿時痛があり，受診した．熱発はない．
- 尿検査では白血球が多数あり．両側腰部叩打痛はなかった．

― 処方例
- **クラビット®**錠（500 mg）1錠，分1，5日間

- 次週再診時には症状は軽快，尿検査でも膿尿消失していた．なお，尿培養では大腸菌が10^6/mL．

> **メモ 尿培養**
> 尿培養を行う場合には，尿中定量培養と感受性検査を加える．定量検査で10^3/mL以下の場合は，細菌が有意に存在したことにはならない．また，最初の薬剤が奏効しなかった場合に備えて，感受性検査を施行しておくべきである．

症例2　過活動膀胱

- 64歳，女性．
- 半年前より頻尿があり受診した．
- 尿検査は問題なし．残尿も10 mLであった．
- 緑内障がないことを確認して，イミダフェナシンを処方．

処方例
- **ステーブラ®**錠（0.1 mg）2錠，分2

- 2週間後，症状は改善した．

症例3　膀胱がん

- 73歳，男性．
- 1年来の頻尿を主訴に来院．
- 尿検査では顕微鏡的血尿を認めた．
- レボフロキサシン（クラビット®）投与では改善せず，ミラベグロン（ベタニス®）投与でも改善を認めなかった．

▶ ここで専門医に紹介

- **膀胱がん**（上皮内がん）であった．

症例4　前立腺肥大症

- 83歳，男性．
- 2年来の頻尿を主訴に来院した．
- 尿検査は問題なかったが，診察で下腹部の膨隆を認めた．

▶ ここで専門医に紹介

- 前立腺肥大症，神経因性膀胱による**慢性尿閉**と判明した．

> **ヒント** 専門医への紹介のポイント
>
> 頻尿を呈する悪性疾患として，膀胱上皮内がん，前立腺がんがある．顕微鏡的にも血尿がある場合は **尿細胞診** を行うのが有用である．また，血尿がなくてもある程度の年齢の男性には一度は前立腺がんの腫瘍マーカーである前立腺特異抗原（PSA）を測定すべきである．
>
> また，残尿が多い患者は尿の通過障害，さらに神経学的異常（神経因性膀胱）なども考えられるため，専門医への紹介が必要になると思われる．特に，①血尿がある場合，②残尿が多い場合は，専門医への紹介が推奨される．

> **メモ** 神経因性膀胱とは
>
> 膀胱の支配神経の障害によって起こる膀胱機能障害のことである．つまり，**膀胱そのものの障害とは限らない**．よって，専門医（泌尿器科医）以外の医師（整形外科，リハビリテーション科，外科，婦人科，脳神経外科，内科，神経内科，精神神経科など）との協力により診断・治療が行われる場合が多い．**薬剤性** についても注意．

処方例

■ 感染がある場合
- **クラビット®** 錠（500 mg）1錠，分1，5日間

■ 感染がなく，残尿が少ない場合
- **ベタニス®** 錠（50 mg）1錠，分1（比較的尿閉のリスクが少ない）
- **ウリトス®** 錠（0.1 mg）2錠，分2
- 抗コリン薬は多数あり，**緑内障** の有無に注意．
- 男性の場合は α_1 **遮断薬** [**ハルナール®** D錠（0.2 mg）1錠，分1など] を併用．
- 改善しないときは専門医へ紹介．

55 排尿困難と尿閉

前立腺肥大症，前立腺がん，
神経因性膀胱など

基本の考え方

- 男性では**前立腺肥大症，前立腺がん**，女性では**神経因性膀胱**によるものが多い．
- 尿閉には**急性**と**慢性**がある．
- 排尿困難のある男性にはまず$α_1$**遮断薬**を処方し，改善がなければ専門医へ紹介．
- **繰り返す尿路感染**にも注意．
- 尿閉にはまず**バルーン留置**だが，無理は禁物（偽尿道を作らない）．
- 腎障害・水腎症を伴っているものは要注意．

診察室で

聞く

- いつ頃から排尿困難・尿が出ないのか？ 頻尿はなかったか？
  → 自覚症状があまりない場合もある．
- **飲酒**は？ 感冒薬，抗コリン薬，抗ヒスタミン薬，向精神薬などの**内服**は？
- **熱発**はあるか？
- 苦痛はあるか？
  → あれば急性尿閉の場合あり．ただし，慢性の場合は自覚症状なしのこともある．

診る

- **下腹部が膨隆しているか？** → していなければ感染症の可能性．
- 下肢などに浮腫はあるか？

検査する

- **腹部エコー**：膀胱が尿で充満しているか？　**水腎症**があるか？
  → あれば専門医に紹介．
- **血液検査：腎機能の確認．**
  → 腎障害があれば専門医に紹介．
- できれば尿検査（導尿の尿でも可）．

対処する

- バルーン留置：無理は禁物．**尿道損傷**の多くは**医原性**である．
  → 難しいようなら専門医に紹介．
  → どうしてもなら**恥骨上穿刺**（急性尿閉）．
  → **腎障害，水腎症**を合併している場合は，留置後も血圧低下に注意．

> メモ　恥骨上穿刺（図1）
> エコーガイド下に，正中恥骨直上より腸管を避けながら施行すれば比較的安全．通常，腰椎麻酔用22G針を使用．

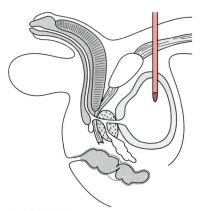

図1　穿刺方法
穿刺は膀胱が十分に緊満している状態であれば，垂直あるいはやや頭側方向に行う．
[中村小源太：泌尿器ベッドサイドマニュアル．臨泌66（4増）：46，2012より作成]

症　例

症例1　薬剤性急性尿閉

- 78歳，男性．
- 以前より排尿困難あり，頻尿を訴えたため，抗コリン薬の処方を受けた．
- 翌日より尿閉となり，受診．
- バルーン留置し，抗コリン薬を中止．シロドシン（ユリーフ®）投与後，バルーン抜去．自排尿可能となった．

症例2　前立腺肥大症，慢性尿閉

- 75歳，男性．
- 排尿困難にてタムスロシン（ハルナール®）内服中であったが，排尿困難悪化，尿失禁も生じるようになり，専門医を紹介された．
- 残尿量は1,000 mL以上，エコーにて両側水腎症あり，血液検査ではCre 5 mg/dLと腎障害を認めた．残尿量測定については前項図1（p189）参照．
- 入院の上，バルーン留置，補液を行い，腎機能の回復を待ち，前立腺肥大症の手術を行った．

症例3　薬剤性神経因性膀胱

- 45歳，女性．
- うつ病にて向精神薬の内服あり．
- 膀胱炎を繰り返すとのことで受診した．
- 残尿は250 mL以上と多い．

▶ ここで専門医に紹介

- 薬剤性神経因性膀胱と診断された．

症例4　脊椎疾患による神経因性膀胱例

- 70歳，男性．
- 既往に脊柱管狭窄症の手術歴がある．
- 以前より排尿困難，尿失禁があったが，苦痛はなかった．
- シロドシン（ユリーフ®）などの$α_1$遮断薬内服に抵抗性．
- 残尿量は500 mL以上．

> ここで専門医に紹介

■ 神経因性膀胱，溢流性尿失禁と診断され，自己導尿中．

> [ヒント] **尿失禁について**
> 慢性尿閉が続いても膀胱破裂が起こることはまれで，**溢流性尿失禁**（膀胱破裂する前に尿道より尿が漏れる状態）になることが多い．この状態が長期間続くと膀胱利尿筋の収縮力が廃絶されることがある．
> → 自覚症状の変化がなくても，**ときどき残尿量測定**を行う．

> [ヒント] **腎後性腎不全解除後の管理について**
> 腎後性腎不全で閉塞が解除された場合，利尿期に入り，血管内脱水・電解質の喪失により，**血圧が維持できなくなる**場合がある．その場合は尿量・血液検査をモニターして，十分輸液をする必要があるため，入院による管理が推奨される．腎後性腎不全の治療として腎瘻造設を行った場合も同様である．

処方例

バルーン留置が可能であった場合はα_1遮断薬の投与が有効なこともある．
- **ユリーフ®**錠（4 mg）2錠，分2

前立腺体積を縮小させる5α還元酵素阻害薬があるが，前立腺がんの存在に注意．PSA検査が正常範囲内であること．
- **アボルブ®**カプセル（0.5 mg）1カプセル，分1

56 ふらつきと転倒

脳梗塞，脳出血，パーキンソン病

> ### 基本の考え方
> ☐ 急性発症では脳梗塞や脳出血の可能性を考える．小脳や脳幹梗塞を見逃さないように注意する．
> ☐ 慢性的なふらつきと転倒の原因として，パーキンソン症候群（パーキンソン病，多発性脳梗塞や慢性虚血性変化による血管障害性，薬剤性，進行性核上性麻痺，多系統萎縮症，特発性正常圧水頭症），脊髄小脳変性症（アルコール性小脳変性症も含む）や末梢神経障害（ビタミン欠乏，慢性炎症性脱髄性多発神経炎，シェーグレン症候群など膠原病に伴うもの）などが挙げられる．

診察室で

聞く

- ■ いつからか？ 突然なのか，徐々になのか？
  - → 最近の**突発完成型**の発症であれば**急性期脳卒中**の可能性がある．繰り返す嘔吐やめまいを伴っていれば，小脳や脳幹梗塞も考える．
  - → 比較的急性発症で上気道感染などの先行感染があれば，**フィッシャー症候群**（運動失調，外眼筋麻痺，腱反射消失が三徴）も考慮する．
- ■ 動作が遅い，小刻み歩行などがあるか？
  - → パーキンソン症状の有無を確認．
- ■ 最近の転倒歴は？
- ■ 物忘れや尿失禁の合併はあるか？
  - → ふらつきに歩行障害や尿失禁を合併していれば，**正常圧水頭症**も念頭に置く．

診る

- **歩き方はどうか？**
  → 小刻み歩行で足が開いていたら多発性脳梗塞や特発性正常圧水頭症，小刻みでも足が開いていなければパーキンソン病を考える．
- **麻痺はあるか？** → バレー徴候をみる．
- **小脳失調はあるか？**
  → 指鼻指試験，膝踵試験を施行する．継足歩行ができるかを確認する．
- **腱反射**
  → 多発性脳梗塞では亢進していることが多い．末梢神経障害では低下〜消失，フィッシャー症候群では消失する．
- **ロンベルグ徴候**
  → 陽性なら深部覚障害の可能性があり，深部覚障害優位の末梢神経障害（シェーグレン症候群に伴うものなど）を考える．ビタミンB_{12}欠乏による亜急性脊髄連合変性症も鑑別に挙げ，胃切除の既往も確認する．

検査する

まずはここから

- **血液検査**
  → 貧血などの全身的な原因がないかを検索する．必要に応じてビタミンや膠原病関連自己抗体を測定する．
- **頭部CT**
  → 出血性病変の確認をする（脳出血，慢性硬膜下血腫）．
  → 側脳室周囲の慢性虚血性変化，小脳萎縮，脳幹萎縮などを評価する．

次のステップ

- **急性期脳梗塞を否定できない場合は，躊躇せずMRIを行う．**
  → 特に小脳・脳幹梗塞はCTでは診断困難な場合が多く，注意が必要である．
- **多発性脳梗塞があれば頸動脈エコーやMRAで血管の評価を行う．**
- **末梢神経障害を疑う場合は神経伝導検査を行う．**

症 例

症例1 多発性脳梗塞

- 69歳，男性．
- 30歳台から高血圧，糖尿病がある．
- 半年前より足を開いて小刻みに歩き，ふらついている．同時に呂律も回らなくなってきた．
- 頭部CTで多発性脳梗塞を認めた．
- 脳卒中のリスク因子のコントロールを行いつつ，ふらつきに対して薬物療法を行う．

処方例
- メネシット®配合錠（100 mg）2錠，分2

悪心，食欲不振といった副作用はあるが，症状がある程度改善することがある．

症例2 特発性正常圧水頭症

- 70歳，男性．
- 1年前からふらつき，転倒するようになった．足を開いて小刻みに歩いている．
- 最近では物忘れや頻尿・尿失禁もみられている．
- 頭部CTで両側側脳室の拡大がみられた．

ここで専門医に紹介

- 脳MRI FLAIR画像では，両側側脳室拡大（**図1-A ***），高位円蓋部の脳溝の狭小化（**図1-B 矢印**）がみられた．髄液排除試験（タップテスト）を施行し，症状の改善がみられたため，脳室腹腔シャント術が予定された．

症例3 多系統萎縮症

- 55歳，女性．
- 1年前からのふらつきがあり，平地でも転倒するようになった．
- 指鼻指試験や継足歩行ができず，小脳性運動失調が疑われる．
- 頭部MRIでは，小脳および橋底部の萎縮（**図2-A**），橋の十字サインを伴う萎縮（**図2-B 矢印**）を認める．

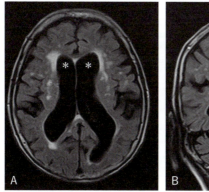
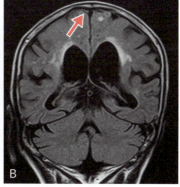

図1 脳MRI[A：冠状断(FLAIR), B：前額断(FLAIR)]

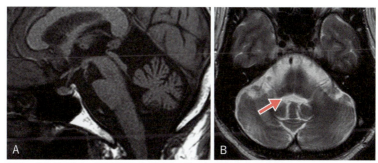

図2 脳MRI[A：冠状断(T2強調), B：矢状断(T1強調)]

◀ ここで専門医に紹介

■ 脳神経内科に精査入院し，小脳性運動失調，パーキンソン症状，自律神経症状を認め，多系統萎縮症と診断された．

57 手の震え，歩行障害，動作緩慢，ふらつき
パーキンソン症候群

> **基本の考え方**
> - パーキンソン病の4大徴候（**静止時振戦，筋強剛，寡動，姿勢保持反射障害**）を示唆する訴え（**手の震え，歩行障害，動作緩慢，ふらつき**）があるときに疑う．
> - 非専門医でも対処可能な疾患を鑑別することが重要．
> - 原疾患は長期ケアを要することが多く，早期から専門医への紹介が望ましい．

診察室で

聞く

- **手の震えが緊張で悪化するか？**
  → 鑑別には有用でないがラポール（信頼関係）形成に有用．
- **字が書ける**か？
  → パーキンソン病では振戦が止まるが，字が小さくなる．本態性振戦や書痙では震えが強くなる．
- 同年代の方と比較して**歩くのが遅くないか**（動作緩慢）？
- ふらつき・歩行障害の**他に徴候はないか**？
  → パーキンソン病の初発症状となることは少ない．
- **加速歩行**があるか？
- **内服歴**は？
  → 薬剤性パーキンソニズムの可能性を考慮（向精神薬，特にスルピリド）．

診る

- **振戦を診る．**
  → 静止時振戦は，手の力を抜いて膝の上に置いた状態で観察する．計算な

→ ど精神的な負荷をかけると誘発されやすい．
   → 姿勢時振戦は，上肢を前方に伸展させ，手指を開くように命じて確認する．
   → 典型的なパーキンソン病の振戦は3〜4 Hzで，本態性振戦は9〜10 Hzである．
- **描かせる（アルキメデスのらせん追跡課題）．**
   → **図1**のようにらせんをなぞらせて振戦が大きくなるなら本態性振戦の可能性が高い．力んで描けない場合は書痙を疑う．
   → 隣に書字をさせて小字症がないか評価する．
- **立たせる．**
   → 後方転倒性を確認する．
   → ロンベルグ試験を行い，感覚性失調の鑑別を行う．
- **歩かせる．**
   → パーキンソン病では手の振りが小さく，閉脚で小刻み歩行になっている．
   → 開脚位（ガニ股）で小刻み歩行の場合は，脳血管性パーキンソニズム，正常圧水頭症などパーキンソン病以外の原疾患が多い．
- **腱反射・感覚検査（表在覚，振動覚）**
   → 脊髄障害や末梢神経障害の鑑別の手がかりになる．

検査する

- **頭部MRI・MRA（冠状断，矢状断が必要）**
   → 脳血管性パーキンソニズムでは，基底核や深部白質の多発性脳梗塞を認める．
   → 正常圧水頭症では，冠状断像で側脳室拡大と円蓋部のくも膜下腔狭小化を認める．
   → 矢状断像は進行性核上性麻痺の鑑別に，T2強調冠状断像は多系統萎縮症の鑑別に有用．
- **核医学検査（専門医に依頼）：脳血流SPECT，MIBG心筋シンチグラフィ，DATシンチグラフィ**

症例

症例1　本態性振戦

- 68歳，女性．
- 50歳頃から両手指の震えがあり，パーキンソン病を心配して受診．動作時に増悪し，動作緩慢などはない．妹，弟，伯母に同様の症状がある．
- 姿勢時振戦があり，アルキメデスのらせん追跡課題（**図1**）で振戦の増強を認める．
- プロプラノロール内服により振戦は軽減した．

図1　症例1のアルキメデスのらせん追跡課題
振戦が強調されており，本態性振戦を示唆する所見である．

処方例
- **インデラル**®錠（10 mg）3錠，分3

症例2　パーキンソン病

- 54歳，男性．
- 1年前から右手の震えを自覚し，半年前から右手が使いにくくなり受診．
- 右上肢の姿勢時振戦と小字症を認める．
- 頭部MRIは正常．DATシンチグラフィで左に強い線条体取り込み低下を認めた（**図2**）．
- パーキンソン病と診断し，レボドパ・ベンセラジド内服を開始し，右上肢振戦と巧緻性は改善した．

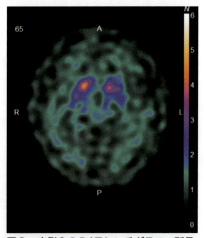

図2　症例2のDATシンチグラフィ所見
DATのSPECTでは左優位に線条体の取り込み低下がみられた．パーキンソン病では被殻外側から低下する．

■ **処方例**
- **イーシー・ドパール**®配合錠（100 mg）1錠，分2

処方例

- ■ **パーキンソン病**：初期治療は下記が多いが基本的に専門医に依頼する．
- **イーシー・ドパール**®配合錠（100 mg）1錠，分1，朝食後から開始し漸増（症状を聞きながら3錠，分3まで）
- **エフピー**®OD錠（2.5 mg）1錠，分1，朝食後
- ■ **本態性振戦**：完全に振戦が消失することはないことをあらかじめ説明しておく．
- **インデラル**®錠（10 mg）3錠，分3
- **アロチノロール**錠（10 mg）2錠，分2
- ■ 上記無効例，β遮断薬禁忌の場合
- **リボトリール**®錠（0.5 mg）1錠，分1，就寝前

58 下肢の浮腫

片足だけか，両足か

基本の考え方

- まず**片側性**か**両側性**かを判断する．
- 片側性の下肢の浮腫は，深部静脈血栓症，静脈弁不全，蜂窩織炎，外傷などが原因である．
- 両側性の下肢の浮腫は，全身性浮腫の徴候で，原因は腎疾患（ネフローゼ症候群，腎不全，急性糸球体腎炎），肝硬変および心不全の頻度が高い．

診察室で

聞く

- 腎疾患，肝疾患，心疾患，内分泌疾患などの既往は？
- 輸血歴は？ → 肝硬変はC型肝炎からの進展が多い．
- 薬物や食物に対するアレルギー歴は？
- 服薬中の薬物，尿量の推移，最近の体重の変化は？
- 浮腫以外の息切れなどの自覚症状は？
- 手術歴は？ → 浮腫をきたしている下肢に手術創を認めたら，術後の静脈還流障害を疑う．

診る

- **片側性か両側性か？**
  → 片側性で局所の感染徴候があり，炎症所見が陽性であれば，蜂窩織炎を疑う．
- 指で数秒間強く押した後に**圧痕**が残るか？
  → 通常は圧痕性浮腫．残らないなら非圧痕性浮腫で，甲状腺機能低下症やリンパ浮腫を疑う．

- 顔面に著明な浮腫があるか？
  → ネフローゼ症候群（全身性に高度の浮腫がみられる）を疑う．
- 腹水があるか？ → 肝硬変（浮腫は軽度で下肢に限局する）を疑う．
- 聴診：心雑音や呼吸音だけでなく，可能ならⅢ音の有無も
- 腎疾患の徴候（高血圧歴，貧血）はあるか？
- 肝疾患の徴候（黄疸，肝腫大，腹水）はあるか？
- 心不全徴候（頸静脈怒張，頻脈）はあるか？

検査する

まずはここから

- 尿検査：蛋白，糖，潜血，沈渣
  → 尿蛋白が陽性であれば，腎疾患を考え検査を進める．
- 血液検査：ヘモグロビン，総蛋白，血清アルブミン，血清コレステロール，肝機能，腎機能，甲状腺機能，D-ダイマー．
  → 坐位や臥位など長時間の同一姿勢の病歴があり，ホーマンズ徴候（足関節を背屈させると腓腹部あるいは膝窩部に疼痛を生じる）陽性で，D-ダイマー陽性であれば，深部静脈血栓症を疑い造影CTを行う．
- 胸部X線 → 心拡大，肺水腫，両側胸水を認めたら，心不全を疑う．

念を入れるなら

- 尿検査で尿蛋白が陽性であれば，1日尿蛋白を追加．
- 肝疾患を疑ったら，肝炎ウイルスマーカー，腹部画像検査（エコー，CT，MRI）．
- 心電図は心膜疾患の診断に役立つ．
- 可能なら心エコー．左室壁運動，弁膜症の有無，心嚢液貯留，下大静脈の評価などができるとよい．
- 片側性であれば，下肢静脈エコー．
- まれであるが，腹部骨盤内の腫瘍やリンパ腫の否定のためCT．

> **ヒント** 浮腫をきたす疾患とその機序
> ①心性浮腫（両側性，圧痕性）
> ・体液量の増加，静脈系の血液のうっ滞によって静脈圧が上昇．
> ②腎性浮腫（両側性，圧痕性）
> ・腎不全の際には，水・Naの排泄低下による体液量の増量が起こり，毛細血管静水圧の上昇によって浮腫を生じる．
> ・ネフローゼ症候群では，尿中への蛋白排泄によって低蛋白血症となり，膠質浸透圧が低下して浮腫をきたす．

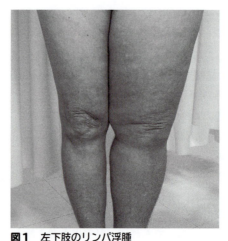

図1　左下肢のリンパ浮腫
婦人科悪性腫瘍の手術時にリンパ節郭清を行っている．なお，下肢静脈エコーで深部静脈血栓症は認められなかった．

③**肝性浮腫（両側性，圧痕性）**
- 肝硬変などでみられる．肝でのアルブミン産生低下による低アルブミン血症のため，膠質浸透圧が低下して浮腫を生じる．

④**内分泌性浮腫**
- 甲状腺機能低下症（両側性，非圧痕性）
- クッシング症候群（両側性，圧痕性）

⑤**リンパ浮腫（片側性，非圧痕性）（図1）**
- リンパ管の閉塞やリンパ系の経路上のリンパ節の問題により，リンパ系の還流が障害された際に起こる．
- 多くは悪性腫瘍のリンパ節転移や，悪性腫瘍の手術時に広範囲のリンパ節郭清を行ったために，リンパ系の還流障害をきたして起こる．

⑥**静脈還流障害による浮腫（片側性，圧痕性）**
- 静脈血栓による静脈の閉塞や，上大静脈症候群による静脈還流障害の際に，血流障害部よりも末梢に局所性の浮腫が生じる．

⑦**特発性浮腫（両側性，圧痕性）**
- 基礎疾患がなく，夕方に増悪する原因不明の浮腫で，中年女性に多い．除外診断による．立位で水利尿が極端に悪化するため，夕方になると体重が1.5〜2kg増加する．

⑧**薬剤性浮腫（両側性，圧痕性）**
- 原因としては，**NSAIDsやCa拮抗薬**，ACE阻害薬，抗菌薬，抗がん剤などが挙げられる．NSAIDsではプロスタグランジン産生抑制によって，腎血流低下や尿細管の水再吸収亢進が起こるため，体液貯留傾向となる．Ca拮抗薬では動脈優位の血管拡張が起こり，毛細血管静水圧が上昇し浮腫の原因となる．

59 こむら返り
下肢の筋肉の緊張・激しい痛み

基本の考え方

- 肢に起こるこむら返りの多くは**腓腹筋けいれん**.
- 腓腹筋や下肢の神経が異常な緊張を起こし，筋肉が収縮したまま弛緩しない状態になり，激しい痛みを伴う.
- 運動中に起こるほか，睡眠中に何回も起きることがある．立ち仕事の多い人や高齢者に多くみられる.
- 夏に多量の汗をかいたときに水分だけ飲んで電解質が補給されないと，**「熱けいれん」**と呼ばれるこむら返りを起こす.
- **電解質バランスの崩れやビタミン不足や欠乏**などが原因となる（表1）．近年，若者の偏食からビタミンB_1が不足して起こるものが増加.
- ほとんどのこむら返りは病気とは無関係に起こるが，**様々な骨格筋に頻回に繰り返す場合は病的**と考える.

> **メモ** こむら返りの仕組み
> - 中枢神経からの信号により筋肉収縮が起こり，直ちに筋肉や腱のセンサーから逆方向に信号が中枢に送られ，適切な収縮・弛緩の程度が決められる．こむら返りはこの仕組みの中で起こる異常収縮.
> - 筋肉の異常収縮が起こる2つの理由
>   ①電解質バランスの崩れにより神経や筋肉が刺激を受けやすくなっているため
>   ②筋肉や腱のセンサーがうまく作動しないため
> → ②としては，立ち仕事の後，久しぶりに運動した後，加齢とともに夜に起こりやすくなるこむら返りなど．足の筋肉が緊張した状態が長時間持続すると，センサーが常に刺激された状態に置かれ，やがてセンサーがうまく働かなくなる．このときに足に余分な力がかかるとセンサーが過剰に反応し，異常な収縮が引き起こされ，こむら返りが起こる．寝ているときは足の温度が低下し，センサーの感度が鈍くなることも挙げられる．布団の重みや重力のため足先が伸びた状態になっているのもこむら返りを起こしやすくする.

表1 こむら返りの原因

筋肉の収縮（腓腹筋や下肢の神経の異常な緊張）	・運動，睡眠中　　・高齢 ・立ち仕事
電解質バランスの崩れ	・妊娠中のCa不足 ・下痢によるK不足 ・利尿薬や甘草・グリチルリチンを含む漢方薬・民間薬など
ビタミン不足，欠乏	・偏食によるビタミンB_1不足 ・アルコール依存症や胃摘出後のビタミン欠乏
病的要因	糖尿病，電解質代謝異常（Ca, Mg），腎不全，甲状腺疾患，変形性腰椎症，神経原性筋萎縮（脊髄性筋萎縮症や多発神経炎など），下肢静脈瘤

診察室で

聞く
- 常用している薬や民間薬，サプリメントはあるか？
- 偏食やアルコール多飲など食生活習慣は？

診る
- 腱反射や病的反射，知覚障害などの神経学的検査

検査する

まずはここから
- 血清電解質（Na, K, Cl, Ca, P, Mg）

次のステップ
- 血糖，HbA1c
- FT3, FT4, TSH

処方例

- **芍薬甘草湯**（2.5 g）1包，頓用

> **ヒント** 甘草は漢方薬の約7割に配合されている．甘草の主成分はグリチルリチン．芍薬甘草湯には甘草が多量に含まれ，長期の服薬により偽性アルドステロン症を発症させる．症状としては，手足の脱力感，筋肉痛や体がだるい，手足がしびれ，こむら返り，顔や手足のむくみなど．こむら返りの薬がこむら返りや筋痛を起こすので注意．

痛み

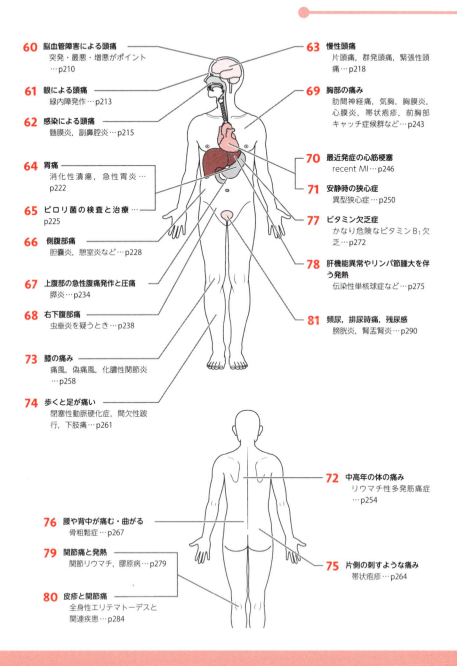

60 脳血管障害による頭痛
突発・最悪・増悪がポイント…p210

61 眼による頭痛
緑内障発作…p213

62 感染による頭痛
髄膜炎，副鼻腔炎…p215

64 胃痛
消化性潰瘍，急性胃炎…p222

65 ピロリ菌の検査と治療…p225

66 側腹部痛
胆嚢炎，憩室炎など…p228

67 上腹部の急性腹痛発作と圧痛
膵炎…p234

68 右下腹部痛
虫垂炎を疑うとき…p238

73 膝の痛み
痛風，偽痛風，化膿性関節炎…p258

74 歩くと足が痛い
閉塞性動脈硬化症，間欠性跛行，下肢痛…p261

63 慢性頭痛
片頭痛，群発頭痛，緊張性頭痛…p218

69 胸部の痛み
肋間神経痛，気胸，胸膜炎，心膜炎，帯状疱疹，前胸部キャッチ症候群など…p243

70 最近発症の心筋梗塞
recent MI…p246

71 安静時の狭心症
異型狭心症…p250

77 ビタミン欠乏症
かなり危険なビタミンB_1欠乏…p272

78 肝機能異常やリンパ節腫大を伴う発熱
伝染性単核球症など…p275

81 頻尿，排尿時痛，残尿感
膀胱炎，腎盂腎炎…p290

72 中高年の体の痛み
リウマチ性多発筋痛症…p254

76 腰や背中が痛む・曲がる
骨粗鬆症…p267

79 関節痛と発熱
関節リウマチ，膠原病…p279

80 皮疹と関節痛
全身性エリテマトーデスと関連疾患…p284

75 片側の刺すような痛み
帯状疱疹…p264

60 脳血管障害による頭痛
突発・最悪・増悪がポイント

> **基本の考え方**
> - **突発・最悪・増悪**は必ず尋ねる.
> - 脳血管障害の症状は突然の神経症状であることが多く，頭痛が主訴となることは少ない.
> - **神経症状を伴わず，頭痛が主訴となる脳血管障害として，くも膜下出血と椎骨動脈解離，静脈洞血栓症を考える.**
> - 上記3疾患は比較的若年での発症が多く，歩いて外来を受診する可能性があるが，やはり突発・最悪・増悪の病歴が診断のきっかけとなる.
> - 高齢者の新規発症頭痛では巨細胞性動脈炎を考慮する.

診察室で

聞く

- 突発・最悪・増悪は？ → 1つもなければ危険な頭痛の可能性は低い.
- 受診までに数日経過していても発症様式は必ず確認.
  → **突発なら脳血管障害**. くも膜下出血の頭痛は頭痛の強さよりも発症様式の方が重要.
- **首の運動に伴って発症**していないか？ **片側後頭部の持続痛**か？ 脳梗塞なのに頭痛あり？ → 椎骨動脈解離を疑う.
- 血栓症のリスク・既往はないか？ **バルサルバ手技**で悪化しないか？
  → 静脈洞血栓症を疑う.
- **抗凝固薬の内服**は？ → 出血を疑う.
- **発熱，全身痛，顎跛行，視力障害**は？ → 巨細胞性動脈炎を疑う.

診る

- バイタルサイン測定 → **血圧高値は脳血管障害**を示唆.
- 神経所見,眼底鏡 → 異常があればすぐ専門医に紹介.
- **側頭動脈,頸動脈**の圧痛や側頭動脈索状硬結はあるか？
  → 巨細胞性動脈炎を疑う.

検査する

まずはここから

- 頭部CT
  → CTがない場合も,以下の場合は最初から専門医に紹介する.
  → 頭部CTが正常でも,**神経所見あり,突発・最悪・増悪,嘔吐を繰り返す,治療抵抗性,バルサルバ手技で悪化する頭痛は専門病院へ紹介**.
- （発熱など全身症状がある場合）炎症反応

次のステップ

- 頭部MRI・MRA（動脈）・MRV（静脈）,髄液検査（専門医にて）

症例

症例1　突発する頭痛だが頭部CTが正常

- 35歳,女性.
- 仕事中に突然の頭痛と悪心が出現したため歩いて受診.
- 神経所見はなく,意識もクリア,血圧140/80 mmHg.
- 頭部CTでは異常なし.
  → 発症6時間以内のくも膜下出血でのCTの感度は100％に近いが,**発症様式が突然であれば,必ず専門医に紹介すべき**.

  ここで専門医に紹介
- 脳外科医にコンサルトし,やはりCTに異常なしとのことだったが,髄液検査でくも膜下出血と判明した.
  → CTなどでくも膜下出血・脳出血が判明して転院搬送するまでの治療は鎮痛,鎮静,降圧であるが,外来レベルでは困難なため,できる限り安静にしながら速やかに転院させる.

患者さんを安心させるコツ・ポイント

「突発する頭痛は脳血管による頭痛である可能性が高く，今は大丈夫でも再出血すると命取りになるので，大げさに思うかもしれませんが専門病院へ救急車で行きましょう」と説明する．

61 眼による頭痛

緑内障発作

基本の考え方
- 急性の頭痛では緑内障発作を必ず鑑別に挙げて，眼の所見を取る．
- 中年以降の女性に多く（3倍），片側が多い（90％）．

診察室で

聞く
- 緑内障や眼圧が高いなどと言われたことはないか？
- **視力低下**は？ **光の周囲に虹がかかったようなもの**は見えないか？ 目のかすみは？
- **悪心や冷汗は？（三叉神経－迷走神経反射）**
- 感冒薬，抗ヒスタミン薬，睡眠薬など抗コリン作用のある薬剤の使用は？

  > **ヒント** 緑内障の患者に抗コリン薬を投薬してよいか？
  > 緑内障の患者に抗コリン薬を投薬してはいけないのは未治療の閉塞隅角緑内障だけであるため，患者に閉塞隅角緑内障か否か，レーザー虹彩切開術など閉塞隅角の治療歴があるかを尋ねる．「眼科の先生から風邪薬を飲まないようにとか言われていませんか？ 何飲んでもいいと言われていますか？」
  > 患者では不明な場合はかかりつけ医に確認する．白内障の手術がされていれば開放隅角となっているため，緑内障発作を起こすことはない．

診る
- **毛様充血（角膜周辺の方が充血が強い），対光反射減弱**，硬く触れる眼球（触診での眼圧の左右差），**視力低下，角膜混濁**，瞳孔中等度散大．

治療する

■ すぐに眼科に紹介できない場合は以下を処方.

処方例
- 20%**マンニトール**注射液「YD」：1.0〜3.0 g/kg/回を30〜45分で点滴静注
- **サンピロ®**点眼液（2%）：1時間に2〜3回点眼

症 例

症例1　急性の頭痛と嘔吐にて受診した女性

■ 64歳，女性.
■ 昨日から鼻水があり市販の感冒薬を飲んでいた．夜になって急に左側頭部痛と嘔吐が出現して，夜間救急外来を受診するもCTで異常なく帰宅．鎮痛薬で多少改善するも症状が持続するため受診．
■ 左眼球結膜の充血あり，瞳孔の散大と視力障害を認めた．

　　ここで眼科に紹介
■ 急性閉塞性隅角緑内障発作と診断された．

62 感染による頭痛

髄膜炎，副鼻腔炎

基本の考え方

- 細菌性髄膜炎は内科的エマージェンシーである．疑えば可能な限り速やかに抗菌薬投与が必要．
- ウイルス性髄膜炎は流行性が多く，疫学的状況を把握しておく．
- 慢性髄膜炎は結核やクリプトコッカス，がん性のもので頭痛以外に脳症の症状もありうる．
- 脳炎では頭痛よりも意識レベルや人格の変化が主訴となる．
- 副鼻腔炎に伴う頭痛は，主に病歴で診断する．
- 頭痛は一般感染症にも合併しやすい非特異的症状であるが，髄膜炎と異なり頭痛以外にも症状がある．

診察室で

聞く

- **歩いたり，咳や振動で頭痛が悪化するか？ → 髄膜刺激徴候**
- 頭痛以外の症状は？
  → 多くの発熱疾患で頭痛はみられる．髄膜炎では基本的に頭痛・悪心だけであるため，他の随伴症状があれば，そこの感染症から考える．
- 周囲の感染状況（ウイルス性），免疫不全の有無（細菌性や慢性髄膜炎），耳鼻科的感染症や頭部外傷の既往（細菌性）は？
- 膿性鼻汁や後鼻漏，感冒症状の先行は？　前屈で頭痛が悪化するか？　歯痛は？副鼻腔炎の既往は？ → 副鼻腔炎を疑う．

診る

- 意識障害はあるか？ → **髄膜炎，脳炎**を疑う．
- jolt accentuation（頭を左右に回旋すると頭痛が悪化），neck flexion test（首を前屈すると前屈制限がある）
  → 前者が陰性であれば髄膜炎の可能性は低いが偽陽性は多い．
- 皮疹（髄膜炎菌，エンテロウイルス），耳下腺腫脹（ムンプス），鼠径リンパ節腫大・尿閉（ヘルペス）はあるか？
- 前頭部や頬などの圧痛，咽頭に後鼻漏の所見があるか？ → 副鼻腔炎を疑う．

> **ヒント** 頭痛診療では表1のようなred flag signがあれば，必ず画像検査など行うようにした方がよい．

表1 頭痛のred flag sign

病　歴	・突発（発症後数秒以内にピークに達する頭痛） ・最悪（今までに経験したことがない人生最悪の頭痛） ・増悪（頻度と程度が増していく頭痛） ・いつもと様子の異なる頭痛 ・咳，労作，性交，バルサルバ手技で出現する頭痛
患者の因子	・50歳以降に初発の頭痛 ・がんや妊婦，免疫不全の病態を有する患者の頭痛
身体所見	・発熱，項部硬直，髄膜刺激症状を有する頭痛 ・精神症状を伴う患者の頭痛 ・神経脱落症状や視力障害を有する頭痛

治療する

- **細菌性髄膜炎を疑うとき（発熱，頭痛，意識障害）は直ちに救急病院に紹介する．** 血液培養採取が可能であれば採取後にセフトリアキソンを点滴投与しながら搬送してもよい．

> **処方例**
> ・**ロセフィン®**注2 g/日を点滴静注

- ウイルス性髄膜炎の流行期で細菌性らしくない場合はNSAIDsで外来通院も可能だが，専門医に紹介した方が無難．
- 発熱や頭痛を伴う副鼻腔炎ではアモキシシリンとカルボシステインを処方．

■ 処方例
- **サワシリン**®錠（250 mg）6錠，分3　＋**ムコダイン**®錠（500 mg）3錠，分3を毎食後

症例

症例1　発熱，頭痛が持続する女性

- 24歳，女性．
- 3日前から発熱と頭痛あり．嘔吐はないが，頭痛で歩けないくらい．近医にて感冒として加療されるも改善なく受診．左鼠径部リンパ節に圧痛あり，陰部に痛みあり，帯下も多いとのこと．
- neck flexion testで前屈制限はみられなかったが，歩行で響くということで髄液検査を行ったところ，リンパ球優位で細胞数110だった．
  → 陰部ヘルペスからの髄膜炎と考えてアシクロビル（ゾビラックス®）の点滴投与を開始した．

症例2　右前頭部痛，血痰

- 30歳，男性．
- 3日前から右前頭部のピリピリする痛みが出現．近医受診して帯状疱疹が疑われて加療するも改善なく，今朝から血痰が出るということで受診．咳や熱はない．
- 先行する感冒症状や後鼻漏は明らかでなかったが，右前頭部に圧痛あり，前屈で悪化した．咳のない血痰は後鼻漏の一症状と考えられた．
- 画像検査では右前頭洞の副鼻腔炎像がみられ，アモキシシリンにて軽快した．
- 前頭洞や蝶形骨洞の副鼻腔炎では後鼻漏が明らかでないことがある．またこのケースのように先行感染が明らかでなく，頭痛のみで受診する副鼻腔炎もある．

63 慢性頭痛

片頭痛，群発頭痛，緊張性頭痛

基本の考え方

- 頭痛診療では**問診が重要**．
- **初めての頭痛，いつもと異なる頭痛**では常に二次性頭痛を念頭に置いて鑑別する．
- 片頭痛はしばしば悪心・嘔吐を伴い，**日常生活に著しい影響**を及ぼす．
- 群発頭痛の発作期の頭痛はとても激しいが，**頭痛のない間欠期**が必ず存在する．
- 終日持続し続ける激しい頭痛では，脳血管障害，眼，感染に伴う頭痛を十分に検討する．
- 筋緊張性頭痛のみでは通常，日常生活に支障は出ない．しばしば**片頭痛に合併**する．
- 肩こりや両側性の締めつける頭痛の存在から筋緊張性頭痛と決めつけない．

診察室で

聞く（表1）

- 頭痛発作はどの程度続くか？
  → 数〜数十秒の短い痛み（特に後頭側頭部）は**後頭神経痛**を考慮．
- 同様の頭痛が繰り返して生じているか？
  → 頻回の頭痛薬内服，頭痛発作が月15日以上では**薬剤乱用頭痛**を考慮．
- 痛みの性状は（どんな痛みか）？
  → 2種類以上の頭痛の合併していることがあるので注意深く聴取．
- 痛みの部位は？
- 痛みの程度は？ 日常生活に支障が生じるか？

表1　一次性頭痛の特徴

	片頭痛	群発頭痛	筋緊張性頭痛
経過時間	4〜72時間	15〜180分	0.5〜72時間
性状	拍動性の痛み　ときに圧迫される，張り裂ける痛み	刺すような，拍動性の痛み	鈍い，締めつけられる圧迫感のある痛み
部位	前頭側頭部と眼領域（片側性，両側性ともにありうる）	一側性眼窩部，眼窩上部のいずれか1つ以上	両側性で頭部全体，または後頸部
痛みの程度	日常生活に支障が生じ，寝込むことがある	じっとしていられず，日常生活に障害が出る	日常生活は障害されない
随伴症状	悪心，嘔吐，光過敏，音過敏	発作時の充血，涙，鼻閉，発汗	嘔吐は伴わない，光過敏・音過敏のいずれかがある場合もある

- 随伴症状はあるか？
- 頭痛発作の**前兆**（視覚性，感覚性，言語性，運動症状）はあるか？
  → 明確にある場合は片頭痛を示唆．
- **家族歴，検査歴，治療歴は？** → 片頭痛は家族歴を有することもある．
- **内服歴** → 前兆のある片頭痛ではエストロゲンを含む経口避妊薬は禁忌．

診る

- 一般的な神経診察で，神経脱失症状があるか？
  → 麻痺や失調などの神経兆候があれば積極的に二次性頭痛を疑う．
- 後頸部触診で硬結があるか？ → あれば緊張型頭痛を示唆する．

検査する

まずはここから
- 頭部CT → 診察と問診のみでは脳腫瘍の除外ができないため．

念を入れるなら
- 頭部MRI・MRA

症 例

症例1　片頭痛

- 18歳，女性．
- 小学6年生の頃に発症．きらきらと光が見えた後に生じる拍動性の頭痛．
- 3日前から30分の前兆の後，3時間持続する頭痛が頻発．
- 悪心・嘔吐を伴い，学校に行けなくなったため来院.

処方例
- 軽～中等度頭痛
  - ロキソニン®錠（60 mg）1錠，頓用
- 激しい頭痛
  - レルパックス®錠（20 mg）1錠，頓用
- 悪心に対して
  - ナウゼリン®錠（10 mg）3錠，分3，毎食前，頭痛発作時に数日間投与

- レルパックス®は効果的だった．しかし頭痛発作は月に10日あり，発作頻度抑制を希望．

処方例
- 予防療法
  - ミグシス®錠（5 mg）2錠，分2

- 誘因回避の指導：アルコール（特に赤ワイン），カカオ，カフェインなどの回避．

症例2　群発頭痛

- 33歳，男性．
- 2年に1回くらいの頻度で，1～2ヵ月間頭痛発作が生じる．
- 頭痛は1～2時間続いた後に消える．1日数回頭痛が起きる．
- 痛いときには涙と鼻水が出て，つらくてじっとしていられない．頭痛発作のため来院．

- **処方例**
  - **頭痛時**
    - 純酸素吸入
    - **イミグラン**®点鼻液（20 mg/0.1 mL）を0.1 mL/回，点鼻．または**イミグラン**®皮下注（3 mg）を1A，皮下注
  - **予防療法**
    - **ワソラン**®錠（40 mg）3～6錠，分3

症例3　筋緊張性頭痛

- 57歳，男性．
- 経理の仕事をしており，1日中パソコンの作業をしている．
- 以前から頭全体が締めつけられるような頭痛がある．
- 痛みはつらいが仕事はしている．
- 嘔吐はなし．
- 後頸部は硬く，圧痛がある．

- **処方例**
  - **頭痛時**
    - **カロナール**®錠（200 mg）6錠，分3
  - **予防療法**
    - **テルネリン**®錠（1mg）3錠，分3

- 頸部筋緊張緩和のためのストレッチ指導．

> **ヒント** ①薬剤使用にあたる注意点
> - 運動麻痺，めまい，構音障害を伴う頭痛ではエレトリプタン（レルパックス®）は禁忌．
> - ロメリジン（ミグシス®），ドンペリドン（ナウゼリン®）は妊婦には禁忌．
>
> ②薬剤指導のポイント
> - 頭痛が最も激しくなってからの鎮痛薬の効果は限定的．**早期内服を指導**する．
>
> ③専門家に紹介する目安
> - 運動麻痺，めまい，構音障害を伴う片頭痛．
> - 妊婦および上記治療で十分に改善しない例．
> - 群発頭痛は治療が難しく，専門家に紹介する方が無難．

64　胃痛

消化性潰瘍，急性胃炎

基本の考え方

- まずはバイタルサインをチェックし，全身状態の評価を行う．
- 頻度が多いものは，消化性潰瘍，急性胃炎，機能性ディスペプシア（☞「46．みぞおちの痛み（心窩部痛），胃もたれ」参照），胆石症など．
- 注意が必要なものは，急性膵炎，悪性腫瘍，急性虫垂炎の初期症状．
- 鑑別疾患では**心疾患**が重要．胸部症状，リスク因子があれば心電図検査を行う．
- 黒色便，貧血など上部消化管出血が疑われるときは早めに上部消化管内視鏡検査を行う．血圧低下や高度貧血があれば，すぐに専門医へ紹介を．

診察室で

聞く

- 腹痛の聴診には**「OPQRST」**が重要．
  → Onset（発症），Palliative/Provocative factor（寛解/増悪因子），Quality（性状），Region/Radiation（部位/放散痛），accessory Symptom（随伴症状），Time course（経時的な症状の変化）．
- 既往歴は？　→ 消化性潰瘍は繰り返すことも多い．
- 内服薬は？　→ NSAIDsやステロイドは消化性潰瘍の原因に．
- 生ものの摂取歴は？　→ サバやイカはアニサキス症の可能性．
- **警告症状に注意**する：増悪する強い痛み，体重減少，血便や黒色便，発熱はあるか？
  → 認めた場合は重篤な疾患の可能性が高いため，早急に専門医に紹介．

診る

- **腹部触診**
  → 痛みのない部分から愛護的に行う．筋性防御やtapping painを認めた場合には腹膜炎が疑われるため専門医に紹介．

検査する

まずはここから
- **血液検査，心電図検査** → 心疾患は必ず除外．

次のステップ
- **腹部エコー，腹部CT**
- **上部内視鏡検査** → **黒色便や進行性の貧血**を認めた場合，血圧低下などバイタルサインの変動がある場合，病歴から胃アニサキス症が疑われる場合は緊急で．警告症状なく痛みが軽度な場合は待機的な検査を行う．

症例

症例1　NSAIDs内服患者の消化性潰瘍

- 75歳，男性．
- 1ヵ月ほど前から腰痛がひどく，ロキソプロフェン（ロキソニン®）を頻繁に内服していた．1週間ほど前から食後の心窩部痛を認め，徐々に増強してきたため来院．数日前から黒っぽい便が出るようになった．
- 血液検査：血算，生化学検査
  → 貧血，BUN/Cre解離を認め，上部消化管出血が疑われた．

　ここで消化器病専門医に紹介

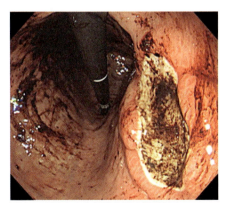

図1　症例1の上部消化管内視鏡検査

- 緊急上部消化管内視鏡検査を施行．胃潰瘍を認めた（**図1**）．他にも小潰瘍が多発しており，NSAIDs潰瘍と診断．
- 入院の上，絶食管理，プロトンポンプ阻害薬（PPI）投与で治療された．

症例2　緊急性の乏しい心窩部痛

- 40歳，女性．
- 半年ほど前から食後の膨満感や胸やけ，心窩部痛を自覚することがあった．ここ最近は多忙で食生活も乱れており，症状を自覚する頻度が増加したため受診．
- 体重減少はなく，食欲もある．便通異常はない．2週間前に会社の健康診断で血液検査，腹部エコーを受けたが，異常は指摘されなかった．
- バイタルサインに異常なし．念のため心電図検査を施行したが異常なし．
- 触診：腹壁は軟で，心窩部に軽度の圧痛を認めるが，筋性防御やtapping painはない．
- 酸分泌抑制薬を処方．待機的に上部消化管内視鏡検査を行う方針とした．

■ 処方例

- **ガスター**®錠（20 mg）2錠，分2，朝夕食後
- **タケプロン**®カプセル（15 mg）1カプセル，分1，朝食前
- **ネキシウム**®カプセル（10 mg）1カプセル，分1，朝食前．20 mgに増量可

> **メモ** H_2ブロッカーとPPI
>
> 胃酸分泌抑制薬としてのH_2ブロッカー（ガスター®），PPI（タケプロン®，ネキシウム®）の違いとしては，H_2ブロッカーの方が作用発現に速効性があるが，PPIの方が酸分泌抑制が強力とされる．両者の優劣については意見が分かれているが，NSAIDs潰瘍の予防に対しては保険適用量でのH_2ブロッカー投与では酸分泌抑制作用が十分でなく，消化性潰瘍の治療ガイドラインにおいてはPPIの投与が推奨されている．2015年2月に新しいPPIであるP-CAB［ボノプラザン（タケキャブ®）］が発売され，投与初日から強力な酸分泌抑制作用を示すとされているが，長期投与の安全性が確立されていない．

> **ヒント** 上腸間膜動脈症候群
>
> 上腸間膜動脈症候群とは，十二指腸水平脚が上腸間膜動脈と腹部大動脈とで挟まれることによって，通過障害をきたし，食後の悪心・嘔吐や上腹部痛をきたす病態である．痩せ型の若年者に好発するとされる．診断には造影CTや消化管造影検査が有用で，十二指腸水平脚が圧迫されているのが確認できる．治療としては消化管運動促進薬や整腸剤内服で保存的加療を行うことが多いが，重症例では手術が行われる場合もある．頻度としては多くないが，10〜20歳台の痩せ型患者での悪心，心窩部痛では鑑別として重要である．

65 ピロリ菌の検査と治療

基本の考え方

- 日本では人口の約35%が*Helicobacter pylori*感染者．
- 免疫機能が十分に発達していない幼児期に，主に経口感染する．
- *H. pylori*は胃粘膜に感染して*H. pylori*感染胃炎を引き起こす．
- 一度感染するとほとんどの場合生涯にわたって持続感染し，様々な関連疾患の原因となる（表1）．
- *H. pylori*感染胃炎の除菌治療が2013年に保険診療の対象となった．除菌治療により，組織学的に胃炎が改善し，関連疾患の予防に結びつくことが期待される．

表1 *H. pylori*感染症

1. *H. pylori*除菌が強く勧められる疾患
- *H. pylori*感染胃炎
- 胃潰瘍・十二指腸潰瘍
- 早期胃癌に対する内視鏡的治療後胃
- 胃MALTリンパ腫
- 胃過形成性ポリープ
- 機能性ディスペプシア（*H. pylori*関連ディスペプシア）
- 胃食道逆流症
- 免疫性（特発性）血小板減少性紫斑病（ITP）
- 鉄欠乏性貧血

[日本ヘリコバクター学会（編）：*H. Pylori*感染の診断と治療のガイドライン 2016年改訂版，p10，先端医学社，東京，2016．日本ヘリコバクター学会より許諾を得て転載]

診察室で

聞く

- 除菌歴はあるか？
- 薬剤アレルギーはあるか？ → 特に**ペニシリンアレルギー**の有無は必ず確認．
- 内服薬は？
  → 酸分泌抑制薬を内服している場合，重複投与や除菌判定前の休薬に注意．

検査する

- *H. pylori* 感染胃炎除菌治療の保険診療では，まずは上部消化管内視鏡検査による胃炎の診断が必須．
- *H. pylori* の診断については下記の検査法がある．
  → 内視鏡による生検組織を必要とする検査法：①迅速ウレアーゼ試験，②鏡検法，③培養法
  → 内視鏡による生検組織を必要としない検査法：④尿素呼気試験，⑤抗 *H. pylori* 抗体測定，⑥便中 *H. pylori* 抗原測定
- 上記のいずれかを用いて検査を行うが，診断の精度を高めるために2法を組み合わせてもよい（②と③，④と⑤，④と⑥，⑤と⑥のいずれか）．

治療する

- 3種類の薬剤を7日間投与する3剤併用療法．
- 治療開始前には，服薬アドヒアランスの指導や除菌治療による有害事象について説明する．
- 除菌治療中の喫煙が除菌率を低下させる報告があるため，禁煙指導を行う．
- 保険で認められた一次除菌，二次除菌のレジメンは以下の通り．

処方例

①一次除菌

- **タケキャブ®**錠（20 mg），**タケプロン®**カプセル（30 mg），**オメプラール®**錠（20 mg），**パリエット®**錠（10 mg），**ネキシウム®**カプセル（20 mg）：いずれかを2錠，分2，朝夕食後
- **サワシリン®**錠（250 mg）6錠，分2，朝夕食後
- **クラリス®**錠（200 mg）2錠または4錠，分2，朝夕食後

- 上記のセット製剤（タケキャブ®＋サワシリン®＋クラリス®）もあり：**ボノサップ®パック400 1日2回，朝夕食後，7日間**

②二次除菌
- **タケキャブ®**錠（20 mg），**タケプロン®**カプセル（30 mg），**オメプラール®**錠（20 mg），**パリエット®**錠（10 mg），**ネキシウム®**カプセル（20 mg）：いずれかを2錠，分2，朝夕食後
- **サワシリン®**錠（250 mg）6錠，分2，朝夕食後
- **フラジール®**錠（250 mg）2錠，分2，朝夕食後

■ プロバイオティクスの併用が除菌の上乗せ効果があるとする報告や，下痢・悪心といった除菌薬による副作用を減少させるとする報告があり，以下を併用してもよい．

■ 処方例
- **ミヤBM®**細粒：3包，分3，毎食後
- **ラックビー®**微粒N：3包，分3，毎食後

■ 除菌判定は除菌薬内服終了後4週以降に行う．尿素呼気試験または便中 *H. pylori* 抗原測定が有用．

■ 偽陰性を防ぐため，検査前少なくとも**4週間はPPI，P-CAB（カリウムイオン競合型アシッドブロッカー）は中止**する．

■ 除菌成功後の再感染率は年1％以下である．除菌成功後も胃がん発症のリスクは続くため，定期的な上部消化管内視鏡検査が必要であることを説明する．

> **メモ** 除菌治療による有害事象
>
> 除菌治療では抗菌薬を比較的高用量で投与するため，副作用に注意が必要である．下痢・軟便が最も多く約10〜30％でみられるほか，皮疹，味覚異常・舌炎・口内炎は比較的頻度が高い．特に皮疹が出現した場合は，重症化する可能性があるため内服を中止する．二次除菌では，メトロニダゾール（フラジール®）内服中の飲酒で腹痛，嘔吐，ほてりが出現することがあるため，内服中は禁酒を指導する必要がある．
>
> また，上記の副作用に加え，除菌治療後に胃酸分泌が活発になり，逆流性食道炎が新たに発症する症例や増悪する症例が3〜19％存在したと報告されており（Labenz J, et al：Gastroenterology 112：1442-1447, 1997），特に胃酸逆流症状を有する患者では，治療前に十分なインフォームドコンセントを行う必要がある．

66 側腹部痛

胆嚢炎，憩室炎など

基本の考え方

- 側腹部は腹部を9等分した左右の中間位の部分とされる．
- 臓器は後腹膜臓器の上行・下行結腸，腎臓・尿管などを想定し，背部痛をも含む．また，内臓逆位などの解剖学的な位置異常があることも想定する（図1）[1]．
- 想定する臓器のイメージより広めの部位を想定し，画像診断で確める．
- 腹痛を訴える患者は消化器内科を受診することが多いが，腎・尿管，婦人科疾患のこともあるので適切な鑑別診断が必要．左右差を念頭に，側腹部痛を起こす疾患を意識しておくと，鑑別に有用である．
  ① **右側に多い**：十二指腸潰瘍，急性胆嚢炎，急性胆管炎，総胆管結石，乳頭部がん，胆管がん，胆嚢がん，膵胆管合流異常症，sphincter of Oddi's dysfunction（SOD），膵頭部がん，急性虫垂炎，腸腰筋膿瘍（虫垂穿破），クローン病（終末回腸・回盲部），ベーチェット病［Bauhin（バウヒン）弁］，家族性地中海熱（上行結腸），遊走腎，卵巣捻転
  ② **左側に多い**：虚血性腸炎，結腸憩室炎（S状結腸），潰瘍性大腸炎（直腸・S状結腸），膵尾部がん，急性膵炎，脾腫，脾梗塞
  ③ **左右差はない**：便秘，進行結腸がん，尿管結石，急性腎盂腎炎，腎梗塞，腹部大動脈破裂

診察室で

- 発熱，下痢，血便，関節痛などの随伴する症状も確認する．

聞く

- 問診での**OPQRST**[2]をしっかり確認する．
- Onset（発症様式）：急に発症，徐々に発症，以前からときどき起こすことがあるか．

- **Provocation/Palliation**（増悪・寛解因子）：痛みが増悪もしくは誘発する因子．逆に改善する因子（食事，食事の種類，飲酒，排便・排尿との関係，体動・歩行，歩き方，咳，生理）
- **Quality/Quantity**（症状の性質，程度）：強い痛み，今まで経験したことない痛み，鈍い痛み，場所の同定ができない痛み．
  → 痛みの性状はVisual Analogue Scale（VAS）やNumerical Rating Scale（NRS）で受診時と経過中の最大の痛みを評価しておく．

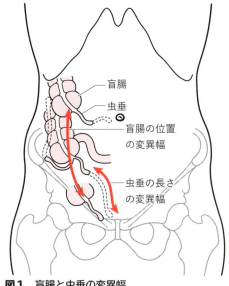

図1 盲腸と虫垂の変異幅
［Marta HS, et al：Radiology 255：3-7, 2010より作成］

- **Region/Radiation**（部位，放散の有無）：部位が限局しているか，放散するか，どの方向にか．
- **associated Symptoms/Severity**（随伴症状，重症度）：血圧低下，意識消失，発熱，悪寒，冷汗，戦慄，チアノーゼ，悪心・嘔吐，吐血，血尿，下血・血便，下痢，便秘，黄疸，腹部膨満，体重減少，皮疹，蕁麻疹など
- **Time course**（時間経過）：持続する痛み．間欠的な痛み．徐々に強くなる痛み．同じ程度の痛みが持続．

診る

- 視診：診察台に臥位で行う．腹部に膨隆がないか．発疹や皮疹がないか注意する．痛みが帯状疱疹によることもある．
- 打診：ガスの鼓音，臓器腫大による濁音の確認．
- 聴診：腸管の運動亢進，金属音，動脈雑音（bruit）．
- 触診：打診は痛みのある場所の同定と程度の評価．痛みの強い場所は後回しで．
- 叩打痛：坐位になって，背部の打診．
- 最後に立位になってheel drop testを確かめる．

- 交感神経と副交感神経の亢進による警告徴候として，交感神経優位（冷汗，皮膚冷汗，動悸），副交感神経優位（悪心・嘔吐，尿失禁，便失禁）なども確認しておく．
  → これらの診察から緊急度のおおよその目安は立てられる．

検査する

まずはここから

- 血液検査，尿検査・沈渣，腹部単純X線，腹部エコー
  → すべての症例で行う．

必要に応じて

- 腹部CT（単純，造影），腹部MRI
  → これらの所見から，上部内視鏡検査，下部内視鏡検査（直腸鏡），小腸内視鏡，カプセル内視鏡，内視鏡的逆行性胆道膵管造影（ERCP），FDG-PETなどの適応を評価する．

> **ヒント** 鑑別疾患における3つのC
> 臨床推論を用いて鑑別疾患を進める際に「3つのC」を意識する[3]．
> ①Critical（緊急性の高い疾患）：急性胆囊炎，腹部大動脈瘤
> ②Common（頻度の高い疾患）：十二指腸潰瘍，急性胆囊炎，虚血性腸炎，結腸憩室炎
> ③Curable（治療可能な疾患）：側腹部痛の鑑別においては治療可能であることが多い
> 継時的変化で病態が増悪する症例もあることを意識して診察する．

> **ヒント** 鑑別疾患におけるVINDICATE
> 解剖学的・病理学的な原因を考える際にVINDICATE（単語の意味；嫌疑を晴らす）を意識することが有用[4]．
> **V**：Vascular（血管系）
> **I**：Inflammatory（感染症）
> **N**：Neoplastic（良性・悪性新生物）
> **D**：Degenerative/Defeciency（変性疾患）
> **I**：Intoxication（薬物・毒物中毒），Iatrogenic（医原性），Idiopathic（特発性）
> **C**：Congenital（先天性）
> **A**：Autoimmune（自己免疫・膠原病），Allergic（アレルギー）
> **T**：Traumatic（外傷）
> **E**：Endocrine（代謝・内分泌系），Electrolyte（電解質），Epileptic（てんかん）

症例

症例1 急性胆嚢炎/発熱・肝機能障害を認めた症例

- 80歳台，女性．
- 下咽頭がんの化学療法のため入院加療中に発熱・肝機能障害を認め，消化器内科に紹介となった．右季肋部に圧痛を認め，急性胆嚢炎を疑い，造影CT施行（**図2**）．
  → 胆嚢は腫大し，壁肥厚を認める．胆嚢底部は腹壁に接触している．総胆管もやや拡張し，下端に結石の嵌頓を認める．石灰化を認め，胆嚢結石でコレステロール結石が落下したものと思われる．

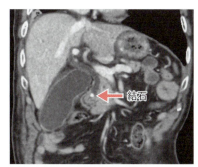

図2 症例1の腹部造影CT

- WBC 5,100/μL，RBC 294×10^4/μL，Hb 9.3 g/dL，PLT 8万/μL，T-Bil 3.9 mg/dL，D-Bil 2.8 mg/dL，AST 332 IU/L，ALT 175 IU/L，ALP 204 IU/L，γ-GTP 230 IU/L，AMY 92 IU/L，CRP 6.49 mg/dL
- 血圧は60 mmHg台でショック．SpO$_2$ 90％前半（O$_2$ 3L）まで低下あり，ノルアドレナリン投与開始．
  → 血小板の低下を認め，急性期DIC基準を満たし，リコモジュリン®の投与を開始．

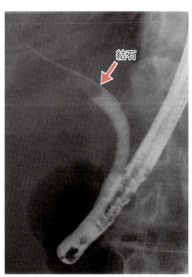

図3 症例1のERCP

- 敗血症を併発した胆管炎の加療として，抗生物質タゾバクタム（TAZ），ピペラシリン（PIPC）を選択投与．
- 緊急ERCPを施行し（**図3**），結石を除去．
  → 総胆管の下端に合った結石は造影により肝門部に移動．バスケットを用いて結石を除去．ENBD（内視鏡的経鼻胆管ドレナージ）を留置した．
- 経過：保存的加療で速やかに改善した．

> **メモ** 急性胆嚢炎，急性胆管炎
> - 急性胆嚢炎，急性胆管炎は，発熱，右季肋部痛，肝機能障害からエコーでの診断は難しくない．症例1のように胆嚢の腫大が腹壁に接触していると，限局性腹膜炎として側腹部痛を訴えることもある．
> - 病態として考えるべきは症例1のように総胆管結石性胆嚢炎，急性閉塞性化膿性胆管炎（AOSC）だけでなく，Mirizzi症候群，Lemmel症候群，無石胆嚢炎，壊死性胆嚢炎，胆石性膵炎などの病態も併せて鑑別していく必要があり，病態に応じた治療を選択する[5]．

症例2　虚血性大腸炎 / 突然発症の血便

- 60歳台，女性．
- 普段から便秘がちであったが，朝から赤色から黒色の便が3回あり，翌日になって左側腹部から下腹部痛を認め，消化器内科を受診．血便は初めて．
- 腹痛と血便から虚血性腸炎，結腸憩室炎，潰瘍性大腸炎を鑑別するためには腹部CTを行う．
  → 下行結腸は浮腫状で，内腔は虚脱腸管膜側に炎症をきたし，脂肪織が混濁している（図4）．

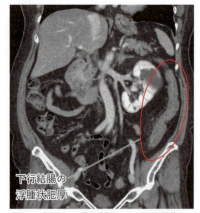

図4　症例2の腹部造影CT冠状断像

下行結腸の浮腫状肥厚

症例3　下行結腸憩室炎

- 40歳台，男性．
- 38℃台の発熱と左下腹部痛あり．
- 腹部診察：膨隆，軟．左下腹部に圧痛，筋性防御，反跳痛あり．左背部叩打痛あり．
- WBC 12,360/μL，RBC 524×10^4/μL，Hb 16.4 g/dL，PLT 18.9万/μL，CRP 5.18 mg/dL
- 腹部CTにて下行結腸に憩室を認め，内部に糞石を認める（図5矢印）．その周囲の脂肪織の混濁を認

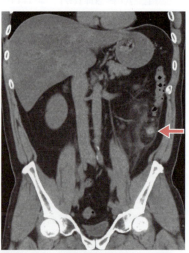

図5　症例3の腹部単純CT冠状断像

める．下行結腸は浮腫状．
■ 経過：内服抗生物質を処方し，外来通院で経過観察．1週間後の再診では症状は改善していた．

> **メモ** 結腸憩室炎は症例によって炎症の程度が違う．
> ・病態の評価には腹部CTによる診断が必要．
> ・憩室穿破，憩室出血など病態に応じた治療を選択する[6]．

文 献

1) Hernanz-Schulman M：Radiology **255**：3-7, 2010
2) The Patient History：An Evidence-Based Approach to Differential Diagnosis, 2nd ed, Henderson MC, et al（ed），The McGraw-Hill Companies, 2012
3) 名郷直樹：名郷直樹のその場の1分，その日の5分，日本医事新報社，2015
4) 金城紀与史ほか（監訳）：コリンズのVINDICATE鑑別診断法，メディカルサイエンスインターナショナル，2014
5) 急性胆管炎・胆嚢炎診療ガイドライン改訂出版委員会：TG18新基準掲載-急性胆管炎・胆嚢炎診療ガイドライン2018（第3版），医学図書出版，2018
6) 日本消化管学会ガイドライン委員会：大腸憩室症（憩室出血・憩室炎）ガイドライン，日本消化管学会，2017

67 上腹部の急性腹痛発作と圧痛

膵炎

> **基本の考え方**
> - 膵炎には**急性膵炎と慢性膵炎**があり，いずれも膵酵素の活性化による膵の炎症．
> - 急激に活性化されて起こる自己融解が急性膵炎，慢性的な活性化による非可逆的な膵臓細胞の破壊・線維化が慢性膵炎．

メモ 膵炎の診断基準

1. **急性膵炎の診断基準**（厚生労働省：難治性膵疾患に関する調査研究班報告書，2008 より引用）
   ① 上腹部に急性腹痛発作と圧痛がある．
   ② 血中または尿中に膵酵素（膵アミラーゼ，リパーゼなど）の上昇がある．
   ③ エコー，CT または MRI で膵に急性膵炎に伴う異常所見がある．
   ※上記3項目中2項目以上を満たし，他の膵疾患および急性腹症を除外したものを急性膵炎と診断する．

2. **慢性膵炎臨床診断基準2019**（日本膵臓学会：膵臓34：279-281, 2019 より引用）
   慢性膵炎の診断項目
   ① 特徴的な画像所見
   ② 特徴的な組織所見
   ③ 反復する上腹部痛または背部痛
   ④ 血中または尿中膵酵素値の異常
   ⑤ 膵外分泌障害
   ⑥ 1日60g以上（純エタノール換算）の持続する飲酒歴または膵炎関連遺伝子異常
   ⑦ 急性膵炎の既往

   慢性膵炎確診：a，b のいずれかが認められる．
   　a. ①または②の確診所見
   　b. ①または②の準確診所見と，③④⑤のうち2項目以上
   慢性膵炎準確診：①または②の準確診所見が認められる．
   早期慢性膵炎：③〜⑦のいずれか3項目以上と早期慢性膵炎の画像所見が認められる．

診察室で

聞　く

- ■ 症状の発症様式，場所は？
  - → 急性膵炎は，急性発症の上腹部痛，嘔吐．
  - → 慢性膵炎は，反復する上腹部痛，消化不良，糖尿病が主症状．
- ■ 既往歴，アルコール歴は？
  - → 急性膵炎は，**胆石，アルコール**が原因として高頻度．
  - → 慢性膵炎は，アルコールが原因として高頻度．

診　る

- ■ 上腹部中心の圧痛，叩打痛はあるか？
  - → あれば何らかの器質的疾患が疑われる．

検査する

まずはここから
- ■ 血液検査，腹部X線，腹部エコー

次のステップ
- ■ 症状および上記検査結果から膵炎疑う所見があればCT（禁忌でなければ造影で）．

症　例

症例1　胆石膵炎

- ■ 52歳，男性．
- ■ 夕食摂取後からの持続する心窩部痛を主訴に来院．
- ■ 心窩部から右季肋部にかけての圧痛，叩打痛あり．体温38.5℃．
- ■ 血液検査：白血球，CRPの炎症所見，肝胆道系酵素，アミラーゼの上昇あり．
- ■ CT：膵周囲のeffusion，やや拡張した総胆管下部に結石が疑われた（**図1**）．

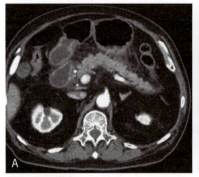 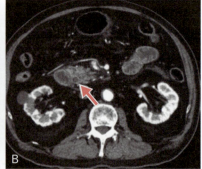

図1　胆石膵炎

> ここで専門医に紹介

- 胆石が原因の膵炎は，緊急で内視鏡的逆行性胆管膵管造影（ERCP）を施行し，内視鏡的乳頭切開（EST）の上，結石除去を考慮する必要がある．

症例2　重症急性膵炎

- 43歳，男性．
- 前日から上腹部痛あり，家で我慢していたが，症状が増強し救急車で来院．
- 上腹部を最強点とする広範な強い自発痛，圧痛あり．頻呼吸．
- 血液検査：白血球，CRPの炎症所見高度上昇，アミラーゼの上昇，酸素化低下あり．
- CT：膵の腫大，広範な浸潤影がみられた（図2）．

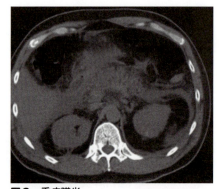

図2　重症膵炎

> ここで専門医に紹介

- 軽症急性膵炎は禁食を主とした保存的加療でよいので，非専門医で対応してもよい．
- 脳，肺，腎臓，肝臓，消化管などの重要臓器の障害を伴う重症急性膵炎は，集中治療が必要であり高次医療機関に転送する．

> **症例3**　膵石を形成する慢性膵炎

- 50歳，男性．
- 反復する上腹部痛，下痢，体重減少を主訴に受診．
- アルコール多飲．
- 腹部X線：上腹部に複数の石灰化あり（**図3-A**）．
- CT：膵実質に多数の石灰化，主膵管内の石灰化結石，膵尾部に石灰化伴う仮性嚢胞がみられた（**図3-B**）．
- 初期対応は非専門医でも可．
  → アルコールによる慢性膵炎であり，治療の基本は飲酒の禁止．
- 消化不良症状に対して脂肪制限食，酸分泌抑制薬，消化酵素薬．腹痛に対してNSAIDs．

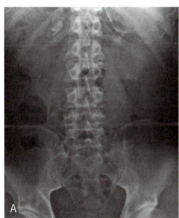
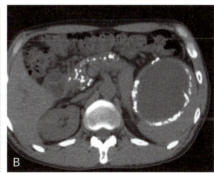

図3　慢性膵炎

処方例
- **リパクレオン**®顆粒（300 mg）6包，分3
- **ネキシウム**®顆粒（20 mg）1包，分1
- **ロキソニン**®錠（60 mg）3錠，分3

- 上記で症状が治まらない場合は専門医に紹介．膵石に対する体内衝撃波結石破砕療法や内視鏡治療を考慮する．

68 右下腹部痛
虫垂炎を疑うとき

基本の考え方

- 初診時に，緊急手術が必要な虫垂炎かどうかを診断する．
- 診断には**症状の発生順序が重要**であり，典型的には以下の順で，12〜48時間くらいで増悪してくる．
  ① 局在のはっきりしない心窩部痛（内臓痛）
  ② 悪心・嘔吐，食欲低下
  ③ 虫垂に限局した圧痛（体性痛，持続性）
  ④ 発熱
  ⑤ 白血球増多
- 虫垂に限局した圧痛があれば診断は難しくないが，非典型例も少なくない．
- 小児，高齢者は訴えがはっきりせず，自覚症状に乏しいため重篤になりやすく，特に小児では初診で半数が見逃されており，穿孔頻度も高い．
- 鑑別診断には，大腸炎，憩室炎，炎症性腸疾患，過敏性腸症候群，胆嚢炎，膵炎，鼠径ヘルニア，前立腺炎，尿管結石症，異所性妊娠，卵巣茎捻転，骨盤腹膜炎，子宮付属器炎，腸腰筋膿瘍などがある．
- 結腸憩室炎との鑑別は困難だが，憩室炎は通常痛みの移動はなく，悪心・嘔吐は少ない．

診察室で

聞く

- ■ 腹痛の発症前から診察時までの継時的な症状の変化は？（腹痛は移動性か？ 発症時期は？）
  → 虫垂炎の場合，心窩部に始まり，後に右下腹部に移動することが多い．発症から2日以内なら穿孔はまれ．

- → 上述「基本の考え方」の発生順序を念頭に置く．
- ■ 食欲不振，悪心，下痢などの随伴症状はあるか？
  - → 虫垂炎の場合，いつもと違う便通，特に年少児では下痢を伴うことが多い．
  - → 虫垂炎初期の典型的な病歴と自他覚所見がある場合は専門医へ紹介．

診 る

- ■ 聴診 → 炎症があっても腸蠕動音は正常が多く，腹膜炎では消失する．
- ■ 打・触診：**緊張や反跳痛を誘発しないよう，愛護的に行う．McBurney点が最多．**
  - → 虫垂の位置により症状・腹部所見に大きな違いがあり，炎症が骨盤部や盲腸後面で右腸腰筋に接している場合は，左側臥位で右股関節を過伸展させると痛みが増強する．腸腰筋症候（腰筋徴候）が約90％で陽性となる．

検査する

まずはここから

- ■ 血算・生化学・CRP，腹部X線，腹部エコー
  - → 白血球・CRPが高値，腹部X線で糞石を認める，エコーで腫大した虫垂を認める，などの場合は専門医へ紹介．
  - → 腹部X線で糞石は約10％に認められ，炎症が進行すると腸腰筋陰影が不鮮明になったり，麻痺性イレウスを呈する場合もある．
  - → 腹部エコーは被曝もなく正診率も高いため，小児や若い女性には第一選択の画像診断となる．

念を入れるなら

- ■ 腹部CT → 腫大した虫垂を認めれば，専門医へ紹介．

治療する

- ■ 原則は手術であり，専門医へ紹介する．開腹術または腹腔鏡下手術が適応になる．
- ■ 確定診断前であっても，痛みがあれば早期に鎮痛薬を投与してよい．
- ■ ごく早期では，抗菌薬による保存的治療も可能であるが，白血球・CRP上昇，画像で虫垂腫大があれば，手術が第一選択．発症から何日も経ち，限局性膿瘍が形成されたときは待機的手術．

- 医師の判断で保存的治療を選択したときは，①標準的治療ではない，②効果がなく腹膜炎に進行する可能性，③入院期間が長期（1〜2週間）になる，④奏効しても約40％は1年以内に再発や手術になる，⑤妊娠可能女性では癒着で不妊の原因になる，などの危険性をしっかり説明し，同意を得ること．
- 保存的治療を選択し入院となった後も，経時的に全身所見，バイタルサイン，炎症の進行を評価し，手術のタイミングを逃さないこと．

症例

症例1　蜂窩織炎性急性虫垂炎

- 14歳，男性．
- 心窩部のむかつきと鈍痛の後，右下腹部に痛みが移動．
- 体温37.3℃，右下腹部に自発痛・圧痛あり，発症から12時間．
- 白血球13,600/μL，CRP 0.6 mg/dL
- 腹部エコーで横径10 mmに腫大した虫垂を認め（**図1-A**），プローブの圧迫で変化はみられず，圧痛を認めた（**図1-B**）．

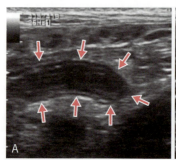 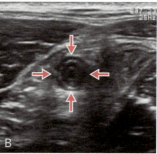

図1　エコーで腫大した虫垂を認めた

→ 蜂窩織炎性急性虫垂炎と診断し，外科に紹介した．

▶ ここで専門医に紹介

症例2　穿孔性虫垂炎，限局性膿瘍

- 69歳，男性．
- 5日前に上腹部不快感を自覚．右下腹部に痛みが移動し，体温40℃まで上昇．自宅で臥床し様子をみたところ，症状は一時改善したが，腹部膨満および嘔吐をするようになり，右下腹部痛が再燃したため来院．

- 白血球5,800/μL，CRP 19.3 mg/dL
- 体温36.1℃，腹部膨満，右下腹部圧痛，聴診で金属音．発症から5日間経過．
- 腹部X線：麻痺性イレウス，右腸腰筋陰影不鮮明，右腸骨窩のX線透過性低下を認めた（**図2-A**矢印）．
- 縦軸エコー：右下腹部に腫瘤（**図2-B**点線）を認め，後腹膜側にfree space（**図2-B**矢印）を認めた．

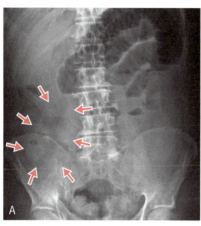
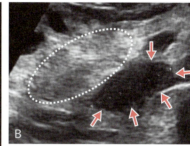

図2 右腸骨窩のX線透過性低下（A）とエコーによる腫瘤と膿瘍の抽出（B）

→ 限局性膿瘍を伴った穿孔性虫垂炎と診断し，外科に紹介した．

ここで専門医に紹介

> **ヒント** 急性虫垂炎のエコー診断
> - 痛みの部位にプローブを当て，**虫垂を確認し圧痛があるか（sonographic McBurney's sign），圧迫しても変化はないか，盲腸から連続し反対は盲端に終わっているか**（**図3**矢印），糞石の有無（**図4**矢印），膿瘍や腹水がないか確認する．
> - **短軸径6 mm以上，壁肥厚**も有意な所見であるが，虫垂が描出されなくても虫垂炎を否定しない．
> - 虫垂の描出にはリニアプローブが適している．

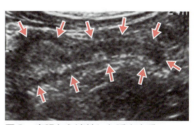

図3 盲腸から連続した腫大虫垂

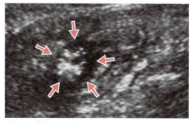

図4 糞石の確認

> **処方例**

虫垂炎の起因菌であるグラム陽性桿菌，嫌気性菌などの腸内細菌をターゲットに，薬剤を選択する．
- **セフメタゾン®**注：1〜2 g/日，分2，静注・点滴静注・筋注（1日最大4 g）
- **スルペラゾン®**注：1〜2 g/日，分2，静注（1日最大4 g）
- **フルマリン®**注：1〜2 g/日，分2，静注・点滴静注（増減）（1日最大4 g，分2〜4）

69 胸部の痛み

肋間神経痛，気胸，胸膜炎，心膜炎，帯状疱疹，前胸部キャッチ症候群など

基本の考え方

- □ 急性冠症候群（狭心症，心筋梗塞）や，大動脈解離（次項「70．最近発症の心筋梗塞」参照），心筋炎，気胸，胸膜炎，肺血栓塞栓症は急を要する．
- □ 肋間神経痛，逆流性食道炎，心臓神経症，肋骨骨折，心房細動，過呼吸症候群，帯状疱疹，前胸部キャッチ症候群は急を要しない．

> **メモ** 前胸部キャッチ症候群
> 6〜20歳くらいの若年者にみられる，突然起こる左前胸部に数秒から数分起こるのが特徴で，痛みの範囲は限局的で指1，2本で指し示せる程度のことが多く，正確な原因は分かっていない．診断は他の疾患を否定してから確認し，特に治療は必要とせず自然に治るもので，様子をみることとなる．海外での報告がみられ，類義語にステーキハウス症候群，胸痛症候群などがある．

診察室で

聞く

- ■ **初めてか？ 繰り返し起こるか？**
  → 繰り返しであれば，肋間神経痛，心臓神経症，過呼吸症候群，前胸部キャッチ症候群を疑う．
- ■ **表面的な痛みか？** → 帯状疱疹，肋骨骨折，前胸部キャッチ症候群を疑う．
- ■ **症状が我慢できるか？** → 負担がなければ経過観察．

診る

- ■ 触診
  → 水疱があれば帯状疱疹，胸郭の呼吸の動きが偏っていたら気胸を疑う．
- ■ 聴診

①心雑音はあるか？　→　あれば心エコー
②肺雑音・呼吸音異常はあるか？　→　あれば胸部X線

検査する

まずはここから
- 心電図，胸部X線

念を入れるなら
- 血液検査（末梢血，CRP，**高感度心筋トロポニンT・I**など），心エコー，胸部CT
  → 経過や臨床像から病的背景が否定できれば，血液検査や心エコー，胸部CTを行わない選択も許容される．

> **メモ　胸痛マーカー**
> 心筋トロポニンとは筋原線維の収縮調整蛋白の1つで，心筋梗塞発症後3〜6時間で上昇し，約2週間は検出可能なため，発症後数日を経て入院した例でも急性心筋梗塞の診断が可能である．発症約4日目に第2のピークを認め，心筋細胞の不可逆的な壊死を示し，梗塞サイズや慢性期の心機能と相関する．健常者では存在せず，感度・特異度が高い．心筋トロポニンは，CK-MBとともに急性心筋梗塞の血液マーカーとして心筋特異性に優れている．心筋トロポニンにはTとIがある．トロポニンTの方がより遅延するので発症1週間の心筋梗塞ではトロポニンTの方が高感度と言われるが，逆にトロポニンIは溶血の影響を受けにくく超急性期にはトロポニンIの方が高感度という報告がある（日内会誌 **108**：2467–2474, 2019）．

症　例

症例1　急な胸痛で呼吸困難を伴う肺血栓塞栓症

- 55歳，女性．
- 右**下腿の浮腫**を繰り返していた．**労作時の息切れ**を感じていたが，ある日，**突然の胸痛と呼吸困難**があり救急車にて搬入．
- 血液ガスで低酸素血症と過換気を，胸部X線で心拡大を認めた．うっ血はなく肺動脈の拡張あり．
- 心電図：I誘導で深いS波があり，右軸偏位の傾向を認めた．
- 心エコー：右房，右室の拡大，左室の縮小，心室中隔の平坦化，下大静脈の拡大あり．

→ 造影CTや肺血流シンチグラフィで迅速に肺血栓塞栓症と診断された．

> **メモ　肺血栓塞栓症**
> 下肢静脈などの血管内に発生した血栓が肺動脈に詰まり，肺動脈の血流が悪化して起こる疾患で，小さい血栓では軽症ですが，大きい血栓では太い肺動脈に詰まるとショックを起こす．

症例2　繰り返す胸痛で食事と関連した逆流性食道炎

- 35歳，男性．
- 早食いの習慣があり，げっぷとともに**嘔吐**することが多くなっていた．
- 血液が混じる**嘔吐の後**，胸痛が持続するようになった．
- 上部消化管内視鏡：食道下部に裂けたような粘膜障害を認めた．
  → マロリー・ワイス症候群を伴う逆流性食道炎と診断．

> **メモ**
> - 逆流性食道炎は，胃液が食道の方へ逆流し，胃酸が食道の粘膜に刺激し，食道に炎症を起こし胸部付近に痛みをもたらす．
> - 飲酒後に吐血，激しい**嘔吐の後**，胸痛を訴える疾患はマロリー・ワイス症候群を疑う．

症例3　繰り返す胸痛で症状が多彩な心臓神経症（過呼吸症候群，心身症）

- 25歳，女性．
- **ストレス**が多く，仕事中に突然の呼吸困難とともに胸の痛みを感じ，救急車にて搬入．搬入時に**両手のしびれ**感が強く，**過呼吸**の状態であった．
- 様々な検査で他疾患が否定され，心因性の胸痛症候群（ときに心臓神経症と称される）を疑う．
- 向精神薬[エチゾラム（デパス®）やアルプラゾラム（ソラナックス®）]を短期間投与．
  → 効果を確認の上，カウンセリングなど行い，必要に応じて心療内科受診を勧める．

> **ヒント　心房細動などの頻脈性不整脈**
> この疾患は動悸などと一緒に自覚し，脈拍数が100 bpm以上の高度頻脈の際に交感神経亢進状態になり，胸部の違和感が敏感になって痛いと訴える．心電図を確認し脈拍をコントロールするとその痛みは消えていく．

70 最近発症の心筋梗塞

recent MI

基本の考え方
- 多くは2〜28日前に発症したが，発症時に病院を受診しなかった症例．
- 明らかな胸痛はなく，心不全を併発してみつかる症例もある．
- 発症数日以内に**心不全，致死的不整脈，心破裂**などの合併症が起こりうる．

診察室で

聞く
- 胸痛はいつ発症したか，現在も持続しているか？
  → 持続していればすぐ専門医に紹介．
- 呼吸困難など心不全症状はあるか？

診る
- 聴診：心雑音や湿性ラ音はあるか？
  → あれば胸部X線，心エコーを施行する．

検査する

まずはここから
- 心電図，血液検査（血算，生化学，CK，高感度心筋トロポニンI，BNP），胸部X線，心エコー
  → 発症から時間が経過していても，**心筋梗塞（MI）を疑っていれば運動負荷心電図は原則禁忌**．

念を入れるなら
- CT（単純でも可） → 大動脈解離，心嚢液貯留の評価．

> [メモ] **心筋傷害マーカー（高感度心筋トロポニン）**
> 従来から心筋梗塞のマーカーとして，CK-MB，ミオグロビンなどが使用されてきたが，上昇するまでに2～4時間以上かかり，感度・特異度ともに限界があった．最近では高感度心筋トロポニンが微小な心筋傷害を早期に検出するため，発症2時間以内の超急性期診断にも有用であり，他の心筋梗塞マーカーより優れているとの報告もある (Keller T, et al：JAMA 306：2684-2693, 2011)．ただし，心不全・肺塞栓症・左室肥大・腎不全などの疾患でも上昇するため，解釈には注意を要する．

> [ヒント] **心筋梗塞の心電図変化（図1）**
> まずはT波の増高，ST上昇が続き，発症数時間後からR波減高・異常Q波が出現する．STの回復とともに陰性T波が出てくる．recent MIではすでに異常Q波が出現し，ST-T変化が残存していることが多い．

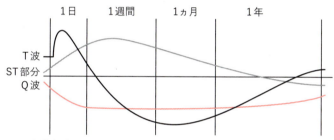

図1　心筋梗塞の心電図変化
［川名正敏ほか：カラー版循環器病学基礎と臨床，p655，西村書店，2010より作成］

> [メモ] **recent MI（RMI, 亜急性心筋梗塞）はacute MI（AMI, 急性心筋梗塞）より予後が良いか？**
> 東京CCUネットワークのデータベースによると，RMI群では高齢女性，低体重患者が多く，胸痛より息切れ症状が多く，高血圧，糖尿病，末梢動脈疾患の合併率が高かった．責任病変は，RMI群で左冠動脈前下行枝病変が多く，また多枝病変も多かった．RMI群で心室中隔穿孔など機械的合併症が多く（RMI vs. AMI：3.0% vs. 1.5%），心室頻拍などの不整脈はAMI群で多かった（RMI vs. AMI：2.6% vs. 4.8%）．30日死亡率は両群間で有意差はなかった（RMI vs. AMI：5.3% vs. 5.8%）が，RMI群は入院1週間後も機械的合併症による死亡が増え続けた．RMI群は発症時の死亡を免れて入院した後も，30日死亡率がAMI群と同程度のため，慎重な治療が必要である (Ito R, et al：Circ J 84：1511-1518, 2020)．

症例

症例1　胸痛が持続するrecent MI

- 68歳，女性．
- 2日前より持続する胸痛にて独歩で来院．
- V_1〜V_5誘導で陰性T波．Ⅱ，Ⅲ，aV_F，V_4〜V_6でST上昇残存．Ⅱ，Ⅲ，aV_Fで異常Q波．胸部誘導でR波減高あり（**図2**）．
- ストレッチャーで救急外来へ搬送，酸素投与，静脈路確保．
- → **MIを疑ったら自分で動いてはいけない．**
- 血液検査，胸部X線，心エコー：**心筋逸脱酵素の上昇**，腎機能，心不全所見，弁膜症，心囊液の有無などを確認．

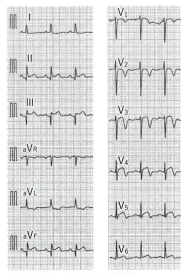

図2　recent MIの心電図

- 緊急冠動脈造影でLAD#6の99％狭窄を認め，経皮的冠動脈ステント留置術（PCI）を施行した．下壁まで回り込む大きな前下行枝であり，Ⅱ，Ⅲ，aV_F誘導でも心電図変化を認めた．
- 再灌流療法は，発症12時間以上経過していれば，症状，血行動態，合併症などを評価し適応を判断する．

症例2　心不全症状で受診したrecent MI

- 55歳，男性．
- 糖尿病で通院中．胸痛はなかったが，数日前から呼吸困難が出現したため受診．
- V_1〜V_4で異常Q波を認め，ST上昇も軽度残存していた．
- 血液検査，胸部X線：CK，高感度心筋トロポニンIは軽度上昇，BNP高値であった．X線で肺うっ血を認めた．
- 心エコーで前壁中隔の壁運動低下を認め，他機械的合併症はないと診断．

> ここで専門医に紹介

- 循環器専門施設へ相談．
  - → 酸素2L/分投与，ニトログリセリン25 mg/50 mLを3 mL/時で開始し，転院搬送した．
  - → 心不全加療を行い，後日PCIとなった．
- 搬送の際，アスピリン内服，ヘパリン3,000〜5,000単位静注，硝酸薬点滴などを検討するが，**合併症によっては禁忌**となる．自信が持てなければ，酸素投与，静脈路確保だけでも十分である．

71 安静時の狭心症

異型狭心症

> **基本の考え方**
> - 主に心外膜冠動脈の一過性の攣縮が原因で，胸痛・ST上昇を示す狭心症．
> - **発作は主に夜間から早朝の安静時に出現しやすい．**
> - 喫煙（受動喫煙も）がリスク因子で，飲酒，過呼吸，ストレスなどが誘因となる．

診察室で

聞く

- 症状の時間帯（安静時か労作時か）？
  → **夜間安静時主体**であれば異型狭心症を疑う．
- 絞扼感か胸やけか？
  → 胸やけであれば逆流性食道炎の可能性．

  > **メモ** 異型狭心症 vs. 逆流性食道炎
  > 診断的治療として硝酸薬舌下投与を処方し，効果があれば異型狭心症．効果がなく，水分摂取や胃薬（PPIなど）で改善するようであれば逆流性食道炎の可能性が高い．

診る

- 聴診：心雑音がないことを確認．

検査する

まずはここから
- 心電図，運動負荷心電図，血液検査，胸部X線

> 次のステップ

- 心エコー，ホルター心電図
  → 症状の頻度が多ければ，ホルター心電図でST上昇を認めることもある．

> 可能であれば

- 冠動脈CT → 器質的狭窄病変を除外する．

症 例

症例1　夜間胸痛を繰り返す異型狭心症

- 59歳，男性，喫煙者．
- 夜間の胸痛を主訴に受診．
- 心電図施行中に胸痛あり．Ⅱ，Ⅲ，aV_F誘導でST上昇を認め（図1），1分後に改善．
- 冠動脈造影では有意病変は認めず，冠攣縮誘発試験にてLCX #14が閉塞した．
  → 禁煙を指導しCa拮抗薬追加．

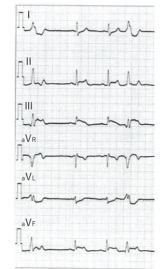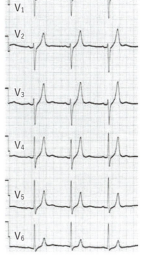

図1 症例1の心電図

― 処方例
- **コニール®**錠（4 mg）2錠，分2，朝・就寝前
- **アイトロール®**錠（20 mg）2錠，分2，朝・就寝前
- **フランドル®**テープ（40 mg）1枚/日，夜に貼りかえる
- **ニトロペン®**舌下錠（0.3 mg）発作時1錠，舌下

夜間に効果が続くように処方を工夫する．

症例2　心筋梗塞に異型狭心症を合併している症例

- 52歳，男性，喫煙者．
- 1ヵ月前に急性後壁心筋梗塞を発症し，LCX#14にステント留置後．
- 夜間に心筋梗塞時と同じ胸痛が出現したため搬送．
- 来院時は症状が消失し，心電図変化も認めなかった．
- 冠動脈造影では有意狭窄なく，冠攣縮誘発試験でRCA#1閉塞を認めた（図2）．

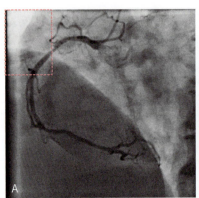 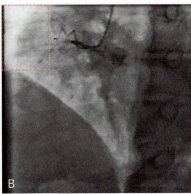

図2　右冠動脈造影（A：冠攣縮誘発前，B：誘発後）

→ 硝酸薬内服下でも冠攣縮が発生したため，心筋梗塞に対して導入していたβ遮断薬を中止し，Ca拮抗薬を導入した．
- 冠攣縮が急性冠症候群の原因となりうるため，禁煙は必須．

> **ヒント　異型狭心症にβ遮断薬は注意**
> β遮断薬は心筋梗塞後の心保護，不整脈予防や労作性狭心症の発作減少に有用である．しかし異型狭心症に対しては，α作用が増強してしまい発作を助長する可能性がある．純粋な異型狭心症には中止が検討されるが，器質的冠動脈狭窄の合併例であれば，Ca拮抗薬（特にベニジピン）との併用が望ましい（Ito A, et al：J Cardiovasc Pharmacol 44：480-485, 2004）．

症例3　仕事中の胸痛を繰り返す女性

- 50歳台，女性，喫煙者．
- 医療従事者でストレスが多く過労気味．
- 仕事中に胸部絞扼感を繰り返すため，そのたびに心電図を施行するが異常

なし．診断のため紹介となった．
- 冠動脈CT，冠動脈造影で器質的狭窄病変は認めず，エルゴノビン負荷試験でも心電図変化，冠攣縮は生じなかった．しかし，負荷試験中に普段と似た胸部症状が出現した．
  → 微小血管狭心症と診断し，ベニジピン8 mg/日，スタチン系薬，禁煙，過労・ストレス回避を指導．
- 以後，胸部症状は改善している．

> **ヒント** **Ischemia with No Obstructive Coronary Arteries (INOCA)**
> 近年注目されている非狭窄性冠動脈由来の虚血性心疾患．微小血管狭心症と冠攣縮性狭心症の2つに分かれる．特に微小血管狭心症は，冠動脈造影，冠攣縮誘発試験で異常を認めないため，非心原性胸痛と診断される場合が多い．微小血管障害を有している症例も予後が悪く，QOLを大きく損なう．PET-CT，MRI，ガイドワイヤーによる冠動脈機能評価などが診断に有用．治療法は，運動・体重管理・禁煙・ストレス改善などの生活改善，高血圧・脂質異常症・糖尿病管理が重要．微小血管狭心症に対しては，β遮断薬，Ca拮抗薬，ニコランジルの有効性が報告されている (Kunadian V, et al：Eur Heart J **41**：3504-3520, 2020)．

72 中高年の体の痛み
リウマチ性多発筋痛症

基本の考え方

- 中高年の体の痛みの鑑別ではC反応性蛋白（CRP）をうまく使う．
- CRP陽性なら炎症性の病態であり，**菌血症**（特に感染性心内膜炎），**偽痛風**（特にcrowned dens syndrome），**血管炎**［特に抗好中球細胞質抗体（ANCA）関連血管炎］，**関節リウマチ，リウマチ性多発筋痛症**（PMR）を鑑別する．血液培養，ANCA，リウマトイド因子（RF），抗CCP抗体検査を追加提出しておき，結果が出揃うまではNSAIDs処方で対応する．NSAIDsが著効する場合は偽痛風の可能性が高い．NSAIDsの効果がなく検査結果がすべて陰性であることを確認して，初めてPMRの可能性を考える．
- CRP陰性なら非炎症性の病態であり，内分泌代謝疾患（副腎不全，甲状腺機能低下症，更年期障害），神経疾患（末梢神経障害，パーキンソン病），線維筋痛症などを鑑別する．

> **メモ** crowned dens syndrome
> 頸椎偽痛風のことであり，髄膜炎やPMRとよく間違えられる．頸部CTにおいて軸椎歯突起の後面に石灰沈着（**図1**矢印）を証明できれば確定的である．

診察室で

聞く

- 年齢は？ どのような症状がどのような経過で出現してきたか？
  → PMRは通常**50歳以上の中高年者**に発症し，**四肢近位部のこわばりと痛み**（肩が最も多く，次いで頸部，股関節から骨盤領域）が**比較的急性の経過**で出現する．

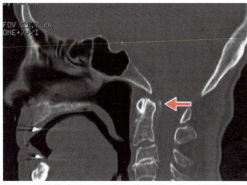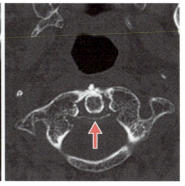

図1 頸椎偽痛風のCT（A：矢状断，B：水平断）

- 頸から上の症状はあるか？
  - → PMRは**巨細胞性動脈炎**を合併することがあり，頭痛，頭皮の異常感覚，咀嚼時の疲労感（顎跛行），視力障害などの**頭部虚血症状**を認めれば，専門医に紹介する．

診る

- 上肢挙上としゃがみ立ちがスムーズにできるか？
  - → PMRの本態は大関節周囲の滑液包炎であり，疼痛のためこれらの動作ができなくなる．
- 痛みの場所の確認 → 滑液包が存在する肩峰下・股関節前面・大転子部・坐骨結節に一致して圧痛を認めることが多い．
- 視診・触診（手足） → PMRでは手足の腱鞘滑膜炎の合併により，手背足背の圧痕性浮腫をきたすことがある．

検査する

まずはここから
- 通常の血液検査に加えて，血液培養2セット，MPO-ANCA，PR3-ANCA，RF，抗CCP抗体 → PMRではいずれも陰性．

念を入れるなら
- 体幹部CT，内視鏡検査，腹部エコーなど → 腫瘍随伴症候群としてPMR様症状をきたすことがあり，年齢相応の悪性腫瘍スクリーニングを行う．

症　例

症例1　つまずき症例

- 86歳，女性．
- CRP陽性の体の痛みに対し，前医で十分な精査なく「PMR」と診断され，プレドニゾロン（プレドニン®，15 mg/日）の投与が開始された．しかし，体の痛みはむしろ増強し，さらに意識障害が急速に進行して救急搬送されてきた．
- 精査の結果，肺炎球菌性肺炎による菌血症から，細菌性髄膜炎，化膿性多関節炎が続発していることが判明し（図2），集中治療室入室となった．

→ 除外診断を怠ると不幸な転帰をとりかねない．

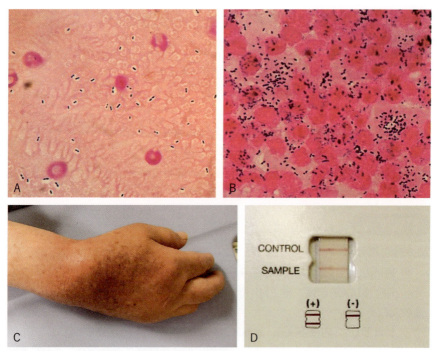

図2　症例1の検査結果
A：髄腋，B：膝関節液，C：手関節炎，D：尿中肺炎球菌抗原

> **ヒント** ステロイドで良くならないPMR
>
> 真のPMRならステロイドが著効するが，反応性が乏しい場合，血清反応陰性関節リウマチ，巨細胞性動脈炎の合併，脊椎関節炎，悪性腫瘍によるPMR様症状などの可能性があり，早めに専門医に紹介すべきである．

> **患者さんを安心させるコツ・ポイント**
>
> 「PMRなら少量のステロイドで劇的によくなりますが，一方でPMRそっくりの厄介な病気がいろいろとあり，それらをステロイドを使う前にしっかり除外しておくことが大切です」と説明する．

処方例

- **プレドニン®**錠15 mg/日，朝1回（2週）→ 12.5 mg/日（次の2週）→ 10 mg/日（次の4週），以後1 mgずつ4週ごとに減量し，安定していれば中止を目指す．

73 膝の痛み
痛風，偽痛風，化膿性関節炎

> **基本の考え方**
>
> □ 急性発症の膝の激痛の原因として，痛風性関節炎や偽痛風性関節炎，化膿性関節炎が鑑別に挙がる．

診察室で

聞く

- **膝の痛みの発症形態は？ 痛みの程度は？**
  → 急性発症で安静時も我慢できないような膝の激痛では，痛風性関節炎，偽痛風性関節炎，化膿性関節炎を念頭に置く．
- **最近の膝関節穿刺の既往は？ ステロイド内服歴は？**
  → 化膿性関節炎を念頭に置く．

診る

- 視診・触診（膝） → 膝関節の**熱感や腫脹**がないか確認．

検査する

まずはここから
- 膝関節X線 → 骨折，変形性関節症の鑑別，**半月板の石灰化**があれば偽痛風性関節炎の可能性あり．
- 血液検査（血算，生化学，赤沈） → 尿酸値，炎症反応の確認．

念を入れるなら
- 関節穿刺（細菌培養，ピロリン酸Ca，尿酸Na，白血球数，糖値）

> **メモ** 痛風・偽痛風・化膿性関節炎の鑑別
> - **痛風性関節炎**：尿酸値高値．関節液で尿酸Na検出．
> - **偽痛風性関節炎**：発熱，白血球・CRP高値．X線で半月板の石灰化．関節液でピロリン酸Ca検出．
> - **化膿性関節炎**：発熱，白血球・CRP高値．ステロイド内服や頻回な膝関節穿刺の既往．関節液のグラム染色・細菌培養で細菌が検出．

症例

症例1　偽痛風性関節炎

- 67歳，女性．
- 急激な膝関節痛と発熱，高CRP血症（CRP 10.98 mg/dL）を認め受診．
- 化膿性関節炎を念頭に膝関節穿刺，穿刺液は細菌培養に提出．
- X線では変形性膝関節症の所見（**図1-A**）．
  → 穿刺液は黄色，やや混濁（**図1-B**），細菌培養の結果は陰性．偽痛風性関節炎の診断とし，NSAIDsの内服で症状改善．

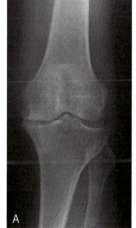

図1　偽痛風性関節炎（A：X線，B：関節液）

> **ヒント** 診断のポイント
> 高齢者の慢性的な膝の疼痛の原因としては変形性膝関節症が最も多いが，特に誘因なく発症する急激な膝の疼痛の原因として，痛風・偽痛風・化膿性関節炎などが考えられる．いずれも**全身性の発熱，膝の熱感，腫脹**を伴い，**血液検査で炎症反応の上昇**を認めるため，診断に苦慮することがしばしばある．鑑別には**関節穿刺**が有用．予防的抗菌薬投与は起因菌の検出が困難となる症例もあるため避けるべきである．化膿性関節炎に対しては早期に対応しなければ敗血症や下肢切断に至る症例もあり，迅速に専門医へ紹介する必要がある．

> **処方例**
>
> 急激に発症した膝の痛みに対しての薬物療法は，まず以下のいずれかを選択（選択肢は他にもある）．
>
> ■ 経口薬
> - **ロキソニン**®錠（60 mg）3錠，分3
> - **カロナール**®錠（500 mg）3錠，分3
>
> ■ 外用薬
> - **モーラス**®パップ（60 mg）1枚/日

74 歩くと足が痛い

閉塞性動脈硬化症，間欠性跛行，下肢痛

基本の考え方

- **閉塞性動脈硬化症（ASO）は多い．**
- 腰部脊柱管狭窄症でも間欠性跛行を認める．
- **バージャー（Buerger）病はめったにない**ため「末梢動脈疾患（PAD）≒実質的にASO」．
- ASOの6割は冠動脈疾患か脳動脈疾患を合併している．

> ヒント　ASOと脊柱管狭窄症の判別ポイント
> - ASO：**片側性**＞両側性．**ふくらはぎ**（腓腹）が痛い．下肢**冷感＋足背動脈**が触れにくい．動脈硬化のリスク．
> - 脊柱管狭窄症：**両側性**．殿部から下肢全体に痛みやしびれ．**「前屈で症状緩和」**が特徴．→ あれば整形外科に紹介．

診察室で

聞く

- **症状が出るまでの歩行距離は？** → **歩き出してすぐ痛くなるほど重症．**
- **再現性**はあるか？ → ある（しばらく休息すると治まるがまた歩き始めると再び痛み出す）なら間欠性跛行．
- **動脈硬化のリスクや冠動脈疾患，脳血管疾患**は？
  → 動脈硬化のリスクからASOと判断できる．

診る

- **足を指針・触診**：下肢の色や温度はどうか？　足背動脈を触れるか？
  →「白っぽい・うす黒い」くらいで異常かどうか確信が持てないときもあれば，「足指の壊死」を認めることもある．

検査する

まずはここから
- 足関節上腕血圧比（ABI）
- 心電図，胸部X線，血液検査

次のステップ
- ABIや症状からASOが疑われる場合，造影剤を用いた「下肢動脈MDCT」を行う．
  → ただし，腎機能がeGFR＜30 mL/分/1.73 m^{2}の場合，造影CTは避ける．

症例

症例1　薬物療法

- 82歳，男性．下肢の疲労感．
- 間欠性跛行ははっきりしないが，多少足が疲れるという．右下肢のABIは右0.7，左0.98．右足首の圧波形は起伏がゆるやかになっていた（図1）．下肢動脈MRIで右浅大腿動脈に20 cmの閉塞があり（図2），両側前脛骨動脈にも狭窄があった．
- 血行再建術が容易でない血管病変のため，薬物療法で対処．

処方例
- **プレタール®** OD錠（100 mg）2錠，分2
  動悸が副作用の1つ．

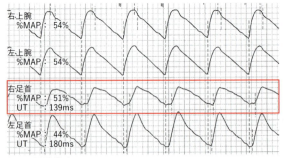

図1　脈波検査

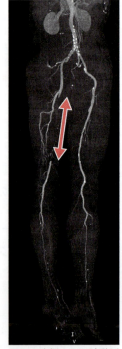

図2　症例1の下肢動脈MRI

> 症例2　ステントで血行再建

- 80歳，男性．
- 症状も強く，ABIも典型的．MDCTで総腸骨動脈の狭窄が顕著．

> ここで専門医に紹介

- 入院して血管造影と血行再建術（ステントの留置）．
- 同時に施行した冠動脈造影検査で高度狭窄が指摘された．

> **ヒント** 末梢血管病は合併する
> - 約21,000人の末梢動脈疾患患者の病変の重複について検討されている（Alberts MJ, et al：Eur Heart J **30**：2318-2326, 2009）．冠動脈疾患のみ，脳血管疾患のみの患者は，それぞれの疾患の75％と59％だったが，ASOでかつ他の血管に病変を認めない患者は38％に留まっている（**図3**）．
> - ASOであることは，他の部分の動脈硬化も進行している可能性が高い．

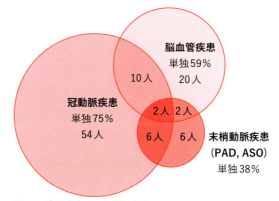

図3　動脈疾患100人いたら

処方例

間欠性跛行の薬物治療は，まず下記のいずれか（選択肢は他にもある）．
- **プレタール**®OD錠（100 mg）2錠，分2
- 低用量**アスピリン**錠（100 mg）1錠，分1

> **患者さんを安心させるコツ・ポイント**
> ASOの場合，「薬を飲みながら，痛くても休みつつ歩いていくと，歩行距離が延びていきますよ」と説明する．

75 片側の刺すような痛み
帯状疱疹

基本の考え方
- □ 帯状疱疹は水痘・帯状疱疹ウイルス（VZV）の再活性化が原因である．
- □ 治療の基本は抗ヘルペスウイルス薬の全身投与である．
- □ 顔面の帯状疱疹では，眼科的合併症，耳鼻咽喉科的合併症［ラムゼイ・ハント（Ramsay Hunt）症候群］に注意する．
- □ 皮疹重症例，疼痛の高度な症例は，早めの皮膚科専門医への紹介が必要となる．

診察室で

聞く

- ■ 痛みの質は？
  - → **知覚過敏や低下**を伴う**片側の限局性の痛み**（電気が走るような・刺すような痛み）があれば，皮疹がなくても帯状疱疹の可能性を考える．
- ■ 痛みの程度は？
  - → **夜も眠れない**痛みがあるようなら，皮膚科もしくは麻酔科専門医に紹介．

> **メモ** 皮疹がない場合の考え方
> 皮疹がない片側の痛みの場合は，原則的には数日待って皮膚症状が出現し，臨床診断がついてから治療を開始するのが望ましいが，前述のように知覚異常を伴う痛みが強い場合，皮疹がなくても治療開始することがある．

診る

- ■ 皮疹の範囲が広い，散布疹・汎発疹があるか？
  - → あれば皮膚科専門医に紹介．
- ■ 大きな個疹，血疱や潰瘍はあるか？
  - → あれば重症化，疼痛の遷延の可能性が高い（**図1**）．

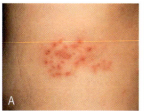 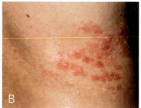 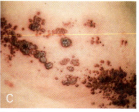

図1 皮疹からみた帯状疱疹の重症度（A：軽症，B：中等症，C：重症）

- 三叉神経1枝領域の帯状疱疹で鼻尖部，鼻背部に皮疹はあるか？
  → あればハッチンソン（Hutchinson）徴候であり，眼科に併診．
- 耳介の帯状疱疹で，顔面神経麻痺，耳鳴，めまいなどの症状はあるか？
  → あればラムゼイ・ハント症候群であり，耳鼻咽喉科に紹介．

検査する

まずはここから
- イムノクロマト法（デルマクイック®VZV）

念を入れるなら
- 一般血液検査（特に腎機能）
  → 抗ヘルペスウイルス薬（核酸アナログ製剤）は腎排泄性であるため，**高齢者，腎障害患者では適切な減量が必要**となる．

> **メモ** デルマクイック®VZVは，金コロイドを用いたイムノクロマト法を測定原理とする迅速診断キットである．滅菌綿棒で採取した検体を専用の検体抽出液に抽出し，試料3滴をテストカートリッジの試料滴下部に滴下する．5〜10分後に判定部にテストライン部に固相化された抗VZVモノクローナル抗体（マウス）に特異的に捕捉された赤紫色のラインを確認することで，試料中のVZV抗原が検出できる．保険点数は，実施料が水痘ウイルス抗原定性（上皮細胞）として227点，判断料が免疫学的検査判断料として144点が算定できる（2023年現在）．

処方例

■ 抗ウイルス薬による治療
①軽症〜中等症例
- **アメナリーフ®**錠（200 mg）2錠，分1，食後，7日間

- **ファムビル**®錠（250 mg）6錠，分3，毎食後，7日間
- **バルトレックス**®錠（500 mg）6錠，分3，毎食後，7日間

②重症例，合併症を伴う例
皮疹重症例や疼痛の高度な例，頭頸部の帯状疱疹で眼科的・耳鼻咽喉科的な合併症（ラムゼイ・ハント症候群）があれば，入院の上で点滴による治療を考慮する．

- **ゾビラックス**®注（250 mg）5 mg/kg/回，1日3回，1時間以上かけて点滴静注，7日間
- **アラセナ-A**®注（300 mg）5〜10 mg/kg/回，1日1回，輸液500 mLあたり2〜4時間かけて点滴静注，5日間

③効果不十分の場合
免疫抑制患者などで，抗ウイルス薬投与後も水疱の新生や残存がある場合は，**抗ウイルス薬の投与延長**を考える．

④腎障害例，高齢者
抗ウイルス薬は腎排泄性の薬剤であり，クレアチニンクリアランスに応じて減量する．

■ 皮疹部への外用療法
びらん，潰瘍などがある場合は，皮膚病変の保護を目的とした外用療法を行う．

①病変部の保護目的
- 白色ワセリン（**プロペト**®）：1日1回，患部に塗布

■ 急性期疼痛の管理
高齢者に対しては胃粘膜障害の少ない薬剤を選択する．

- **カロナール**®錠（500 mg）1〜2錠/回，3〜4回/日，毎食後・就寝時．疼痛の程度に応じて適宜増減．最大使用量は4,000 mg/日．

> [ヒント] **ワクチンによる帯状疱疹の予防**
> 米国ではすでに2006年5月より帯状疱疹生ワクチンの接種が推奨されていたが，わが国でも帯状疱疹に対する予防効果は医学，薬学上公知であるとして，2016年3月に水痘ワクチンに対して，「50歳以上の者に対する帯状疱疹予防」の効能追加が認められた．また，VZVの糖蛋白とアジュバントから構成される新規サブユニットワクチン（**シングリックス**®）の臨床試験では，帯状疱疹発症阻止効果は97.2％と驚くべき結果が得られ（Lal H, et al：N Engl J Med 372：2087-2096, 2015），2020年1月よりわが国でも使用可能となっている．

76 腰や背中が痛む・曲がる

骨粗鬆症

基本の考え方

- 65歳以上の女性，70歳以上の男性，リスク因子を伴う閉経期前後～閉経後の女性，リスク因子を伴う50歳以上の男性なら，骨密度検査（☞メモ：FRAX®参照）．
- 痛みを伴わない椎体骨折が多い．
- 骨密度が正常範囲でも椎体・大腿骨骨折があれば，骨粗鬆症の治療を始める（☞ヒント①参照）．

診察室で

聞く

- 身長低下があるか？
- 両親の大腿骨近位部骨折歴，現在の喫煙・ステロイドの使用・関節リウマチの有無，アルコール摂取は？
- 糖尿病，慢性腎臓病，甲状腺機能亢進症などはないか？
- 転倒歴がないか？
  → 椎体骨折の場合，受傷直後に疼痛があってもその後自然軽快することがあるので，脊椎X線を確認する必要がある．
- 持続する腰背部痛や下肢痛，しびれ，筋力低下がないか？
  → あれば脊椎専門医に紹介．
- 検診で骨量減少を指摘されて来院する場合もあり，症状がないこともある．

> **メモ** **骨折発生のリスク予測 "FRAX®"**
> 骨粗鬆症ならびに関連する骨折の危険因子が明らかにされており，今後10年以内の骨折発生のリスク予測としてWHOはFRAX®という骨折リスクの評価ツールを提唱している（https://www.sheffield.ac.uk/FRAX/?lang=jp）（2022年11月閲覧）．年齢，性別，身長，体重，既存骨折，両親の大腿骨近位部骨折歴，現在の喫煙，ステロイドの使用，関節リウマチ，続発性骨粗鬆症の有無，アルコール摂取［1日3単位（1単位：エタノール8〜10ｇ以上）］，大腿骨頸部骨密度が入力項目である．

診る

■ 背骨が曲がっていないか？
→ 患者を壁際に直立させ，壁と後頭骨間の距離を測定．

検査する

まずはここから

■ 骨量測定（dual-energy X-ray absorptiometry：DXA法）
■ 骨代謝マーカー測定（表1）

表1　骨吸収マーカーと骨形成マーカー

1. 骨型酒石酸抵抗性酸性ホスファターゼ（TRACP-5b）
   → 基準値：女性120〜420 mU/dL，男性170〜590 mU/dL
2. 1型プロコラーゲン-N-プロペプチド（total-P1NP）
   → 基準値：閉経後女性26.4〜98.2 ng/mL，男性18.1〜74.1 ng/mL
3. 骨型アルカリホスファターゼ（BAP）
   → 基準値：女性9.6〜35.4 U/L，男性13.0〜33.9 U/L
4. 低カルボキシル化オステオカルシン（ucOC）
   → 基準値：4.5 ng/mL未満

■ 脊椎X線：椎体が潰れていないか？
→ 胸腰椎移行部の骨折が多く，胸腰椎〜腰椎まで含めた方がよい．

念を入れるなら

■ 脊椎X線では新鮮椎体骨折は評価できないことがあり，腰椎MRI（T1強調，STIR）が重要となる．

> **メモ DXA法**
>
> 骨粗鬆症診断をするためにDXA法がよく用いられる．面積骨密度（単位g/cm^2）で算出された骨密度値と性別ごとの若年成人（20〜44歳）平均値（young adult mean：YAM）との比率（%YAM）で測定する．%YAM 70%以下で骨粗鬆症の診断となる．大腿骨，腰椎で評価することが望ましい（日本骨粗鬆症学会ほか：骨粗鬆症の予防と治療ガイドライン2015年版，2015）．

症例

症例1　骨量減少

- 74歳，女性．
- 骨粗鬆症検診で骨量減少を指摘され受診．特に症状はなし．
- 胸腰椎移行部から腰椎の単純X線，骨量測定（DXA法），血液検査（骨代謝マーカー：total P1NP，TRACP-5b，BAP）
  → 大腿骨%YAM 63%，腰椎%YAM 69%，TRACP-5b高値（510 mU/dL）
  → 画像上，椎体骨折はみられなかった．
- ビスホスホネート製剤（月1回製剤）処方．

症例2　転倒し腰痛を認める

- 83歳，女性．
- 3週前に転倒し腰痛を認め，その後改善したが，残存するため受診．
- 骨量測定，血液検査，胸腰椎移行部から腰椎のX線・MRI施行．
  → X線上でははっきりしなかったが，MRIにてL1椎体の新鮮骨折が指摘された（T1強調像で低信号，STIRで高信号；図1）．

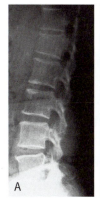

図1　腰椎の画像評価
A：X線，B：MRI（T1強調像），C：MRI（STIR）

■ 安静臥床とコルセット加療．骨癒合判定後デノスマブ（プラリア®）投与した．
→ 骨吸収抑制薬であるビスホスホネート製剤やデノスマブは骨癒合を遅延させる可能性があるため上記加療を行った．しかし，複数椎体にわたり骨折がみられ，腰椎％YAM 60％以下の骨量減少など重症骨粗鬆症の場合，骨形成促進薬であるテリパラチド（テリボン®，フォルテオ®）投与あるいは骨形成促進，骨吸収抑制薬である抗スクレロスチン抗体製剤（イベニティ®）を推奨する．

> **ヒント** ①骨強度＝骨密度＋骨質
> 骨形成と骨吸収を繰り返し行うことで骨が再構築される．加齢変化や閉経，臥床による骨密度の減少や骨質の悪化により骨脆弱性をきたす骨粗鬆症となる．骨強度は骨密度＋骨質とされており，骨質はコラーゲン同士を結びつける架橋形成に依存していると報告されている（Saito M, et al：Osteoporos Int 21：195-214, 2010）．糖尿病や腎機能低下により骨質が低下する．骨密度が正常範囲であっても椎体骨折や大腿骨近位部骨折などの脆弱性骨折がある場合は，薬物療法を開始する必要がある．
> ②検診が重要
> 骨折を起こしてしまうと椎体変形や歩行障害の原因にもなり，治療に難渋することも多い．骨粗鬆症検診率が高いと介護率が低いという報告もある（Yamauchi H, et al：Pharma Medica 26：37-42, 2008）．骨密度検診は1年に1回，骨粗鬆症加療時は半年に1回が望ましい．

処方例

■ ビスホスホネート製剤
- **アクトネル®** 錠（75 mg），**ボノテオ®** 錠（50 mg），**ボンビバ®** 静注（1 mg）：月1回
- **リクラスト®** 点滴静注（5 mg）：年1回

■ 選択的エストロゲン受容体モジュレーター（SERM）（ラロキシフェン）
- **エビスタ®** 錠（60 mg）1錠，分1

■ 活性型ビタミン D_3 製剤（エルデカルシトール）
- **エディロール®** カプセル（0.75 μg）1カプセル，分1

■ 抗RANKL抗体（デノスマブ）
- **プラリア®** 皮下注（60 mg）：半年に1回

■ 副甲状腺ホルモン製剤(テリパラチド)
- **テリボン**®皮下注(56.5 μg)1A/回,週1回
- **テリボン**®皮下注(28.2 μg)1A/回,週2回
- **フォルテオ**®皮下注(600 μg)+オートインジェクター:20 μg/回,毎日

いずれも生涯で2年間の投与.

■ 抗スクレロスチン抗体製剤(ロモソズマブ)
- **イベニティ**®皮下注(105 mg)2A/回,月1回,12ヵ月投与

> **メモ** デノスマブ,テリパラチド投与の注意点
> 骨吸収抑制薬であるデノスマブ投与時には低Ca血症,骨形成促進薬であるテリパラチド投与時には高Ca血症にそれぞれ注意しながら処方する必要があり,定期的に血液検査を行う(投与初期は2週間に1回程度).

> **メモ** 骨形成促進作用と骨吸収抑制作用を併せ持つ抗スクレロスチン抗体:ロモソズマブ
> Wnt/βカテニンシグナルの阻害因子であるスクレロスチンは骨細胞特異的に発現し,骨芽細胞による骨形成を抑制し,破骨細胞による骨吸収を促進する糖タンパク質である.ロモソズマブはスクレロスチンに対するヒト型抗体であり,骨形成促進作用と骨吸収抑制作用を併せ持つ(dual effect).

> **メモ** テリパラチド,ロモソズマブの適応
> 以下の骨折危険性の高い骨粗鬆症の場合,
> ①骨密度値が−2.5 SD(YAM約70%)以下で1個以上の脆弱性骨折がある
> ②腰椎骨密度が−3.3 SD(YAM約60%)未満
> ③既存椎体骨折数が2個以上
> ④既存椎体骨折の半定量評価法がGrade 3いずれかに該当する
> (日本骨粗鬆症学会ほか:骨粗鬆症の予防と治療ガイドライン2015年版,2015)
> テリパラチドやロモソズマブ投与の適応となる.

77 ビタミン欠乏症
かなり危険なビタミンB_1欠乏

基本の考え方

- ビタミンは，体内で合成できないか不十分であり，体外からの摂取が必要不可欠な栄養成分．
- 一般に，脂溶性ビタミン（A, D, E, K）は蓄積性があり，欠乏症よりも過剰症のリスクがある．水溶性ビタミン（B_1, B_2, B_6, B_{12}, C, パントテン酸，ニコチン酸，葉酸，ビオチン）は排泄性があるため，欠乏症をきたしやすい．
- 高齢者では，食習慣の変化，摂取能力の低下，吸収・代謝機能の低下により，種々の栄養障害を生じる．

診察室で

聞く

- 食生活は？：インスタント食品，アルコールや砂糖入り清涼飲料水，糖質の過剰摂取，偏食，極端なダイエットをしていないか？

診る

- 頭痛，嘔吐，めまい，けいれん，意識障害，知覚異常などの末梢神経障害，眼症状，皮膚炎，口角炎，舌炎，出血傾向，認知症はないか？

検査する

- 血液検査：貧血の有無，PT, APTT, PIVKA-II，血中ビタミン濃度の測定
- ウェルニッケ脳症を疑ったら → MRI

症例

症例1　口角炎

- 原因：ビタミンB_2・B_6の欠乏（胃腸障害，抗菌薬の服用，**アルコール大量摂取**），ストレス
- 鑑別疾患として口唇ヘルペスが挙げられるが，ヘルペスは口角に発症することはまれ．
- 高齢者では，カンジダ属やメチシリン耐性黄色ブドウ球菌感染症（MRSA）が起因菌のこともある．

処方例
- **アズノール**®うがい液（4%）1回5〜7滴を約100 mLの水に溶かして1日3〜4回含嗽
- **ロコイド**®軟膏（0.1%）適量を1日1〜数回塗布
- **カンジダ属が疑われる場合**
- **フロリード**®ゲル経口用（2%）5 g/回，1日4回
- **ビタミンB_2として**
- **フラビタン**®錠（5 mg）1〜9錠，分1〜3
- **ビタミンB_6として**
- **ピドキサール**®錠（10 mg）1〜6錠，分1〜3

症例2　ビタミンB_1欠乏症（ウェルニッケ脳症）

- ビタミンB_1欠乏［**Wernicke（ウェルニッケ）脳症**］はアルコール大量摂取者に多い．頻度は臨床研究では0.04〜0.13%と推測されたが，剖検例で0.8〜2.8%と多く，見逃されている．
- ウェルニッケ脳症は，意識障害，眼球運動障害，運動失調を三主徴とする脳症である（三徴揃うのは20%未満）．
- 画像診断にはMRIが有用で，典型的には中脳水道・第三脳室周囲および乳頭体が，T2強調像・FLAIR・拡散強調像で高信号を呈する．
- 甲状腺機能亢進症，悪性腫瘍，重度の感染症，妊娠悪阻，重度の肝障害，血液透析，腹膜透析でもみられる．
- 原則はビタミンB_1大量投与だが，投与量や継続期間に根拠のある指針はない．

- 処方例
  - 急性期
    - **アリナミン**®F注：500 mg/回を30分かけて静注3回/日，連続2～3日間
    - **アリナミン**®F注（50 mg）10A＋生理食塩水100 mL，反応がなければ中止．反応があれば250 mg/日をさらに3～5日間継続．
  - 維持
    - **アリナミン**®F錠（5 mg）1～20錠，分1～3

症例3　ビタミンB_{12}・葉酸欠乏

- ビタミンB_{12}と葉酸は，欠乏すると巨赤芽球性貧血を生じる．
- ビタミンB_{12}は動物性食品に，葉酸は緑黄色野菜や果実に多く，通常の食事で摂取不足は生じない．
- ビタミンB_{12}欠乏は，胃切除，萎縮性胃炎（*H. pylori* 感染性を含む），制酸薬の長期投与，悪性貧血（胃がんの合併多い），吸収不良症候群，菜食主義者，メトホルミンの長期服用などで生じる．
- 体（肝臓）には，約5年分のビタミンB_{12}が貯蔵されている．胃切除後，1年で鉄欠乏性貧血，3～5年でビタミンB_{12}欠乏性貧血を発症する．
- 葉酸欠乏は，アルコール依存症，妊娠，溶血性貧血，皮膚疾患，葉酸吸収障害（小腸病変，抗けいれん薬，経口避妊薬），葉酸拮抗薬で生じる．
- 巨赤芽球性貧血にみられる神経症状は，ビタミンB_{12}欠乏のときのみである．末梢神経障害の頻度が高いが脊髄障害もあり，亜急性連合性脊髄変性症が知られている．

- 処方例
  - 悪性貧血や胃切除後ビタミンB_{12}欠乏の場合
    - **メチコバール**®注（500 μg）1A，分1，筋注
  - 食物，ビタミンB_{12}吸収不全の場合
    - **メチコバール**®錠（500 μg）3錠，分3
  - 葉酸欠乏の場合
    - **フォリアミン**®錠（5 mg）3錠，分3

> メモ　潜在性ビタミン欠乏症
> 現在は，食品が豊富でサプリメントなども手に入りやすく，明らかなビタミン欠乏症は少ない．一方で，インスタント食品や砂糖入り清涼飲料水などの過剰摂取による潜在性ビタミン欠乏状態に留意．

78 肝機能異常やリンパ節腫大を伴う発熱

伝染性単核球症 など

基本の考え方

- □ 思春期を中心とする若年者ではEpstein-Barrウイルス（EBV）による伝染性単核球症の頻度が高い．
- □ サイトメガロウイルス（CMV）やヒト免疫不全ウイルス（HIV-1）など，EBV以外のウイルスによる伝染性単核球症様症候群も鑑別に挙げる．
- □ 結核性リンパ節炎，悪性リンパ腫，悪性腫瘍の転移など見逃してはいけない疾患にも注意．

診察室で

聞く

- ■ いつから？
- ■ 部位は局所or全身性か？
- ■ その他の症状は？
- ■ 既往歴，外傷歴，薬剤服用歴，性交渉歴，海外渡航歴，ネコなどの動物との接触歴などは？

なぜ聞くか？

- ■ リンパ節腫大をきたす疾患は多岐にわたる．
- ■ リンパ節の性状や問診で鑑別診断を絞り込むことが重要．

診る

- ■ バイタルサインの確認
- ■ リンパ節の性状：硬さ，可動性，圧痛はあるか？
- ■ 口腔内の所見
- ■ 皮疹の有無

- ■ 腹部触診：肝脾腫はあるか？
- ■ 髄膜刺激徴候：項部硬直やjolt accentuationなどはあるか？
  - → **喉頭蓋炎や頸部深部の重症感染症**（扁桃周囲膿瘍や後咽頭膿瘍など）を見逃さない．

検査する

まずはここから

- ■ 一般血液検査，抗EBVCA（EB viral capsid antigen）-IgM抗体，EBVCA-IgG抗体，抗EBNA（EB nuclear antigen）抗体（**表1**）
- ■ 白血球目視分類で異型リンパ球を確認．

表1 伝染性単核球症の診断

	急性感染（伝染性単核球症）	既感染
EBVCA-IgM	＋	－
EBVCA-IgG	＋または－	＋
EBNA-IgG	－	＋

念を入れるなら

- ■ 問診や診察結果に応じて考慮する．
- ■ CMV-IgM抗体，CMV-IgG抗体，HIV-1/2スクリーニング検査，麻疹・風疹IgM抗体，IgG抗体，トキソプラズマIgM，IgG抗体など
- ■ 補体，抗核抗体，フェリチン，可溶性IL-2レセプター，抗原特異的インターフェロンγ遊離検査（クォンティフェロン®TBゴールドまたはゴールドプラス，Tスポット®.TB）など
- ■ CT，エコー

対応する

- ■ 伝染性単核球症であればアセトアミノフェン投与など**対症療法**のみ．
- ■ 伝染性単核球症の発症から4日〜3週間後に脾破裂の報告が多い．
  - → この期間はコンタクトスポーツなど**激しい運動を避ける**よう指導する．
- ■ **アンピシリン**をはじめ種々の抗菌薬投与により**皮疹**を呈することが知られている．
- ■ 安易な抗菌薬やステロイドの投与は慎む．
  - → 身体所見やA群β溶連菌迅速試験などで，抗菌薬投与が必要な病態を除外する．
  - → 結核性リンパ節炎では，キノロン系抗菌薬やステロイドにより症状がマスクされてしまう可能性がある．

- 鑑別診断：化膿性リンパ節炎，結核性リンパ節炎，亜急性壊死性リンパ節炎（菊池病），CMVやHIV-1などEBV以外のウイルスによる伝染性単核球症様症候群，麻疹，風疹，トキソプラズマ感染症，ねこひっかき病，悪性リンパ腫，悪性腫瘍のリンパ節転移，成人発症スチル病，全身性エリテマトーデス，ウイルス関連血球貪食症候群など
- 伝染性単核球症様症候群では，20〜30歳台以降になるとCMVの頻度が高くなる．
- 症状の改善に乏しい場合はCT，エコーなどの画像検査を行い，リンパ節生検ができる施設への紹介を考慮する．

症例

症例1　発熱，肝障害の鑑別

- 32歳，男性．
- 5日間続く発熱，軽度の頸部リンパ節腫大で来院．
- AST 223 U/L，AST 347 U/Lと肝機能異常あり．
- CMV-IgM抗体陽性（EIA価3.6）であり，CMVによる伝染性単核球症様症候群と診断．

症例2　同性間性交渉歴のある若年男性

- 18歳，男性．
- 1週間続く発熱，頸部リンパ節腫大，全身の紅斑で来院．
- 軽度の肝機能異常を認めた．
- 性交渉歴を問診したところ，約1ヵ月前に同性間性交渉があった．
- HIV-1/2スクリーニング検査で陽性，HIV-1/2抗体確認検査法では判定保留，HIV-1リアルタイムPCR法で陽性であった．
  → 急性HIV感染症の診断．

> ヒント　初診時には性交渉歴について問診しづらい？
> 性交渉で感染する疾患があり，鑑別診断上大切な質問であると意義をしっかり説明することで，ほとんどの場合スムーズに問診できる．

> メモ **慢性活動性EBV感染症**
> - まれな疾患ではあるが，診断・治療の遅れにより予後不良となる．
> - 特に若年者で伝染性単核球症様症状が持続あるいは反復する場合や，抗体価が異常高値［一般にEBVCA-IgG 640倍以上，EBEA (early antigen)-IgG 160倍以上］の場合，慢性活動性EBV感染症を疑い，血液内科専門医への紹介を考慮．

患者さんを安心させるコツ・ポイント

「リンパ節腫大は多くの場合良性疾患で，自然軽快することがほとんどです．ただし年齢や基礎疾患によっては悪性疾患のこともあるため，しっかり診断することが大切です」と伝える．

79 関節痛と発熱

関節リウマチ，膠原病

基本の考え方

- 体温の日差が1℃以下の発熱を稽留熱といい，1℃以上の発熱を弛張熱という．日差1℃以上だが，平熱時間があるものを間欠熱という．
- 膠原病が発症するとき，あるいは活動性が高まりつつあるときは，周期的発熱から間欠熱，弛張熱へ変化する．
- 関節痛が主訴であるときは関節の腫脹，熱感を確認する．
- 関節痛の発症経過が急性か慢性かを聞き取る．
- 関節の部位によってある程度疾患が絞られる可能性がある．
- 関節症状以外に浮腫，皮疹などの有無を確認する．
- 感染症，悪性腫瘍を除外することが大切である．

診察室で

聞く

- 一過性なのか，急性なのか，慢性なのか？
- 単関節なのか，多関節なのか？
- 症状が発現するのは安静時か可動時か？
- 関節痛のほかに腫脹やこわばりを伴うか？
- 発熱やドライアイ，ドライマウスなどを伴うか？
  → 倦怠感，体重の増減，脱毛などの自覚症状の確認も大切．
- 先行感染のエピソードがあるか？
  → B型肝炎，パルボウイルスの感染症の除外は必要．

診る

- **関節痛のほかに関節腫脹，熱感があるか？**
  → 関節リウマチやその他自己免疫疾患と変形性関節炎を鑑別する．
- **関節症状が単関節か，多関節か，両側か，片側かを確認する．**
- **炎症性か，機械性か？ 結晶はあるか？**
  → 関節リウマチ，膠原病，変形性関節症，痛風，偽痛風を鑑別する．
- **関節痛の原因は滑膜炎か，付着部炎か？**
- **関節症状は手関節以外に，上腕，腰部，殿部，仙腸骨関節にあるか？**
- **関節痛のほか，筋肉痛，浮腫や皮疹などがあるか？**
  → 脊椎関節炎，強直性脊椎炎，乾癬性関節炎，リウマチ性多発筋痛症，RS3PE症候群，成人スチル病などを鑑別する．
- **ドライマウス，ドライアイ，リンパ節腫大，甲状腺腫大などがあるか？**
  → シェーグレン症候群，悪性リンパ腫，橋本病などを除外する．
- **歯周病，呼吸器病変，消化器病変，腎泌尿器病変はないか？**
  → 歯肉炎，間質性肺炎，尿道炎などの合併の確認する．
- **胸部聴診で呼吸器雑音，心雑音はあるか？**
  → 肺結核，感染性心内膜炎などの感染症の除外も大切．
- **血液疾患や悪性腫瘍に随伴していないか？**
  → 腫瘍随伴症候群を鑑別する．

検査する

まずはここから

- **感染症の除外と関節リウマチ，膠原病や変形性関節炎の鑑別のため炎症反応などを確認．**
- **血液検査（表1）** → 急性炎症では**CRP**が上昇し，慢性炎症では**赤沈**，血小板，**フェリチン**が上昇する．自己免疫疾患ではIgGなどが上昇する．

表1 CRPによる膠原病の分類

CRP陽性	CRP陰性
関節リウマチ（高活動性），リウマチ性多発筋痛症，PS3PE症候群，成人スチル病，血管炎症候群，再発性多発軟骨腫など	全身性エリテマトーデス，混合性結合組織病，シェーグレン症候群，全身性硬化症，多発性筋炎，皮膚筋炎，ベーチェット病，関節リウマチ，脊椎関節炎など

次のステップ

- **リウマトイド因子（RF），抗CCP抗体，MMP-3などを測定する．**
  - → 関節リウマチやRF陰性関節炎を鑑別する．
- **抗核抗体** → 80倍以上陽性なら，全身性エリテマトーデス，混合性結合組織病，全身性硬化症を疑う．
- **抗SS-A抗体** → 陽性でかつドライアイ，ドライマウスなどの症状があれば，抗SS-B抗体を測定してシェーグレン症候群を鑑別する．
- **MPO-ANCA，PR3-ANCA，抗Jo-1抗体，抗ARS抗体など測定する．**
  - → 血管炎や筋炎では抗核抗体陰性の場合もあるので必要に応じて実施する．
- **エコー，MRI，CTなど実施する．**
  - → 疾患に応じた炎症の病巣を検索して確定診断に結びつける．

症例

症例1 関節リウマチ

- 53歳，女性．
- 1年前から左手首の腱鞘炎で整骨院に通院．微熱，朝のこわばりがあり，両手近位指節間関節（PIP関節），中手指節間関節（MP関節），足趾などに痛みを感じてきた．
- 血液検査で**RF，抗CCP抗体，MMP-3**，CRP，ESR，抗核抗体など測定する．
- 手，足X線，関節エコー，関節MRIなどを実施する．
- 念のため関節リウマチ分類基準にあてはめる（**表2**）．

表2 米国・欧州リウマチ学会合同の関節リウマチ分類基準（2010年）

①1関節以上で臨床的に滑膜炎を認める
②滑膜炎の原因が他の疾患では説明がつかない
→上記の2項目を満たすときに，罹患関節，血清学的検査，急性期反応物質，症状の持続期間などをスコア分類して関節リウマチの診断に用いる

- 関節リウマチと診断したら禁忌がないことを確認してメトトレキサートを開始して有効性が確認されるまで漸増していく（**図1**）．多くの患者は10 mg/週程度で効果が発現する．

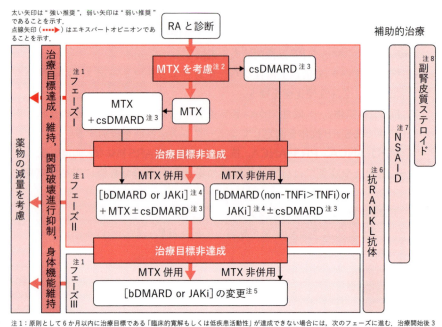

注1：原則として6か月以内に治療目標である「臨床的寛解もしくは低疾患活動性」が達成できない場合には，次のフェーズに進む．治療開始後3か月で改善がみられなければ治療を見直し，RF/ACPA陽性（特に高力価陽性）や早期からの骨びらんを有する症例は関節破壊が進みやすいため，より積極的な治療を考慮する．
注2：禁忌事項のほかに，年齢，腎機能，肺合併症等を考慮して決定する．
注3：MTX以外のcsDMARDを指す．
注4：長期安全性，医療経済の観点からbDMARDを優先する．
注5：TNF阻害薬が効果不十分な場合は，非TNF阻害薬への切替を優先する．
注6：疾患活動性が低下しても骨びらんの進行がある患者，特にRF/ACPA陽性患者で使用を考慮する．
注7：疼痛緩和目的に必要最小量で短期間が望ましい．
注8：早期かつcsDMARD使用RAに必要最小量を投与し，可能な限り短期間（数か月以内）で漸減中止する．再燃時等で使用する場合も同様である．

図1　日本リウマチ学会診療ガイドライン2020薬物治療アルゴリズム

［日本リウマチ学会：関節リウマチ診療ガイドライン2020，診断と治療社，2020より許諾を得て転載］

■ メトトレキサートが内服できない場合は他の従来型抗リウマチ薬を投与する．

— **初回処方例**
- **リウマトレックス®** カプセル（2 mg）3～4カプセル，分1～2，月曜日
- **フォリアミン®** 錠（5 mg）1錠，分1，水曜日

■ メトトレキサートの投与を開始して3ヵ月経過しても炎症反応やMMP-3などが正常化せず，関節症状も改善しないときは，治療を強化する必要がある．6ヵ月経過しても寛解にならない場合には，従来型抗リウマチ薬の追加や生物学的製剤，JAK阻害薬などの治療が必要であり，専門医に紹介すべきである．

> **ヒント** 関節リウマチの識別ポイント
>
> 関節リウマチの診断では，他の膠原病や甲状腺などの内分泌疾患，ウイルス性肝炎，炎症性腸疾患，皮膚疾患などに伴う関節炎を除外することが重要である．RFと抗CCP抗体の感度，特異度はそれぞれ，RF（65％，75％），抗CCP抗体（85％，90％）である．初期，軽度であれば手X線やCRPなどの炎症反応が正常であることが多く，炎症反応やRFが陰性だからといって関節リウマチを否定できないこともあり，PsA，SpA，PMR，RS3PE症候群などのRF陰性関節炎などもていねいに鑑別する．高齢者が関節リウマチを発症した場合には，RF陰性で，比較的急性発症で大関節に症状がある場合が多い．

症例2　リウマチ性多発筋痛症

- 82歳，男性．
- 10日前に特に誘因なく急激に両肩の痛みが出現，両手がこわばり，著明に両手が腫れた．
- その後，痛みは殿部から大腿へ及び，寝返りが打てなくなり歩けなくなった．
- 血液検査でRF，抗CCP抗体，MMP-3，MPO-ANCA，PR3-ANCA，抗核抗体などの陰性を確認する．
- 血液検査でCRP，ESRの高値を確認する．
- X線画像が正常であること，関節エコー，MRIでは滑液包炎を確認する．
- 念のためBirdの診断基準（1979年）にあてはめる（**表3**）．
- プレドニゾロン15～20 mg/日を開始すると症状は速やかに改善．
- ステロイド漸減中の再燃やプレドニゾロンによる副作用がある場合にはメトトレキサートを投与することがある．

表3　Bird（バード）の診断基準（1979年）

- 両側の肩の痛み，またはこわばり感
- 発症2週間以内に症状が完成する
- 発症後初めての赤沈値が40 mm/時以上
- 1時間以上続く朝のこわばり
- 65歳以上発症
- 抑うつ症状もしくは体重減少
- 両側上腕の筋の圧痛

3項目以上で診断する．

― 処方例
- プレドニン®錠（5 mg）3錠，分1～3

- PMRと鑑別が難しい疾患に高齢発症関節リウマチ，巨細胞性血管炎，RS3PE症候群，腫瘍随伴症候群などがあり，診断に自信が持てない場合や治療反応性が悪い場合には専門医に紹介すべきである．

80 皮疹と関節痛
全身性エリテマトーデスと関連疾患

基本の考え方

- 全身性エリテマトーデス(SLE)は，皮膚，関節，血液，腎臓，中枢神経など全身の臓器を侵す原因不明の自己免疫疾患．
- 男女比は1：10と女性が圧倒的に多く，罹患率は1/10万人，好発年齢は20歳台．令和1年度(2019年)特定疾患医療受給者は61,835人である．
- 治療はステロイド，免疫調整薬，免疫抑制薬，生物学的製剤などが病態に応じて併用される．
- 死因は感染症，腎障害，心血管障害の順．SLEによる死亡は減少している．5年生存率は95％以上．

診察室で

聞 く

- **皮疹が出現したきっかけに日焼けなどの誘因があるか？**
  → 光線過敏の可能性を確認する．
- **口腔潰瘍，脱毛，手先の血流障害があるか？**
  → 混合性結合組織病，全身性硬化症を鑑別する．
- **ドライアイ，ドライマウスはあるか？**
  → 乾燥症状があればシェーグレン症候群を鑑別する．
- **関節痛，こわばりはないか？** → 関節リウマチを鑑別する．
- **感染症の可能性はないか？** → 必要に応じてスクリーニングする．

診 る

- 両頬に鼻隆を横断する**蝶形紅斑**(図1)はあるか？
- **レイノー現象**(図2)はあるか？

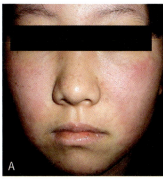
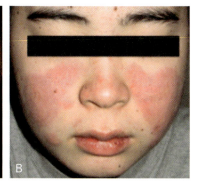

図1　蝶形紅斑

- 蝶形紅斑の他に耳や他の部分にも皮疹がないか？
- 口腔，鼻咽頭の無痛性の潰瘍はあるか？
- 爪周囲紅斑，爪床血栓があるか？
- 脱毛があるか？

検査する

まずはここから

- **血液検査** → **抗核抗体**80倍以上陽性，白血球4,000/μL未満，リンパ球1,500/μL未満，血小板10万/μL未満を目安とする．

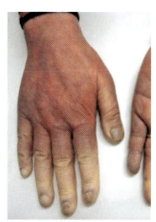

図2　レイノー現象

- **尿検査** → 持続性蛋白尿や細胞性円柱で腎機能を確認する．

次のステップ

- **抗Sm抗体，抗ds-DNA抗体**，抗カルジオリピン抗体，ループスアンチコアグラント，C3，C4を測定する．
- 胸部X線，胸部CT，心エコーなどで胸膜炎，心膜炎などを確認してSLEの分類基準（**表1**）にあてはめる．
  → 全身の検索により腎障害，肺病変，心病変，神経障害，血球障害があれば専門医に紹介する．

表1　EULAR/ACRによるSLEの分類基準（2019年）

分類	項目	内容
臨床	全身症状	38.3℃を超える発熱（2）
	血液初見	4,000/μL未満の白血球減少（3），10万/μL未満の血小板減少（4），自己免疫性溶血（4）
	精神神経	せん妄（2），精神障害（3），けいれん（5）
	皮膚粘膜	非瘢痕性脱毛（2），口腔内潰瘍（2），亜急性皮膚ループスや円板状ループス（4），急性皮膚ループス（蝶形紅斑や斑状丘疹状皮疹）（6）
	漿膜	胸水または心嚢液（5），急性心外膜炎（6）
	筋骨格	関節症状（6）
	腎臓	0.5g/日以上の尿蛋白（4），腎生検でクラスⅡまたはⅤのループス腎炎（8），クラスⅢまたはⅣのループス腎炎（10）
免疫	抗リン脂質抗体	抗カルジオリピン抗体，または抗β_2GP1抗体，またはループスアンチコアグラント（2）
	補体	C3かC4どちらか低下（3），C3とC4両方低下（4）
	SLE自己抗体	抗dsDNA抗体，または抗Sm抗体（6）

（　）は点数．
少なくとも1回は抗核抗体80倍以上陽性が必須とされ，7臨床項目（全身症状，血液，神経精神，皮膚粘膜，漿膜，筋骨格，腎臓），3免疫項目（抗リン脂質抗体，補体，SLE自己抗体）に分け，臨床項目1つを含み2〜10点で重みづけされた点数合計が10点以上でSLEと分類．

［Aringer M, et al：Arthritis Rheumatol 71：1400-1412, 2019より引用］

症例

症例1　全身性エリテマトーデス

■ 24歳，女性．
■ これまでも海水浴などの後に微熱，倦怠感などがあったが特に気に留めていなかった．
■ 顔面や腕などにある皮疹については，近医皮膚科で外用治療を受けていた．
■ 微熱，関節痛，皮疹が増悪して来院した．
■ 血液検査（血算，生化学検査，抗核抗体）
→ WBC低下，PLT低下，溶血を疑う貧血があり，抗核抗体が陽性であれば膠原病を疑う．SLEはCRPは陰性が多い．
→ 抗ds-DNA抗体，抗Sm抗体陽性，補体（C3，C4）の低下があるなら非常に高い確率でSLEと診断できる．
→ 治療対象が発熱，関節痛などなら対症的にNSAIDsが投与される．

- → 2015年から本邦でもヒドロキシクロロキン（プラケニル®）がSLE，皮膚エリテマトーデスに処方可能となった．
- → 難治性皮疹と発熱，関節痛，軽度の血球障害が主病態であるときは，ステロイドが投与される場合があるが，漫然とした大量長期投与は避けるべきである．

> ここで専門医に紹介

- 漿膜炎，腎障害，神経障害，精神症状があれば，専門医か専門機関へ難治病態と判断して紹介する．SLEを疑う時点で紹介してもよい．

処方例
- **プレドニン®** 錠（5 mg）6錠，分3（0.5 mg/kg/日）
- **プラケニル®** 錠（200 mg）1錠，分1（理想体重46 kg以下）
  理想体重1 kgあたり6.5 mgを超えない量を1日1回で投与する．網膜症がないことをスクリーニングする

症例2　ループス腎炎

- 31歳，女性．
- これまでレイノー現象を反復していたが，高熱，下肢浮腫，皮疹が出現して来院した．
- 血液検査（血算，生化学検査，尿検査，抗核抗体）
  - → 抗核抗体陽性，血球減少あり，低補体，抗C1q抗体陽性を認めた．
  - → 蛋白尿がスポット尿3＋以上，0.5 g/日以上の持続性蛋白尿があり，細胞性円柱を確認した．

> ここで専門医に紹介

- 腎生検を行い，ループス腎炎の確定診断と腎臓病理組織型を確認して治療反応性と予後を予測する．
  - → 臨床的に活動性ループス腎炎と考える未治療例には，問題なければ全例腎生検を行うべきである．

処方例
- **寛解導入療法**：ステロイド＋ミコフェノール酸モフェチル（セルセプト®）あるいはシクロホスファミド（エンドキサン®）
- **維持療法**：ミコフェノール酸モフェチル（セルセプト®），アザチオプリン（イムラン®），タクロリムス（プログラフ®）

- ベリムマブ（ベンリスタ®），アニフロマブ（サフネロー®）など生物学的製剤も登場した．

> [ヒント] ①SLEの診断についてのピットフォール
> 激しい日焼けを日光過敏と判断したり，単なる手足の冷え性をレイノー現象とみなしたり，歯並びや歯で噛んだときの口内炎を診断項目に陽性項目に入れると，治療適応がない患者にステロイドが投与されることになる．病歴の聴取と所見の判断には十分な注意が必要である．診断には分類基準（**表1**）を用いて10点以上ならSLEと分類するが，症状の出現時期は同時である必要はない．
> ②初発SLEは精査入院が基本
> SLEは重大な臓器病変が全身に出現する可能性がある．このため，初発SLEの場合には入院して合併症の検索をすることを勧める．治療は長期にわたり，他の膠原病を合併することもあるため，治療は専門医にゆだねた方がよい．

症例3 成人スチル病

- 39歳，女性．
- 連日夕方から早朝にかけて39〜40℃の発熱し，日中は解熱する**弛張熱**のパターンである．
- 手・肘・肩・膝などの関節痛，咽頭痛，リンパ節腫大がある．

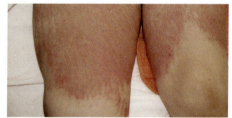

図3 サーモンピンク皮疹

- 血液検査：血算，生化学検査，抗核抗体，リウマトイド因子などを測定する．
  → CRP陽性，**血清フェリチン値著増**で，リウマトイド因子陰性，抗核抗体陰性である．
  → 発熱に伴い膨隆または隆起がない**サーモンピンクの紅斑**（図3）が出現する．
  → 肝障害と脾腫を合併している．
  → 感染症（伝染性単核球症，パルボウイルスなど），悪性腫瘍や悪性リンパ腫などの血液疾患，リウマチ性疾患（血管炎など）を除外する．
- ステロイドを第一選択とする．

処方例

- プレドニゾロン(**プレドニン**®)20〜60 mg/日,分3を導入用量として,初期治療は解熱を目標とする.
- ステロイドの効果が不十分なときはメトトレキサート(リウマトレックス®)やトシリズマブ(アクテムラ®),サリルマブ(ケブザラ®)などを併用することがある.

■ ステロイド抵抗性だったり,臓器障害があったり,再発例であれば専門医への紹介が必要である.

> **ヒント** 成人スチル病診療ピットフォール(表2)
> 全般的に生命予後はよい疾患だが,ステロイドの導入治療量や除外診断を誤ると予後はとたんに悪化する.多くはないが,播種性血管内凝固症候群,血球貪食症候群などを合併することがあり,治療抵抗性となることがあるので注意が必要.除外診断による鑑別が大切である.

表2 成人スチル病分類基準(Yamaguchiらの分類基準,1992年)

大項目	①39℃以上の発熱が1週間以上持続,②関節痛が2週間以上持続,③定型的皮疹,④80%以上の好中球増加を伴う白血球増加(10,000/μL以上)
小項目	①咽頭痛,②リンパ節腫大または脾腫,③肝障害,④リウマトイド因子陰性および抗核抗体陰性

感染,悪性腫瘍,膠原病などを除外し,上記の大項目2つを含む合計5項目以上を認める場合に分類する.

[Yamaguchi M, et al:J Rheumatol 19:424-430, 1992より引用]

81 頻尿，排尿時痛，残尿感
膀胱炎，腎盂腎炎

> **基本の考え方**
> - 尿路感染症とせずに，膀胱炎と腎盂腎炎を分けて表現する．
> - 膀胱炎は管腔臓器の感染で原則無熱であり，無治療でも良くなることは多い．
> - 腎盂腎炎は実質臓器の感染で菌血症を生じやすく，抗菌薬は原則必須で，可能な限り静注が望ましく，治療期間も十分とる．
> - **無症候性細菌尿は，妊婦と泌尿器科術前の場合以外は原則治療しない．**

診察室で

聞く

■ 尿路3症状（頻尿，排尿時痛，残尿感）はあるか？　発熱は？
→ 3症状があって無熱であれば膀胱炎．
→ 3症状はないことが多く，38℃以上の発熱を伴う場合は腎盂腎炎であり，特に悪寒戦慄があれば菌血症も伴っている場合が多い．

診る

■ 陰部の痛みはあるか？
→ 膀胱炎では優位な診察所見はないが，陰部の痛みがあれば膀胱炎ではなく陰部ヘルペスのことがある．

■ 肋骨脊柱角（CVA）叩打痛はあるか？
→ あれば，腎盂腎炎をより疑うが感度は高くはない．**CVA叩打痛というと痛みの有無を確認したくなるが，診察では痛みよりも左右差（違いの有無）を聞く方が感度は高い．**

> 検査する

まずはここから
- **尿検査沈査は必須．**
  → できなければ試験紙法で尿白血球の確認だが，感度が十分ではないため，陰性でも除外できない．

次のステップ
- **尿培養：膿尿（沈査で白血球≧10/HPF）があれば提出．**
  → 腎盂腎炎では原則，血液培養2セット提出．
  → 無症候性細菌尿でも膿尿を伴うとされる．尿検査で膿尿・細菌尿があっても，感染を起こしているかどうかの判断をていねいにする．つまり，**尿路感染症は除外診断**というスタンスが重要．

> [メモ] **無症候性細菌尿**
> 尿検査で細菌尿を認めても，「無症候性細菌尿」といって治療の必要のないものがある．無症候性細菌尿とは，尿培養で細菌尿を認めることであり，実臨床では尿沈渣で細菌＋を指すことが多いが，正式には正しくはない．無症候性細菌尿は健康な若い女性で1.0〜5.0％，妊婦で1.9〜9.5％，糖尿病の女性で10.8〜16％，糖尿病男性で0.7〜11％，高齢女性で25〜50％，高齢男性で15〜40％もあるとされる．治療で感染は減らない上に耐性菌が増えるため，基本は無治療だが，妊婦と泌尿器科手術前では治療を考慮する．無症候性細菌尿の80％で膿尿も伴うとされ，尿検査だけで尿路感染症の判断はできないことが分かる．

> 症　例

症例1　若年女性の膀胱炎

- 20歳台，女性．
- 膀胱炎の既往あり．
- 2日前からの頻尿・排尿時痛・残尿感あり．
- 尿沈査で白血球が30〜50/HPFあり．
- 治療では「大腸菌のカバー」が最低限必要となる．過去の研究ではST合剤やキノロン系薬の成績が良いとされるが，大腸菌のST合剤やキノロン系薬に対する耐性が近年問題となっている．
- **若い女性の膀胱炎は性行為と関連していることが多い．**性行為に関わる病歴聴取は信頼性が十分でない．ST合剤やキノロン系薬は妊娠の可能性が

あるときは避ける．
→ 妊娠をどこまで否定できているかという側面と，治療失敗でも膀胱炎が重症となるリスクはきわめて低く，自然に良くなる感染症でもあることを踏まえて，処方を考える．

■ 処方例
- **ケフレックス®** カプセル（250 mg）6カプセル，分3，5日間前後
- **オラセフ®** 錠（250 mg）4錠，分2，5日間前後
- **サワシリン®** カプセル（250 mg）6カプセル，分3，5日間前後
■ ESBL産生菌など耐性の強いグラム陰性桿菌の場合（感受性結果に合わせて）
- **バクタ®** 配合錠：4錠，分2
- **シプロキサン®** 錠（200 mg）4錠，分2，3日間
- **ホスミシン®** 錠（500 mg）4錠，分2，5日間前後
バイオアベイラビリティは低いが，バクタ®やシプロフロキサシンの感受性がない場合に検討する．

症例2　中年女性の腎盂腎炎

■ 52歳，女性．
■ 基礎疾患なし．
■ 2日前からの38℃の発熱．軽度悪寒はあるも悪寒戦慄はない．
■ 右の背中の重怠さがあり，CVA叩打痛で左右差を聴くと右で＋．
■ 尿沈査で白血球≧50〜100/HPF．
→ 外来で治療可能な全身状態の腎盂腎炎と考えるかどうかが重要となる．尿路感染症は単純性と複雑性という分類があり，それにより起因菌が変わるということになっている．しかし，外来で治療可能と考えたときには，耐性傾向の強くない腸内細菌による尿路感染症として治療することは可能である．
→ 腎盂腎炎では，悪寒戦慄を伴わなくてもしばしば菌血症となっている．外来で治療するとしても解熱までは点滴治療が望ましい．

■ 処方例
- **ロセフィン®** 注：2 g/回，1日1回，解熱まで外来で点滴

- ■ 培養結果が判明していない場合
  - **ケフレックス®**カプセル（250 mg）8カプセル，分4，2週間
- ■ 培養結果が判明して感受性が良い場合
  - **サワシリン®**カプセル（250 mg）8カプセル，分4，2週間
- ■ 抗菌薬開始後72時間で解熱しなければ，尿路の画像検査と点滴治療目的で入院を考慮する．

症例3　高齢女性の腎盂腎炎

- ■ 82歳，女性．
- ■ 高血圧，脂質異常症，糖尿病，神経因性膀胱あり．
- ■ 2日前からの38℃の発熱あり．軽度悪寒はあるも悪寒戦慄はなし．
- ■ ややぐったりしているが熱以外には症状はなく，CVA叩打痛で左右差もない．
- ■ 尿沈査で白血球≧30〜50/HPF，細菌＋．
- ■ 分類上は複雑性尿路感染症だが，外来で治療可能な全身状態と考えれば治療は症例2と同じでよい．悪化時の受診のタイミングなどをていねいに説明する．
- ■ **高齢女性では前述のように無症候性細菌尿の頻度も高い**ため，尿検査での判断は難しい．高齢女性の腎盂腎炎はより除外診断というスタンスが重要であり，血液培養は他疾患であったときには必須である．

> **ヒント** 泌尿器系感染症治療の指標となる代表的なパラメータ
> 感染症では治療効果の判定には臓器特異的なパラメータを大切にする（**表1**）．

表1　パラメータとその改善，評価のポイント

パラメータの例	パラメータの改善	評価のポイント
頻尿	消失	治療後も細菌が持続的に検出される場合，尿路機能の評価と腎膿瘍の検索を行うこと
排尿時痛	消失	
腰背部痛（含叩打痛）	消失	
尿のグラム染色所見	細菌数の減少，白血球の減少	
CT検査	病変範囲の縮小	

スッキリしない…

82 遷延する発熱　発熱以外の情報をチェック…p296
83 倦怠感，ふらつき　身体疾患か精神疾患かその他か…p300
84 のどの違和感　咽喉頭異常感症…p303
85 遷延する咳嗽　感冒症状が先行する…p307

82 遷延する発熱
発熱以外の情報をチェック

> **基本の考え方**
> - **原因疾患の診断に努める．** すでに遷延しているのだから急がない．
> - 発熱だけでは原因病態に迫れない．**発熱以外の情報を集める．**
> - 早めに血液培養を実施することで診断が進みやすい．
> - 対症療法を主体とする治療を実施する．
> - **診断ができない時点では抗菌薬は使用しない．** 診断前に早合点して治療してうまくいくことは少ない．
>
> [ヒント] 感染性疾患と非感染性疾患の判別ポイント
> - 発熱時に脈が増加していれば感染性疾患の可能性が増加する．
> - 発熱時に比較的徐脈の場合，感染性疾患ではサルモネラや非定型病原体，また薬剤熱などの非感染性疾患が想起される．

診察室で

聞く

必須事項

- **どれくらい持続しているか？**
  → 持続期間が1週間程度であれば伝染性単核球症などの良性のウイルス性疾患かもしれない．1ヵ月程度以上では膿瘍，感染性心内膜炎，悪性疾患も考える．
- **症状の増悪，改善はあるか？**
  → 感染性疾患の急性期は日に日に増悪する．改善傾向であれば，感染性疾患の場合，山を越えた証拠．緩解増悪する場合には膠原病や悪性疾患などの非感染性疾患を考える．

- 発熱以外の症状はあるか？　どんなものか？
  - → **発熱以外の症状から疾患を絞りこめる．**咳があるなら結核，痛みがあるならその部位が原因かもしれない．
- 体重減少，寝汗はないか？
- 既往歴や治療中の疾患はあるか？
  - → 既往歴から結核や人工物感染などを想起できる場合がある．歯科治療歴があれば感染性心内膜炎は必ず除外が必要．針治療歴は深部膿瘍のリスクになる．内服薬が原因となる薬剤熱であることもあるし，血栓形成のリスクがあれば血栓熱かもしれない．
- 周囲に同じ症状の人がいるか？
  - → 結核など感染性疾患であれば，周囲に同じ症状の人がいるかもしれない．

それでも分からず聞くとしたら

- 海外渡航歴は？
  - → 渡航関連感染症は症状が多彩であり，鑑別診断に想起しないと診断できない．
- 性活動は？
  - → 予想以上に性活動は多様で，ときにヒト免疫不全ウイルス（HIV）感染症やウイルス性肝炎，寄生虫疾患などのリスクを含む．

診　る

- リンパ節腫脹はないか？
  - → 頸部のリンパ節なら伝染性単核球症かもしれない．また，結核性リンパ節炎はサイズが巨大になるまで気づかないことがある．
- 肝腫大や脾腫大はないか？
  - → 肝腫大，脾腫大はリンパ節腫脹と同じ意味で全身のリンパ節腫脹を意味する．
- 皮疹があればその特徴は？
  - → 手のひらに皮疹がある場合には感染性心内膜炎や梅毒を想起する．

検査する

まずはここから

- 血液検査（血算，生化学，CRPなど）
- 血液培養：外来で採取しいったん帰宅させてもよい．**入院患者に限定して実施する検査ではない．**

- インターフェロンγ遊離検査（IGRA），可溶性IL-2受容体，フェリチン
- 画像検査（単純X線）

次のステップ
- 造影CT → リンパ節腫脹，肝臓脾臓の腫大，深部膿瘍は造影しないと見落とすことがある．
- 心エコー，腹部エコー：造影をしなくても実施できる．
- HIVやウイルス性肝炎マーカー，梅毒
- ガリウムシンチグラフィ → 造影CTやエコーで有意所見なしと判断された場合でも，原因箇所にガリウムが集積することがある．

> **ヒント** 専門医に紹介するタイミング
> - 発熱以外の症状が強い場合 → 全身倦怠感や衰弱，脱力など
> - 血圧が低下している場合 → 敗血症性ショックかもしれない．
> - 臓器不全が出現している場合 → 腎不全や肝不全，血球減少などがある場合には，重症感染症や悪性疾患が隠れている可能性が高い．

症例

症例1　アメーバ性肝腫瘍

- 40歳の男性．遷延する発熱．
- 3週間前より体調不良を自覚した．2週間前より発熱し，また右季肋部に疼痛があり，吸気時に悪化した．
- 心雑音は聴取しない．腹部は平坦・軟で，右肋骨弓下に肝を2cm触知する．
- Hb 11.5 g/dL，白血球13,700/μL，AST 20 U/L，ALT 22 U/L，ALP 452 U/L，CRP 16.2 mg/dL

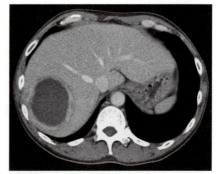

図1　症例1の造影CT

- 追加の問診で6年前に梅毒罹患歴があることが分かった．
- 造影CT（図1）：右葉単包性で比較的平滑な造影効果がある膿瘍壁を認める．
- → 診断名：肝膿瘍（アメーバ性）

■ **処方例**
- **フラジール**®錠（500 mg）6〜8錠，分3〜4

内服中に飲酒をすると強い二日酔い症状（ジスルフィラム反応）

[ヒント] **肝膿瘍診断のコツ**
- 肝膿瘍はAST，ALTが正常でALPが上昇する傾向にある．限局性の胆汁うっ滞に起因するとされる．
- アメーバ性では，右葉単包性で比較的平滑な造影効果がある膿瘍壁を認める．
- 細菌性では，左右葉を問わず多房性で辺縁が非平滑・不整な膿瘍壁を認める．

患者さんを安心させるコツ・ポイント
患者は不安や焦りから治る薬を欲しいと訴えるが，「いろいろな治療を試すよりも，まずは解熱薬で症状を緩和しつつ，原因をみつける検査を実施して診断を確定してから治療を開始しましょう」と説明する．

83 倦怠感，ふらつき
身体疾患か精神疾患かその他か

> **基本の考え方**
> - 倦怠感，ふらつきには，様々な要因がある．
> - カテゴリーとしては，**身体疾患（感染症，臓器障害，代謝・内分泌疾患，悪性腫瘍，自己免疫性疾患，神経筋疾患など），精神疾患，その他**に分類される．

診察室で

聞く

- **急性発症か，慢性の経過か？** → 急性発症では，身体疾患を考慮する．
- **身体症状はあるか？** → 身体症状があれば，身体疾患を考慮し，その部位が倦怠感の原因臓器と考えられる．
- **休息で改善するか？**
  → 休息で改善しない場合には，精神疾患を考慮．精神疾患以外にも，生活習慣の乱れや慢性疲労症候群が鑑別に挙がる．
  → 坐位・立位で症状が悪化し，臥位で改善する場合には，脳脊髄液減少症（低髄圧症候群）を考える．
- **既往歴や内服薬，サプリメント使用の有無，生活歴，アルコール摂取量の確認**
  → 既存疾患の再燃や薬剤性，女性では月経周期の確認することで妊娠の可能性を考慮することができる．出産時にトラブルがあった場合には，シーハン（Sheehan）症候群が想起される．

診る

- **全身状態**：診察室での見た目の印象，体重減少や労作時息切れなど身体疾患の手掛かりとなる所見を観察する．
- **身体診察**：一般診察で身体所見を確認する．患者が自覚していない所見が判明

することがある．

> 検査する

まずはここから
- 一般血液検査，尿検査：貧血，栄養状態，電解質異常，炎症所見の評価

発熱，炎症所見の上昇がみられるようなら
- 身体症状に応じて画像検査（X線，CT，エコーなど）
- 細菌培養検査（血液，喀痰，尿）
- 感染症検査：喀痰抗酸菌染色，結核菌INF-γ（IGRA），HIV抗体，心エコー
    → 結核，HIV感染症，感染性心内膜炎も見逃さないようにする．
    → ウイルス性髄膜炎は炎症所見があがらないこともあるため，頭痛・発熱があり髄膜刺激症状があったら髄液検査を考慮する．
- 自己抗体検査（補体，免疫グロブリンを含む）
    → 全身性エリテマトーデス，成人スチル病，高齢者であれば，リウマチ性多発筋痛症，血管炎など．

炎症所見がみられないなら
- 血算，生化学検査の確認
    → 貧血，好酸球数，電解質異常（Na，K，Cl，Ca，P値の異常），急性肝障害，尿毒症
- ホルモン検査（甲状腺機能，コルチゾール，カテコラミン），血糖値，HbA1c，抗GAD抗体の確認
    → 代謝内分泌異常：甲状腺機能亢進症，甲状腺機能低下症，ACTH単独欠損症，副腎不全（特にシーハン症候群），糖尿病（特に劇症1型糖尿病，糖尿病性ケトアシドーシス，緩徐進行1型糖尿病），褐色細胞腫
- 便潜血検査，胸部X線，CT，上下部内視鏡検査，IL-2レセプター抗体，男性なら前立腺特異抗原（PSA）
    → 悪性腫瘍：体重減少，夜間盗汗，表在リンパ節腫脹があれば積極的に検査を進める．
- 筋力低下がみられるときは，頭部MRI，腰椎穿刺，電気生理学的検査．
    → 神経筋疾患

血液検査，尿検査で異常がみられないとき
- 様々な症状の訴えと臥位で症状の改善がみられるときは，髄液検査で髄圧を確認．
    → 脳脊髄液減少症

- ■ 精神科疾患：うつ病，ストレス，身体症状症，自律神経失調症など
- ■ その他：慢性疲労症候群，アルコール，睡眠時無呼吸症候群，更年期障害，妊娠，薬剤性（α遮断薬，β遮断薬，抗精神病薬）など

倦怠感よりもふらつきの症状が強いとき

- ■ 頭蓋内疾患：脳血管障害（脳出血，脳梗塞），脳腫瘍
- ■ 耳疾患：メニエール病，良性発作性頭位めまい症，突発性難聴，前庭神経炎
- ■ 高齢者では，加齢による筋力低下や平衡機能低下による加齢性平衡障害も鑑別に挙がる．

対応する

- ■ 問診をしっかりと行い，原因となりうる所見をみつける．
- ■ 身体疾患を疑うときには，積極的に検査を進める．
- ■ 疾患に応じて，該当科に紹介する．
- ■ 時間経過とともに身体疾患の症状が明らかになることもあるので，間隔をおいて外来フォローするか，何か症状が出た際には連絡してもらうようにする．

84 のどの違和感

咽喉頭異常感症

基本の考え方

- 咽喉頭異常感症は，のどに違和感や異常感（イガイガする，引っかかる，貼りついている，何かある感じ）があっても，**器質的な異常が認められない病態**を指す．
- 咽頭・喉頭の良性・悪性腫瘍や声帯ポリープなど，急性・慢性副鼻腔炎（後鼻漏などにより咽喉頭の違和感が出現）やアレルギー性鼻炎・喉頭炎などの**器質的な疾患を除外**する．
- **逆流性食道炎**の存在や**心理的要因**も考慮に入れる．
- ヒステリー球（DSM-5における転換性障害に含まれる）とも呼ばれる．

診察室で

聞く

- **いつから？　どのような症状があるか？**
- 左右差があるか？　**疼痛や呼吸困難**を伴うか？
  → 疼痛や呼吸困難，症状に左右差がある場合には，耳鼻咽喉科へ紹介．
- **増悪あるいは軽減傾向**があるか？　誘因があるか？　食事との関連性や症状の日内変動はあるか？
- 逆流性食道炎を示唆する症状（おくび，胸やけなど）があるか？

診る

- 音声の評価　→ **嗄声**が認められたら耳鼻咽喉科へ紹介．
- 口腔・咽頭の視診
  → 炎症が認められたら抗炎症を．**腫瘍性病変**が認められたら耳鼻咽喉科へ紹介．

- ■ 頸部の触診
    - → **甲状腺病変**が認められたら耳鼻咽喉科・頭頸部外科や内分泌科へ紹介．有意な**頸部リンパ節腫大**が認められたら耳鼻咽喉科・頭頸部外科へ紹介．

検査する

まずはここから

- ■ 特に症状出現が比較的最近である場合や，症状に増悪傾向がある場合
    - → **腫瘍性病変の有無を評価した方がよいため，耳鼻咽喉科・頭頸部外科へ紹介．**
- ■ 血液検査 → 炎症の存在や鉄欠乏性貧血，甲状腺疾患などを除外するため．
- ■ 逆流性食道炎が強く疑われる場合
    - → プロトンポンプ阻害薬（PPI）を処方すると症状が軽減することがある（診断的治療）．

念を入れるなら

- ■ 甲状腺疾患を疑う場合 → 甲状腺機能の評価（血液検査）や頸部エコー
- ■ すぐに耳鼻咽喉科・頭頸部外科受診することが困難な場合，進行した食道病変，茎状突起過長症などが疑われる場合 → 頸部CT，上部消化管内視鏡検査
- ■ 嚥下内視鏡検査
    - → 嚥下障害により唾液が喉頭周辺に貯留している場合などもあるため．
- ■ 可能であれば上部消化管内視鏡検査（頸部食道の評価）．

症例

症例1　逆流性食道炎

- ■ 30歳，女性．
- ■ 3ヵ月前からのどに何かが詰まっている感じがあると受診．乾性咳嗽や軽度の胸やけも伴っていた．
- ■ 口腔・中咽頭の視診，頸部の触診を行う．
    - → 異常が認められたら専門医へ紹介．
- ■ 血液検査（血算，生化学検査，血清鉄，甲状腺機能，アレルギー検査など）
    - → 必須ではないが，異常が認められれば原因の一部が判明しうる．

- ■「ここまでの検査では異常は見つかりませんでしたが，のどの腫瘍などがないか確認するために，耳鼻咽喉科・頭頸部外科の診察を受けた方がいいと思います」と説明する．

◀ ここで専門医に紹介

- ■ 耳鼻咽喉科・頭頸部外科で経鼻喉頭ファイバーを行う．
  - → 咽喉頭や頸部には明らかな腫瘍性病変はみられなかったが，食道入口部に軽度のびらんが認められた．
- ■ PPIを試み，逆流性食道炎に対する生活指導を行う．

―処方例

タケキャブ®錠（10 mg）1錠・分1，**ネキシウム**®カプセル（10 mg）1錠・分1，**オメプラール**®錠（10 mg）1錠・分1などを用いる．2週間投与して効果がみられる場合には継続する．投与量と投与期間に注意．

- ■ 内服開始1ヵ月後，症状はほぼ消失し，食道入口部のびらんも認められなくなった．

症例2　甲状腺乳頭がん

- ■ 50歳，女性．
- ■ 1年前からのどに何かが引っかかっている感じがあると受診した．前医では逆流性食道炎と診断され，PPIを3ヵ月間内服していたが，症状は軽減しなかった．
- ■ 口腔・中咽頭の視診，血液検査　→　明らかな異常は認められなかった．
- ■ 頸部の触診
  - → 有意な頸部リンパ節腫大はみられなかったが，右前頸部（鎖骨上）に腫瘤性病変が触知された．
- ■ 頸部エコーならびに頸部造影CT
  - → 甲状腺右葉下極から下方に突出するように長径30 mmの腫瘍性病変が認められた．有意な頸部リンパ節腫大は認められなかった．気管は左方に圧排され，左右方向にやや狭窄していた．
- ■ 穿刺吸引細胞診　→　class V甲状腺乳頭がんと診断された．
- ■ 甲状腺右葉峡切除術，気管前・右気管傍リンパ節郭清術施行
  - → 術創付近の違和感は新たに出現したが，当初の咽喉頭異常感は消失した．

症例3　咽喉頭神経症

- 42歳，女性．
- 1年前からのどに何かが貼りついている感じがあると受診した．
- 口腔・中咽頭の視診，頸部の触診，血液検査
  → 明らかな異常は認められなかった．

ここで専門医に紹介

- 耳鼻咽喉科・頭頸部外科で経鼻喉頭ファイバーを行う．
  → **咽喉頭や頸部には明らかな器質的疾患は認められず，「大丈夫だと思いますが，念のため1ヵ月後にもう一度診察しましょう」と説明した．**
- 1ヵ月後に再診．「前回大丈夫と言われて安心したのか，翌日から気にならなくなった」とのことで，耳鼻咽喉科・頭頸部外科での経鼻喉頭ファイバーでも明らかな異常所見は認められなかった．
  → 診察，検査で異常なしといわれるだけで安心する患者も多く，器質的疾患が除外された場合には抗不安薬の投与が奏効する場合もある．また，漢方薬により症状が軽減する場合もある．

処方例

- **半夏厚朴湯**（7.5 g）3包，分3　または**柴朴湯**（7.5 g）3包，分3
  → アレルギー性鼻炎・喉頭炎が疑われる場合には，抗アレルギー薬を投与する．

患者さんを安心させるコツ・ポイント

上述のように咽喉頭や頸部の器質的疾患を除外する必要があるが，特に異常が認められない場合には「『のどの五あかん』で耳鼻咽喉科を受診される患者さんが多くいらっしゃいますが，その中で実際に病気がおありな方はごくわずかですよ」と説明する．

85 遷延する咳嗽
感冒症状が先行する

基本の考え方

- 気管支喘息や咳喘息でのウイルス感染後の増悪はしばしば経験されるため，気管支喘息の可能性を主軸にした問診が重要である．
- 多くの患者は急性咳嗽（発症から3週未満）で来院するため，図1の通り鑑別は多岐に及ぶ．

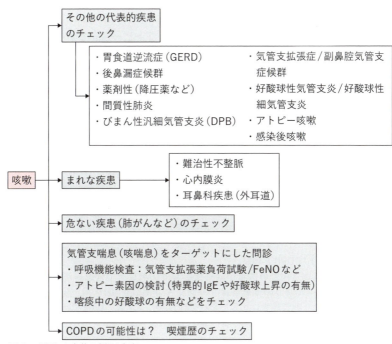

咳嗽
- その他の代表的疾患のチェック
  - 胃食道逆流症（GERD）
  - 後鼻漏症候群
  - 薬剤性（降圧薬など）
  - 間質性肺炎
  - びまん性汎細気管支炎（DPB）
  - 気管支拡張症/副鼻腔気管支症候群
  - 好酸球性気管支炎/好酸球性細気管支炎
  - アトピー咳嗽
  - 感染後咳嗽
- まれな疾患
  - 難治性不整脈
  - 心内膜炎
  - 耳鼻科疾患（外耳道）
- 危ない疾患（肺がんなど）のチェック
- 気管支喘息（咳喘息）をターゲットにした問診
  - 呼吸機能検査：気管支拡張薬負荷試験/FeNOなど
  - アトピー素因の検討（特異的IgEや好酸球上昇の有無）
  - 喀痰中の好酸球の有無などをチェック
- COPDの可能性は？　喫煙歴のチェック

図1　長引く咳嗽の鑑別疾患

診察室で

聞く

以下の問診事項で **1つでも陽性があれば，気管支喘息，咳喘息の可能性を考慮**する．

- アレルギーはあるか？
- 家の近くに工場があるなど，気道を刺激する大気汚染がないか？
- 自宅や職場で，動物の毛やホコリ・ダニ，カビ，ゴキブリへの曝露があるか？
- 気温や気圧の変化で咳が誘発されるか？
- 塗料，香水，調理時のにおいなどで咳が誘発されるか？
- 肉体的か精神的かを問わず，強いストレスがあるか？
- 運動をすると咳が誘発されるか？
- 最近使用した薬剤はあるか？
- 亜硝酸塩を含む飲食物（キウイ，マンゴー，ワインなど）やアルコールの摂取による息苦しさはあるか？
- 喘息の家族歴はあるか？
- 胃食道逆流症（GERD），慢性副鼻腔炎，アトピー性皮膚炎の既往はあるか？
  → 明らかにGERDを疑う症状があれば（胸の灼熱感など），制酸薬などの投与を行う．

- 咽頭のいがいが感/かゆみはあるか？
  → 主に遷延性慢性咳嗽であるが，アトピー咳嗽ではアレルギーを反映してこれらの症状を訴えることが多い．
- 喫煙歴は？　→ 感冒を契機に慢性閉塞性肺疾患（COPD）が増悪し，喘鳴を伴い受診する場合がある．**COPDの急性増悪は細菌感染（肺炎球菌，インフルエンザ桿菌，*Moraxella catarrhalis*，緑膿菌など）と呼吸器ウイルス感染の両者が原因**となりうる．喫煙歴のチェックは病歴チェックで最も重要．

> **ヒント** COPDと喫煙
> 本邦での調査では男女ともに60歳以上で罹患率が上昇し，現喫煙者のCOPDの罹患率はブリンクマン指数が400未満，400〜799，800以上は，非喫煙者に比してそれぞれ1.2倍，2.7倍，4.6倍である（Kojima S, et al：J Epidemiol 17：54–60, 2017）．

診る

- 咽頭発赤があるか？　副鼻腔の叩打痛があるか？　頸部リンパ節腫大があるか？
- 頸部，前胸部の握雪感があるか？
- 明らかな喘鳴があるか？
  → **強制呼気時にのみwheezesを聴取する場合も喘息．**

検査する

- 血算（好酸球などの白血球分画を含む），生化学検査，非特異的IgE，アレルギー検査（MAST33）

治療する（図2）

気管支喘息の場合
- 「喘息治療ステップ」に従って治療を行う（☞「42．喘息の初期治療」参照）．

アトピー咳嗽の場合
- 気管支拡張薬は無効で，吸入ステロイド（ICS）やステロイドの内服，ヒスタミンH₁受容体拮抗薬が有効である．

COPDの場合
- 治療の第一選択薬はLAMA（抗コリン薬）であるが，治療効果が不十分な場合はLAMA/LABAを用いる（☞「41．喫煙者の息切れ」参照）．

GERDの場合
- 4～8週間はプロトンポンプ阻害薬で治療効果を判定する．

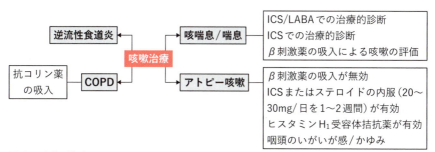

図2　咳嗽の治療

症例

症例1　アトピー素因を有する咳喘息

- 46歳，主婦の女性．
- 1週間前に咽頭痛，鼻汁，寒気があり，数日後から痰を伴う咳が出てきた．咳は夜間に強く眠れない．3ヵ月前にも感冒を契機に同様のエピソードがあったが咳嗽は自然消退した．
- 喫煙歴なし．
- 既往歴はアトピー性皮膚炎（幼小児期〜），慢性副鼻腔炎（小学2年生〜），アレルギー性鼻炎（高校2年生〜）．
- review of systems：アレルゲンの曝露なし，冷たい空気や気候の変化，塗装などのにおい，運動・飲酒で咳嗽や息苦しさが出現することがあった．聴診上は通常の呼吸では副雑音なし．
- 検査結果：好酸球のわずかな上昇と，スギ花粉の特異的IgEは強陽性，非特異的IgEも軽度症状がありアトピー素因を有していた．
→ 感冒を契機に発症または増悪した咳喘息，気管支喘息発作と診断．
→ アトピー性皮膚炎やアレルギー性鼻炎があり，スギ花粉IgEが強陽性のアトピー素因を伴う患者．感冒を契機に繰り返す咳嗽であり，咳喘息/気管支喘息を疑い，ICS/LABAの治療で咳嗽は軽快した．

> **ヒント　咳喘息/気管支喘息診断のポイント**
> 気管支喘息や咳喘息は最初からどの程度の可能性があるかを問診で詰めていく必要がある．気管支喘息発作の大きな誘引の1つに感冒があり，外来患者の2〜3割程度，入院患者では半数程度にライノウイルスを主体とする呼吸器ウイルスが検出される（Saraya T, et al：Front Microbiol 5：226, 2014）．
> 上記症例はウイルス感染による気管支喘息発作と診断できる．処方までの流れは検査機器のない一般内科でのものであるが，気道の可逆性をみる検査として気管支拡張薬負荷試験や，好酸球性アレルギーを診る呼気テストFeNOが保険収載されている．喀痰中の好酸球の有無も喀痰細胞診で出すことも可能である．これらの検査も無理な状況なら「短時間型のβ刺激薬の吸入薬を処方して咳が少しの時間止まった，または改善があったか」を聴取するのもよい．

感染

- **86** インフルエンザ　冬から春先の咳・発熱 … p312
- **87** マイコプラズマ感染　非定型肺炎のスコアリングを活用 … p316
- **88** 市中肺炎の診断　外来or入院をスクリーニング … p320
- **89** 咳・痰と胸部X線異常　結核 … p325
- **90** ノロウイルス　鑑別疾患に注意 … p329
- **91** 足の感染　蜂窩織炎 … p332

86 インフルエンザ
冬から春先の咳・発熱

> **基本の考え方**
> - 冬から春先に多い気道疾患であり，A型またはB型インフルエンザウイルスが原因である．
> - 流行期に咳（軽い咳が多い），急性の発熱などを呈する患者を診察した際は鑑別に挙げる．
> - 迅速抗原検査で診断するのが一般的だが，感度には限界がある．典型的症状を呈する高リスク患者では，検査が陰性でも抗ウイルス薬投与を考慮する．
> - 軽症のインフルエンザ対症療法のみで1週間程度（長くても2週間程度）で自然軽快する．

診察室で

聞く

- 発熱，咳嗽，筋肉痛，頭痛，咽頭痛といった症状はあるか？
  → すべて揃うとは限らない．本症に特異的な症状はない．
- 流行期において，何らかの初発症状が出現してから48時間以内に咳と発熱の双方が顕在化したか？
  → 顕在化したとき，**約80%がインフルエンザ**との報告あり（新型コロナウイルス感染症流行以前の研究に基づく）．

診る

- インフルエンザの合併症である**肺炎**（インフルエンザウイルスそのものによる肺炎とインフルエンザに二次的に合併する細菌性肺炎がある）や**脳症**を疑う症状はあるか？
  → それらを疑うときは速やかに専門医に紹介する．

検査する

- **インフルエンザの迅速抗原検査**
  → 迅速抗原検査の感度は62.3%，特異度は98.2%と報告されている（研究施設で行われるRT-PCR法で診断したインフルエンザを基準として比較して算出）．**真のインフルエンザの患者でも約40％は迅速抗原検査が陰性になる．**

治療する

- 抗ウイルス薬である**ノイラミニダーゼ阻害薬が治療の第一選択薬**．禁忌などがあり使用できない場合には作用機序の異なるバロキサビルを代わりに用いる．
- 高リスクや重症のインフルエンザ患者 → ノイラミニダーゼ阻害薬
- 高リスクや重症ではないインフルエンザ患者（基礎疾患のない若い成人患者など）で，発症から48時間以上経過
  → ノイラミニダーゼ阻害薬は処方すべきではない．
- 高リスクではないインフルエンザ患者で，発症から48時間以内
  → ノイラミニダーゼ阻害薬により症状の消失が自然経過より約1〜3日間早くなる（バロキサビルでも同等の効果が証明されている）．

  > **メモ ノイラミニダーゼ阻害薬**
  > 高リスクではない軽症のインフルエンザ患者には効果は限定的（有症状期間の短縮）である．そのため，それらの患者に対するノイラミニダーゼ阻害薬投与は原則不要と考えている専門家は多い．この点に関しては議論の余地が残っているため，社会背景や患者背景などを総合的に考慮して治療適応を決定することが望ましい．

  > **メモ ノイラミニダーゼ阻害薬とバロキサビルの使い分け**
  > バロキサビルはキャップ依存型エンドヌクレアーゼ阻害薬であり，ノイラミニダーゼ阻害薬とは異なる機序でA型およびB型インフルエンザに活性を有する．主に高リスク患者を除いたインフルエンザ患者群に投与した際の効果はノイラミニダーゼ阻害薬と同等であった．ただし，高リスク患者でのデータが乏しいことと，投与患者の約10％において遺伝子変異によるウイルスへの活性の低下が生じることが懸念されている．そのため筆者を含む専門家は，本剤をノイラミニダーゼ阻害薬が投与できないケースに限定して使用することが多い．

> **メモ** 高リスク
> 年齢が65歳以上，妊婦，産褥婦，長期療養施設などの施設入居者，基礎疾患［呼吸器疾患（喘息も含む），高血圧以外の心血管疾患，悪性疾患，慢性腎疾患，慢性肝疾患，糖尿病，HIVや移植患者などの免疫抑制患者（ステロイドなど投与中の患者も含む），神経筋疾患］があるもののうちいずれか1つ以上を有する場合と定義する．

予防接種

- 不活化ワクチンにより予防が可能．
- 健康な成人には50～80％程度の発症予防効果がある．
- 高齢者においても肺炎や入院を20～50％程度予防する効果がある．
- **高リスク者，高リスク者の同居者，医療従事者**がワクチン接種のよい適応である．米国では，生後6ヵ月以上の全小児と全成人までを適応にすべきとしている．

処方例

腎機能正常成人患者へのノイラミニダーゼ阻害薬（タミフル®，リレンザ®，イナビル®，ラピアクタ®）とバロキサビル（ゾフルーザ®）の処方例を記載した．

- **タミフル®**カプセルまたはドライシロップ：75 mg/回，1日2回，5日間内服
- **リレンザ®**ブリスター（5 mg）：2ブリスター/回，1日2回，5日間吸入
- **イナビル®**吸入用：40 mg/回，単回吸入
- **ラピアクタ®**注：300 mg/回（重症例では600 mg/回）を15分以上かけて単回点滴（300 mg/日，重症例では600 mg/日）．ただし重症例は反復投与の適応になることもあるため，その際には添付文書を確認すること．
- **ゾフルーザ®**錠：体重80 kg未満の患者に対しては40 mg/回の単回内服，体重80 kg以上の患者に対しては80 mg/回の単回内服
- そのほか，対症療法のための薬剤を併せて処方する（インフルエンザ患者にNSAIDsは処方してはならない）．

> **ヒント** インフルエンザ診療で最も注意すべきこと
>
> 抗ウイルス薬の効果が見込める高リスク患者の迅速抗原検査が偽陰性となってしまった結果，抗ウイルス薬が処方されないことである．筆者は迅速抗原検査の感度には限界があることを考慮し，検査が陰性であっても流行期にインフルエンザ様症状を呈する高リスク患者には，事情を説明した上で抗ウイルス薬を処方している．さらに，インフルエンザ以外の発熱性疾患の可能性もあるため，必要に応じてインフルエンザ以外の検査を追加している（例：菌血症の可能性を考えて血液培養2セットを採取，肺炎の可能性を考えて胸部X線を撮影など）．
>
> 高リスクや重症のインフルエンザ患者に対しては，発症から48時間以上経過している症例であっても抗ウイルス薬の処方が勧められる．

87 マイコプラズマ感染
非定型肺炎のスコアリングを活用

基本の考え方
- マイコプラズマ感染は感冒様症状から肺炎まで様々である．
- マクロライド系薬に不応性なら，ミノサイクリンやドキシサイクリンが推奨される．
- 非定型肺炎のスコアリングを使用して診断するが，最も頻度の高い肺炎球菌肺炎との鑑別が重要である．

> **メモ 非定型肺炎とは？**
> 本邦では肺炎球菌を定型肺炎，非定型肺炎をマイコプラズマ肺炎，*Chlamydophila pneumoniae* によるクラミジア肺炎と定義される．海外では非定型肺炎にレジオネラ肺炎が含まれており，混同しないように注意が必要である．**非定型肺炎のスコアリングは本邦独自の診断方法**であり，レジオネラ肺炎を除く．

診察室で

聞く
- 家族内や勤務先で同様の症状が流行っているか？
  → マイコプラズマ感染の潜伏期は1〜2週．
- 海外渡航歴の有無，ペットとの接触，吸入抗原の曝露の有無，薬剤の有無，シック・コンタクト（感染者との接触）の有無は？

診る
- 咽頭の確認
- 中耳炎の確認　→ 古典的には中耳炎が起きやすいとされている．
- 皮疹はあるか？　→ 皮疹で受診する症例も多い．

- 胸部聴診
- 非定型肺炎のスコアリング（**表1**）

表1　非定型肺炎のスコアリング

鑑別に用いる項目
①年齢60歳未満
②基礎疾患がない，あるいは軽微
③頑固な咳がある
④胸部聴診上所見が乏しい
⑤痰がない，あるいは迅速診断法で起因菌が証明されない
⑥末梢血白血球数が10,000/μL未満である

鑑別基準
【上記6項目を使用した場合】 　6項目中4項目以上合致した場合：非定型肺炎 　6項目中3項目以下の合致：細菌性肺炎 　→ この場合の非定型肺炎の感度は77.9%，特異度は93.0% 【上記①〜⑤までの5項目を使用した場合】 　5項目中3項目以上合致した場合：非定型肺炎 　5項目中2項目以下の合致：細菌性肺炎 　→ この場合の非定型肺炎の感度は83.9%，特異度は87.0%

検査する

- 喀痰培養　→　喀痰があればPPLO培地が必要となるため目的菌にマイコプラズマと記載する．
- 胸部X線
- 咽頭ぬぐい液によるマイコプラズマ抗原検査15分程度で判定可能．
- 重症で診断を急ぐ場合には咽頭ぬぐい液によるLAMP法も追加．
  → 外注でも1〜2日で判定可能．
- マイコプラズマ抗体（PA法，CF法）

> **メモ　検査の注意事項**
> - 喀痰培養：PPLO培地での培養検査でも菌量が少ないと *Mycoplasma pneumoniae* は陰性となる．
> - マイコプラズマ抗原検査：単血清ならPA法が320倍以上，CF法が64倍以上，2〜4週後のペア血清では4倍以上の上昇を示せばマイコプラズマ感染の診断となる．
> - X線では中下肺野の陰影が多い（Saraya T, et al：Intern Med **56**：2845-2849, 2017）．

症 例

症例1　発熱と乾性咳嗽

- 27歳，女性．
- 主訴は8日間続く発熱と乾性咳嗽．
- 既往歴はなし．
- 喫煙歴，飲酒歴は特になし．
- 職業は会社員でデスクワーク．
- 問診の結果，明らかなシック・コンタクトやペット飼育歴なし．吸入抗原の曝露もなかった．
- 身体所見では，咽頭の発赤なし，中耳炎の所見なし．聴診所見ではわずかにfine cracklesを聴取した．明らかなrhonchiやwheezesは聴取しなかった．明らかな皮疹なし．
- 聴診所見は**図1**のごとく，crackles（1本の線が1回のcracklesに相当する）を吸気にわずかに聴取した．
- 胸部X線では淡い浸潤影が両側中下肺野に広がっており（**図2**），胸部CTでは気管支壁の肥厚や気管支周囲の小粒状影が目立ち（**図3**），細気管支領域の病変が想定される．
- 喀痰塗抹検査では有意菌がなく，培養検査も陰性であった．
- マイコプラズマ抗体は，PA法のみが320倍であり，単血清でもマイコプラズマ肺炎の診断となった．
  → 低酸素血症を合併しており入院治療とした．日本マイコプラズマ学会ではマクロライド系薬を第1選択薬，マクロライド系薬の耐性が疑われる場合には第2選択薬として**ミノサイクリンやドキシサイクリン**，キノロン系薬を推奨している．

- 処方例
  - 第1選択薬
    - **クラリスロマイシン**錠（200 mg）2錠，分2，7〜10日間
  - 第2選択薬
    - **ミノマイシン®**錠（100 mg）2錠，分2　または**ビブラマイシン®**錠（100 mg）2錠，分2を7〜10日間

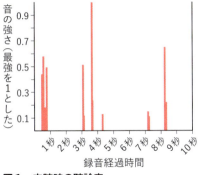

図1 来院時の聴診音

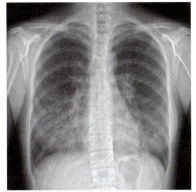

図2 症例1初診時の胸部X線

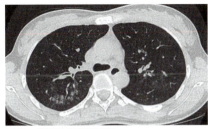
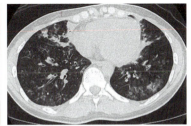

図3 症例1の胸部CT

- 治療3日目でも解熱がないなど，マクロライド系薬の耐性が疑われる場合は，ミノマイシン®200 mg/日を入院・外来症例ともに第1選択薬とする．治療期間は7〜10日程度投与される場合が多い．
- 成人のマイコプラズマ肺炎では，マクロライド系薬の耐性が3割以上に及ぶため，筆者の施設では入院・外来症例ともにミノマイシン®（200 mg）分2で治療開始することが多い．

> **ヒント　非定型肺炎のスコアリングの注意点**
> 非定型肺炎のスコアリングは主に肺炎球菌肺炎をはじめとする他の市中肺炎との鑑別に有用であるが，軽症〜中等症の肺炎球菌肺炎でもスコアリングが高く出ることがある．マイコプラズマ肺炎が低酸素血症を有し，重症化が予測される呼吸状態である場合や，症状が急速に進行している場合は，マクロライド系薬にこだわる必要はなく，ミノマイシン®の投与を行う．

88 市中肺炎の診断
外来or入院をスクリーニング

> **基本の考え方**
> - 徒歩で来院された市中肺炎は多くは外来で治療可能である．
> - 外来or入院の判定には，成人市中肺炎の重症度分類の**A-DROP**（表1）が有用である．
> - 意識障害（O），血圧低下（P）があれば超重症肺炎か敗血症であり，入院が必要なのは一見して分かる．
> - 外来診療ではOPを除いたA-DR（年齢，脱水，低酸素血症）をチェックする．A-DROPには**基礎疾患**が含まれていない．慢性閉塞性肺疾患，心不全や糖尿病などの基礎疾患も，入院の判断に重要である．
> - マクロライド系薬は，市中肺炎の初期治療で通常は使用してはいけない．
> - 新型コロナウイルスの流行後，日本の市中肺炎による入院は減っている．

表1　A-DROP

A：年齢（<u>A</u>ge）	男性70歳以上，女性75歳以上
D：脱水（<u>D</u>ehydration）	BUN≧21 mg/dLもしくは明らかな脱水
R：呼吸（<u>R</u>espiration）	SpO$_2$≦90%
O：意識障害（<u>O</u>rientation）	
P：血圧（<u>P</u>ressure）	収縮期血圧≦90 mmHg

A-DROPは各1点．計0～5点となる．3点以上は入院，0点は外来治療．

> **診察室で**

> **聞く**
> - 若年者と高齢者では，最初に考える病原体が異なる．通常，最初の段階で病原体は分からないので，**問診で（ある程度）病原体を絞り込む**ことが重要．

若年者の場合

- **咳・痰は出るか？**
  - → 咳が多く，痰の量が少なければ，マイコプラズマか，（流行していれば）新型コロナウイルスを疑う．マイコプラズマの潜伏期間は，2〜3週と長い．
- **痰がある場合，色は？**
  - → 茶色であれば肺炎球菌を疑う（**肺炎球菌は，市中肺炎で最も多い病原体**）．

高齢者の場合

- 上記の3つの病原体＋基礎疾患による病原体を考える．
- 糖尿病，肝疾患の既往は？ → あれば肺炎桿菌
- 慢性閉塞性肺疾患の既往は？ → あればインフルエンザ菌，*Moraxella catarrhalis*．抗菌薬の頻回の使用があれば緑膿菌まで広げて考える．

その他

- 温泉やスーパー銭湯に行ったか？
  - → レジオネラ属菌の可能性あり（潜伏期間は2〜10日）．

なぜ聞くか？

- 画像検査では多くは病原体の推測は難しい．
- 迅速検査も一部の病原体しかできない．
- 病原体を問診で推測することで，適した初期治療が可能になる．

診 る

- 聴診：肺に痰が多いかを聴診する．
  - → 痰が多い音（coarse crackles）が聴取されれば，マイコプラズマや新型コロナウイルスの可能性は低くなる．

検査する

まずはここから

- 胸部X線

念を入れるなら

- **A-DROP 0点**の市中肺炎の場合：通常，X線以外の検査は**不要**．ただし，新型コロナウイルス肺炎が疑われれば，抗原検査や遺伝子増幅検査を行う．
- 白血球，CRP上昇は，肺炎の重症度と関係ない（A-DROPにもない）．参考にするのはよいが，入院の基準とはしない．

- 重症例，高齢者，合併症ありの場合：一般血液検査に加え，喀痰検査，肺炎球菌尿中抗原（感度75％，特異度95％程度．偽陽性・偽陰性に注意），レジオネラ尿中抗原，（流行状況をみてインフルエンザ検査，新型コロナウイルス検査）を**適宜施行**する．様々な検査をしても病原体が判明するのは50％以下である．
- CTは細菌性肺炎のルーチンで施行する検査ではない．他疾患（肺がん，結核や間質性肺炎など）の鑑別で施行する．典型的な新型コロナウイルス肺炎を除いて，CTで病原体を推定することは難しい．

症　例

症例1　肺炎球菌肺炎

- 70歳，男性．
- 高血圧にて治療中，7日前からの感冒症状，3日前からの発熱，咳嗽，ピンク色の喀痰や呼吸困難を自覚したため来院．意識障害なし．
- 65歳まで40本/日の喫煙歴あり．
- 聴診にて，左肺にcoarse cracklesを認めた．
- SpO$_2$ 88％（室内気），BUN 23/dL，血圧166 mmHg．胸部X線では左下肺に浸潤影を認めた（**図1**丸印）．肺炎球菌尿中抗原（＋）であった．

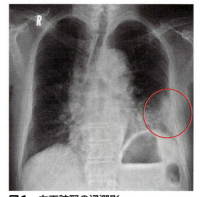

図1　左下肺野の浸潤影

→ A-DROP 2点．入院もしくは外来治療となる．この場合は，低酸素血症があり，重喫煙歴があることから，慢性閉塞性肺疾患の合併も疑われたため入院とした．

→ その後，喀痰から肺炎球菌が培養された．ペニシリンに感受性があり，エリスロマイシン・アジスロマイシンおよびミノサイクリンには耐性であった．

→ 肺炎の治療後に検査を行い，慢性閉塞性肺疾患を認めた．

→ A-DROPには基礎疾患の項がないが，慢性肺疾患を合併した市中肺炎は入院を考慮する．

症例2　新型コロナウイルス肺炎

- 45歳，男性．
- 基礎疾患は特になし．
- 4日前からの38℃台の発熱，咳，頭痛あり来院．痰はなかった．
- 聴診は異常なかった．SpO_2 96%．コロナウイルス抗原検査（＋）だった．
- → 45歳でSpO_2 96%は低いと考え，胸部X線を施行したところ右肺炎を認めた（**図2**丸印）．

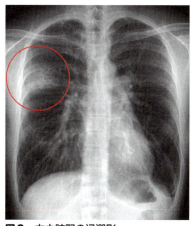

図2　右中肺野の浸潤影

処方例

推測した病原体をカバーするように抗菌薬を選択する（マイコプラズマについては「87. マイコプラズマ感染」参照）

- **肺炎球菌の場合**
  - **パセトシン**®または**サワシリン**®カプセル（250 mg）6カプセル，分3
- **高齢者や基礎疾患がある場合：肺炎球菌＋グラム陰性菌を考える**
  - **オーグメンチン**®配合錠（250 mg）3錠，分3＋**パセトシン**®または**サワシリン**®カプセル（250 mg）3カプセル，分3併用
- 緑膿菌の可能性がある場合　**オゼックス**®錠（150 mg）3錠，分3
  オゼックスは結核菌に無効である．抗結核菌作用があるキノロン系薬は，肺結核の診断の遅れや薬剤耐性結核を誘導する危険性がある．

> **メモ　市中肺炎の初期治療に，他の抗菌薬は？**
> - マクロライド系薬：市中肺炎の初期治療で使用してはいけない．肺炎球菌は80%が耐性である．マイコプラズマへの耐性率も高い．例外としては，他剤が使用しにくい「妊婦と小児」であるが，耐性率を考えるとマクロライド系単剤でなくペニシリン系の併用を検討する．
> - ミノサイクリン，ドキシサイクリン：マイコプラズマには最もよい選択肢．最大の欠点は，肺炎球菌の70%が耐性であること．

> **メモ**
>
> 新型コロナウイルス感染症（COVID-19）下で，日本の市中肺炎の入院が半減した（Nagano H, et al：Int J Infect Dis **106**：323-328, 2021）．インフルエンザ感染症も減少している．COVID-19への対応が，COVID-19以外の呼吸器感染症にも効果を示していると思われる．

患者さんを安心させるコツ・ポイント

> A-DROP 0〜1点で，新型コロナウイルス肺炎以外の場合，入院が必要かと不安がる患者には，「肺炎の多くは，以前は入院して治療していましたが，最近は患者さんの状態によっては外来で治療することも多くなりました．ただし，3〜4日治療してもまったくよくならなければ，入院が必要になることもあります」と説明する．

89 咳・痰と胸部X線異常

結　核

基本の考え方

- 日本の結核患者は減少傾向だが，高齢者の割合が増えている．新規結核の40%は80歳以上である．
- 結核患者は，①咳・痰の自覚症状（80%），もしくは②検診のX線異常（20%）で受診する．
- **肺結核のX線は，若年者は典型的，高齢者は非典型的の傾向がある．**
- **喀痰検査**をまず行う．
- **リファンピシン耐性遺伝子検査**が，日本では2018年から検査会社で行われるようになった．
- **インターフェロンγ遊離試験**［IGRA；クオンティフェロン（QFT-4G），T-SPOT］は結核菌の「感染」を調べる検査である．主に肺結核の接触者に行う．活動性肺結核でも陰性となることがあり，注意が必要．
- 抗結核薬は副作用が意外に多い．治療は呼吸器内科医に任せた方がよい．

診察室で

聞く

- **長引く咳や痰があるか？**
  → 肺結核患者の半分は呼吸器症状がある．ただし，若年者40%は自覚症状がまったくない．それに対して，高齢になると倦怠感，発熱，体重減少などの「非特異的」な症状が増える．
  → 長引く咳の半分は「咳喘息」である．ただし喘息とは違うかな？と思ったら，胸部X線を行う．

診る

- **聴診：特徴的な聴診所見はない．**
  - → 気管支結核では気道の狭窄のため，喘息様の聴診所見を認める．

検査する

まずはここから

- **胸部X線**
  - → 若年者は教科書的である．部位は上・中肺野（特に肺尖部）で，陰影はコントラストが高い．
  - → 高齢者の肺結核では，下肺野の陰影もときどきある．
  - → **細菌性肺炎の多くは，中下肺野に陰影を認める．** ①若年者で，②上肺野の陰影をみたときは，肺結核の可能性も考える．
- **胸部CT**
  - → X線が典型的な場合は不要．他疾患の可能性や，陰影が小さく評価困難のときには胸部CTを行う．

次のステップ

- 画像的に肺結核が強く疑われれば，結核の対処可能な病院へ紹介する．
- 近くに紹介する病院がないときは，さらに検査をする．
  - **①喀痰の抗酸菌検査：2（～3）回**
    - → 肺結核患者の塗抹検査の陽性率は40％である．
    - → 肺結核が疑われる場合は，少なくともまず2回の**喀痰検査**を行う（可能なら3回だが，3回目の診断の上乗せは2～3％程度と少ない）．
    - → 1回目：塗抹・培養・PCRなどの核酸増幅法・感受性
    - → 2（～3）回目：塗抹・培養
    - → その結果で，
- **塗抹（＋），PCR（＋）**：「法律」により，結核病床を有する病院に入院．
- **塗抹（－），PCR（＋）**：全身状態がよければ外来治療．呼吸器内科のある病院へ紹介して治療．

> メモ　塗抹（＋）は感染性あり？　塗抹（－）は感染性なし？
> 塗抹（－）でも感染性はある．ただしそれは治療前のことであり，肺結核の感染性は，抗結核薬の治療開始後に急速に低下する．

> **ヒント**「痰が出ない」と言われたら？
> - 「深呼吸して，軽く咳払いをすると痰が出しやすいです」と説明する．
> - それでも喀痰が出ないときは，3％食塩水（10％食塩水；蒸留水を3：7で混ぜて作成）を，ネブライザー吸入させて痰を採取する．
> → それでも，結核菌が検出できないときは？
> 気管支鏡．ただし気管支鏡検査でも，結核菌の陽性率は70～80％程度．肺結核の全例で結核菌を証明するのは不可能．

② **リファンピシン耐性遺伝子検査（Xpert MTB/RIF）（検査会社はLSIメディエンス）**
- リファンピシン耐性遺伝子の有無とPCRを施行：喀痰で検査可能．
  - → 数日で結果が戻ってくる．
  - → リファンピシン耐性の場合は，イソニアジドも耐性の可能性が高い．WHOは2020年に，「すべて」の結核患者に，リファンピシン耐性遺伝子検査を行うこと「強く推奨」している．

③ **インターフェロンγ遊離試験（IGRA；QFT-4G，T-SPOT）**
  - → 肺結核の**既感染の判定**．感染して2～3ヵ月後に陽性になる．結核に感染（＋），発病（－）の場合の感度80～95％．驚くべきことに，塗抹（＋）の肺結核でも感度は同じ程度であり，検査が陰性のこともまれでない．
  - → 喀痰検査で結核菌が検出されていれば不要．
  - → 80歳の肺結核の既感染率は60％と高い．QFT-3G，T-SPOTの陽性率はこれより大幅に低い．高齢者の陽性は，昭和初期の感染か，最近の感染かは分からない．

治療する

- **標準療法**：イソニアジド＋リファンピシン＋エタンブトール＋ピラジナミド4剤を2ヵ月間，薬剤感受性があることを確認した後に，イソニアジド＋リファンピシンの2剤を4ヵ月間．2018年から，80歳以上の高齢者にピラジナミドが使用可能となった．
- 日本結核病学会治療委員会の「結核医療の基準」の改訂-2018（Kekkaku 93：61-68，2018）には，体重・腎機能などによる薬の投与量，期間の調整方法が記載されている．
- 若年者の初回治療では薬剤耐性がなく，治療が順調にいけば97～98％は再発しない．これに対して高齢者では耐性がない場合でも，治療を行っても亡くなることが少なくない．
- 結核の薬は副作用対策が難しい．治療は無理せず呼吸器内科医に任せる．

症例

症例 イソニアジド耐性肺結核

- 30歳台，女性．
- 検診の胸部X線で，左上肺野に浸潤影を認めた（**図1**丸印）．画像から肺結核が疑われたため受診．喀痰と微熱があった．
  → 喀痰検査から結核菌を認め，肺結核の診断となった．
- 東南アジアへの仕事での長期の滞在歴あり．
  → 東南アジアでは薬剤耐性率が高いため，喀痰からリファンピシン耐性遺伝子を検査したが陰性（＝リファンピシンに感受性がある可能性が高い）．標準療法の4剤の抗結核薬で治療を開始した．
- 治療1.5ヵ月後に，イソニアジドのみに耐性が判明したため，6ヵ月間のリファンピシン＋エタンブトール＋ピラジナミド＋レボフロキサシンに治療を修正した．

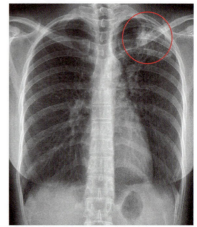

図1 症例1の胸部X線

> **メモ** 薬剤耐性
> - 日本の薬剤耐性率は，イソニアジド5％，リファンピシン1％，エタンブトール1％前後．イソニアジド耐性菌はときどきみかける．
> - 標準治療で開始して後からイソニアジド耐性が判明した場合，2018年にWHOはイソニアジドをレボフロキサシンに変更して6ヵ月の治療を推奨している．その治療成功率は97.6％と臨床的に問題はない．
> - これに対してリファンピシン耐性の場合は，治療の難易度が格段に高い．
> - すなわち，薬剤耐性リスクのある場合には，最初にリファンピリン耐性遺伝子の陰性を確認することで，標準療法から治療を開始できる．

> **患者さんを安心させるコツ・ポイント**
> 若い患者の場合，「肺結核は，飲み薬で治る病気です．薬が多いと思うかもしれませんが，体の大きさや採血結果で薬の量を調整をしています．副作用については気をつけて治療していきます．また，半年は内服が必要です．忘れずに飲むのは大変と思いますが，飲み忘れると効きにくい菌ができることがあるため，忘れないないように気をつけてください」と説明する．

90 ノロウイルス
鑑別疾患に注意

> **基本の考え方**
> - ノロウイルスによる腸炎は感染性腸炎の中で最も多いとされる．
> - ノロウイルスは感染力が非常に強く，家庭内，学校，医療機関など様々な場所で集団発生を生じやすい．
> - ノロウイルス感染症に対して有効な特異的な治療法は存在しないので，一般臨床においてノロウイルス感染症と確定診断することの意義は薄く，最も重要な点は虫垂炎，憩室炎，急性冠症候群（ACS），腹部血管病変などの重篤な鑑別疾患を見逃さないことである．

診察室で

聞く

- **食事歴はどうか？**
  → 牡蠣などの貝類との関連が有名だが，他の原因のこともかなり多いのであくまで参考情報として聞く．
- **周囲に同症状の人はいないか？**
  → 食中毒を含めて集団発生が強く疑われる場合には保健所へ相談．
- **症状の内容は？**
  → 感染性腸炎よりも他の疾患をより疑う情報（突然発症の強い痛み，血便，腹痛・下痢を伴わない嘔吐など）がないか確認．

診る

- 通常の診察を行うが，強すぎる腹部所見など他の疾患を示唆する情報がないかに注意する．

検査する

まずはここから

- **検査は不要**であり，行わない．
  - → 一般に使用される抗原検査の感度は十分に高いものではないため見逃しが多く，診断しても治療に繋がらないため．
  - → もし検査する場合，3～64歳の特に既往のない患者では**保険適用がなく自費**となることにも注意．

特殊な場合

- 集団発生が疑われる場合には，疫学的な目的でRT-PCRなどより診断能の高い検査を行うこともある（多くは保健所などの行政サイドが主体となり，医療機関の現場の判断ではない）．

対応する

- ノロウイルスに対する**特異的な治療はなく**，対症療法を行うのみ．
- 「飲食すると下痢をする」ことを理由に水分を控えてしまう患者が一定の割合で存在．
  - → 脱水の危険性についてよく説明し，**経口補水液**（OS-1®などが有名）も紹介する．
- 高熱や悪心・嘔吐をつらく感じている患者には，解熱鎮痛薬，制吐薬が比較的よく奏効する．

処方例

■ 熱に対して
- **カロナール®**錠（500 mg）3錠，分3

■ 悪心・嘔吐に対して
- **プリンペラン®**錠（5 mg）1回1錠，頓用
- （内服不能時）**ナウゼリン®**坐剤（60 mg）1回1錠，挿肛，頓用

- 整腸剤はよく使用されるが，効果の有無はあまりはっきりしていない．
- 下痢が高度で脱水を生じている場合などには止痢薬の使用も考慮されるが，下痢の原因や患者層によっては危険なこともあり，慎重な使用が必要．
- 脱水症状が強い場合には，点滴静注での脱水補正のための入院が必要なこともある．

ヒント ①患者からよく受ける質問に対しての回答例
- 「どれぐらいで治りますか？」
  → 「2，3日で快方に向かうことが多いです」
- 「食べ物の制限はありますか？」
  → 「特に制限はありませんので，食べられそうに感じるものを召し上がってください」
- 「家族にうつりますか？」
  → 「うつりやすい病気です．トイレ後の手洗いが最も重要なので石鹸を使ってしっかり洗いましょう」
- 「仕事にはいつから戻れますか？」
  → 「嘔吐や下痢の症状がある間は流行の原因となる恐れがあるので，出勤は望ましくありません．飲食業では厚生労働省の定めるマニュアルがありますし，医療関連，教育関連の職場でも規定がある可能性があります．いずれにせよ，職場の上司などと必ず相談してください」
- 「職場からノロウイルスかどうかの検査を指示されました．検査できますか？」
  → 「一般的によく行われる検査についてはそもそも検査の性能が十分でなく否定には使えないこと，ノロウイルス以外にも他人に感染する腸炎の原因は多くあること，若くて健康な人の場合には保険が効かないことなどから，検査をすることはお勧めしません．『ノロウイルスを含めた感染性腸炎の可能性があります』，『症状が改善するまでの出勤停止が望ましいと考えます』と記載した診断書をお出しすることは可能です」

②診察後に医師が気をつける点
- ノロウイルスはエタノールでは完全な不活化ができないため，診察後に擦式アルコール消毒薬のみを使用すると，自分が感染したり，他の患者に感染させたりするリスクがある．このため，感染性腸炎を疑う患者を診察した後は必ず**流水手洗い**が必要となる．冬場で外来が忙しいときなどにはこの一手間が惜しい状況もあるが，筆者は必ず心がけるようにしている．
- 椅子，ベッド，ドアノブなどの環境消毒には**次亜塩素酸**が必要となる．ディスポタオルとセットになった商品（ジアパック®など）が最も簡便だが，コストが問題となる場合には，保健所などのホームページに塩素系漂白剤（ハイター®など）を薄める方法も掲載されている．

③withコロナ時代の「腸炎」の診かた
新型コロナウイルス感染症（COVID-19）やインフルエンザは発熱と上気道症状が主な症状だが，消化器症状も随伴することは珍しくない．また，COVID-19やインフルエンザ全体からみると頻度は少ないが，発熱と消化器症状が前面に立ち，上気道症状がほとんど，あるいはまったくみられないケースもある．市中で大流行している場合，全体の母数が劇的に増えることで，こういった消化器症状メインの非典型的なCOVID-19やインフルンザにも遭遇しやすくなる．「腸炎」と思われる患者の一部に紛れ込んでくることを意識しておくとよい．

91 足の感染

蜂窩織炎

> **基本の考え方**
> □ 足に傷がある場合もあれば，ない場合もある．
> □ **痛みが強い場合は壊死性筋膜炎が隠れているかもしれない．**
> □ 糖尿病を並存していると，重症でも痛みを自覚しにくい．
> □ 治療は抗菌薬だけでなく，足の安静Rest，挙上Elevation，圧迫Compression，冷却Ice（RICE）も行う．

診察室で

聞く

- どれくらい持続しているか？
  → 数時間の単位で進行していれば重症化・劇症化している．数日の経過であれば急速進行性の蜂窩織炎ではない．
- 症状の増悪・改善はあるのか？
- 痛みの程度は強いか？
  → **痛みの程度が強い場合には重症化・劇症化を想定**，痛みがない場合は基礎疾患の合併を想起．**糖尿病を並存していると重症でも痛みを感じづらい．**
- もともと足の浮腫や腫脹はあるのか？
  → 基礎に浮腫や腫脹があると蜂窩織炎を合併しやすいし，難治性にもなりやすい．
  → 浮腫がある場合には，うっ滞性皮膚炎との鑑別が難しいかもしれない．

診る

- 熱感，腫脹，圧痛などの炎症所見を確認．
- 紫色への色調変化は警告サイン
  → 壊死性筋膜炎や血流障害，組織壊死を想起し対応．
- 握雪感がないか？
  → ガス産生菌による重症化や壊死性筋膜炎への移行を除外．
- **動脈拍動の確認** → 血流障害による疼痛や皮膚の色調変化が混在していないか，また治療薬が有効に到達するかを確認する．

検査する

まずはここから

- 血液検査（血算，生化学，CRP，凝固検査など）
  → 特異的なマーカーはないが，凝固検査を併用することで血栓症の評価も行う．
- 血液培養 → 外来で採取し，いったん帰宅させてもよい．**入院患者に限定して実施する検査ではない．**
- 創部があれば創部培養
  → 蜂窩織炎では多くの場合，損傷した皮膚はないが，ときに微生物の侵入門戸となった創が存在することがある．また強い炎症の結果，水疱形成がみられる場合は，**水疱内容物を培養することも選択肢**である．
- 画像検査（単純X線） → ガス産生があれば対応を急ぐ必要がある．

次のステップ

- 造影CT → 血流障害の合併を確認．動脈狭窄や静脈血栓など，炎症の主座・範囲を確認できる．また，皮膚表面が蜂窩織炎様でも，内部に膿瘍形成や骨髄炎が認められる場合がある．
- MRI → 骨髄炎の評価が可能．骨髄炎の表現型として蜂窩織炎所見がみられる場合がある．また，骨髄炎があると，不十分な治療期間に由来する再発性の蜂窩織炎をきたすことがある．

症例

症例1　骨髄炎の外科治療

- 58歳の男性．右足首の痛み．
- 糖尿病があり，経口血糖降下薬を服用中．
- 1週間前より右足首の痛みを自覚した．歩くことはできていたため経過をみていたが，1日前より歩くのが困難となり受診した．
- 右足関節周囲から下腿にかけて発赤と腫脹がある．第1〜2足趾間に1.5 cm大の切創がある．
- Hb 10.9 g/dL，白血球9,000/μL，AST 18 U/L，ALT 20 U/L，ALP 452 U/L，BUN 42.5 mg/dL，Cre 2.56 mg/dL，CRP 4.2 mg/dL

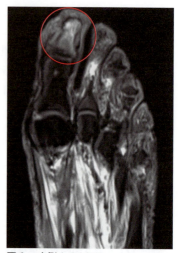

図1　症例1のMRI

- 血液培養よりメチシリン耐性黄色ブドウ球菌（MRSA）が検出された．
  → ダプトマイシン（キュビシン®）による抗菌薬治療と，足の安静Rest，挙上Elevation，圧迫Compression，冷却Ice（RICE）により蜂窩織炎所見は改善した．
- 足趾間の切創が持続したため，MRIを実施（図1）．
  → 右第1足趾に骨髄炎あり．

　▶ ここで外科に紹介

- 足趾の切断術を実施した．

処方例

キュビシン®による点滴後，ザイボックス®の内服に切り替えた．
- **サイボックス®**錠（600 mg）2錠，分2

処方例

- **ダラシン®**カプセル（150 mg）6カプセル，分3
- **ミノマイシン®**カプセル（100 mg）2カプセル，分2

患者さんを安心させるコツ・ポイント

「足を安静にして氷などでしっかり冷やし，包帯などで圧迫して椅子の上などに足を載せて挙上すると，良くなるのが早くなります．足の蜂窩織炎は，糖尿病などの基礎疾患があると再発しやすいのでしっかり治療しましょう」と説明する．

専門医に送ることを念頭に

- **92** ものわすれ　認知症…p338
- **93** 食後のめまいとふらつき　食後低血圧…p342
- **94** 肺異常陰影　サルコイドーシスなど…p345
- **95** 甲状腺機能亢進症　バセドウ病…p348
- **96** 甲状腺機能低下症　慢性甲状腺炎(橋本病)…p351
- **97** 肺がんの診断　胸部X線の異常陰影を見逃さない…p354
- **98** 骨髄異形成症候群　血球減少(WBC，Hb，PLT)に注意…p357

92 ものわすれ
認知症

> **基本の考え方**
> - アルツハイマー病（AD）が最も多い．
> - 次いでレビー小体型認知症（DLB），血管性認知症（VaD）が多い．
> - せん妄（意識障害）と区別をつける．
> - **数ヵ月以内の経過が早い症例**は専門医に紹介する．
> - 治療開始すべき認知症患者の多くは家族に連れられてくる．

メモ 認知症とせん妄の判別
- 認知症：発症時期が不明で数年前からのことが多い．
- せん妄：発症時期が明確で一過性，症状の変動がある．
- → 認知症にせん妄が合併することもあり，発症時期の確認が重要．

診察室で

聞く

- 経過は？ → 発症数ヵ月以内の認知症ほど重要．治療可能なことがある．
- 何か内服しているか？ → 薬剤性せん妄を起こしていることがある．抗コリン薬，抗不安薬，ステロイド，H_2ブロッカーは起こしやすい．
- **もの盗られ妄想**（財布や鞄などを盗まれたと思い込む）はあるか？
  → あればADを疑う．
- 怖い夢に対して暴力，怒鳴る（**レム睡眠行動異常**）はあるか？
  → あればDLBを疑う．
- **幻視**（小さいものが動いて虫に見える，人がいるように見える）はあるか？
  → あればDLBを疑う．
- ものわすれ，**歩行障害，尿失禁**はあるか？
  → あれば正常圧水頭症を疑う（専門医に紹介）．

診る

- 改訂長谷川式簡易知能評価スケール（HDS-R）
  - → 近時記憶はあるか？「桜・猫・電車」などの言葉を数分後まで覚えられなければADを疑う．
  - → 家族などの付き添いに振り返って助けを求める（head turning sign）場合はADを疑う．
- **小刻み歩行，パーキンソニズム**はあるか？
  - → あればDLB，正常圧水頭症を疑う（専門医に紹介）．

検査する

まずはここから

- 頭部CT
  - → ADでは海馬（**図1-A**矢印）が著明萎縮［正常な海馬（**図1-B**矢印）］．

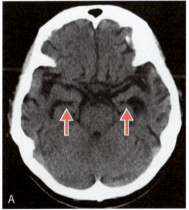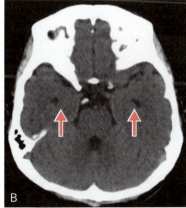

図1 頭部CT（A：アルツハイマー病，B：正常）

次のステップ

- 頭部MRI → VaDや腫瘍性疾患をスクリーニングしやすい．
- 血液検査：甲状腺機能，梅毒，ビタミンB_1・B_{12}，葉酸，アンモニア，Caなど．
  - → 治療可能な認知症をスクリーニング（**表1**）．

表1　認知症や認知症様症状をきたす主な疾患・病態

①中枢神経変性疾患（AD，DLB）
②VaD
③脳腫瘍
④正常圧水頭症
⑤頭部外傷
⑥低酸素脳症
⑦神経感染症（ヘルペス脳炎，HIV感染症，クロイツフェルト-ヤコブ病，神経梅毒）
⑧臓器不全（腎不全/透析脳症，肝不全，慢性心不全/慢性呼吸不全）
⑨内分泌機能異常症（甲状腺機能低下症，下垂体機能低下症）
⑩中毒性疾患，代謝性疾患，欠乏性疾患（慢性アルコール中毒，一酸化炭素中毒，ビタミンB_{12}欠乏）
⑪自己免疫性疾患
⑫蓄積症
⑬その他

［日本神経学会（監）：認知症疾患治療ガイドライン2017，医学書院，p7，2017より許諾を得て転載］

症例

症例1　興奮しやすいアルツハイマー病

- 70歳，女性．
- 数年前からものわすれがあり，最近，「財布を誰かに盗まれた．息子の嫁が盗ったのではないか」と繰り返して言う．攻撃的な態度がみられる．
- HDS-Rなどで近時記憶の低下がある．頭部CTで海馬の萎縮がみられる．血液検査異常なし．
  → ADと診断．

処方例
- **周辺症状で興奮が強い場合（腎機能に注意）**
  - **メマリー®** 錠（5 mg）1錠，分1
  - **抑肝散** 3包，分3

- 興奮症状などがひどい場合，専門医に紹介．

▶ここで専門医に紹介

症例2　夜中に大声で叫ぶ

- 75歳，男性．
- 服の毛玉が虫のように見えて，服をハサミで切り刻むことが何度もあった．夜中に寝ているときに大声で叫ぶことが多く，本人に聞くとオバケに追いかけられる怖い夢を見たという．
- パーキンソニズムがみられる．頭部CTで異常なし．血液検査異常なし．
→ DLBの**レム睡眠行動異常**と考え，内服開始．

処方例

- **アリセプト®**錠（3 mg）1錠，分1．2週間後に**アリセプト®**錠（5 mg）1錠，分1

胃腸症状と不整脈の副作用に注意．

- 幻覚が強ければ専門医に紹介．

ここで専門医に紹介

> [ヒント] 早期発見で治療可能な認知症がある
> - 認知症の中でも正常圧水頭症や感染症・内分泌機能異常・代謝性疾患・栄養障害などによる認知症は治療可能なことがあり，早めに専門医に紹介（**表1**）．
> - 経過が数年の緩徐な進行性認知症は血液検査，画像スクリーニングができていれば内服を試みてもよい．

処方例

ADの薬物治療は，まず以下のいずれかを処方．
- **アリセプト®**錠（3 mg）1錠，分1．2週間後に**アリセプト®**錠（5 mg）1錠，分1
- **レミニール®**錠（4 mg）2錠，分2
- **イクセロン®**パッチ（4.5 mg）または**リバスタッチ®**パッチ（4.5 mg）1回1枚，1日1回．

93 食後のめまいとふらつき
食後低血圧

基本の考え方
- 食後低血圧は高齢者に多い．
- 自覚症状は食後のふらつき，めまい，失神など．
- 転倒，脳梗塞，狭心症を誘発する．
- 高血圧，糖尿病，パーキンソン病，認知症，多剤併用患者に多い．
- 起立性低血圧とは異なった機序であり（表1），両者が相加的に働く．

メモ 高齢者の高血圧と食後低血圧との関係は？
『高齢者高血圧診療ガイドライン2017（2019年一部改訂）』では，高血圧患者に対して適切な降圧療法は食後低血圧を改善する可能性があると記載されている．ループ利尿薬は食後低血圧を悪化させる可能性があるので注意が必要だが，高血圧は食後低血圧を悪化させる可能性があるので，食後低血圧のためにすぐに降圧療法を中止する必要はない．

表1 食後低血圧と起立性低血圧の診断と機序

・診断方法
食後低血圧：食後1〜2時間以内に収縮期血圧で20 mmHg以上の低下
起立性低血圧：起立後3分以内に収縮期血圧が20 mmHg以上の低下
・機序
食後低血圧：インスリン，ソマトスタチン，消化管ペプチドの影響
起立性低血圧：静脈還流の減少，心血管系の代償機能不全

診察室で

聞く

■ 食後にめまい，ふらつき，転倒したことはあるか？
→ あれば**食前，食後1〜2時間後の血圧測定**．

- 既往歴（高血圧，糖尿病，パーキンソン病，認知症）はあるか？
- 服薬［降圧薬（特に利尿薬），向精神薬］はあるか？
- 食事（内容，回数）は？
- 食後すぐに運動しているか？

診る

- 認知機能を含めた全身の観察
  → レビー小体型認知症に合併しやすい．

検査する

まずはここから

- 診察室血圧測定（その際，必ず最終食事時間をチェック）

念を入れるなら

- 家庭血圧計で食前，食後1時間値を数日測定．可能であれば，食後30分・2時間値も測定してもらう．

> **ヒント　家庭血圧計は食後低血圧の診断に有効**
> 高齢者の高血圧患者に対して家庭血圧計を用いた食後低血圧の検討結果（Barochiner J, et al：Hypertens Res 37：438-443, 2014）では，約27％の患者に食後低血圧を認め，高齢者（80歳以上），低BMI，脳血管障害の既往のある患者では有意差を認めている．高血圧患者で食後の血圧を測定することは診断に有効と考える．

症例

症例1　失神・急性硬膜下血腫

- 78歳，男性．
- 日常生活は問題なく，趣味はゲートボール．
- 自宅で夕食後，台所で失神し頭部を打撲．救急外来受診し，頭部CTで急性硬膜下血腫を認めた．
- 高血圧があり2種類の薬剤を服薬している．服薬コンプライアンスは問題なく血圧コントロールも良好だが，これまでにも食後ふらつきを認め，転倒しそうになったことが何回かあった．
  → 失神を起こす疾患の鑑別は必須．

■ 食後低血圧の診断
→ 食事は米飯が大好きで夕食は特にたくさん食べ，すぐに動き回る習慣がある．
→ 食生活の改善をして夕食後のふらつきは消失．

> メモ 食生活指導のポイント
> ①食事量，炭水化物は少なくする．
> ②アルコールは控えて飲水は多めにする．
> ③時間をかけて食べ，食後すぐの立位行動は控える．

症例2 転倒・大腿骨頸部骨折

■ 82歳，女性．
■ 介護老人保健施設入所中で見守りが必要．
■ 食後に立ち上がったときに転倒し，右大腿骨頸部骨折受傷．
■ 糖尿病，高血圧，パーキンソン病で8種類の薬剤を服薬中．
→ 起立性低血圧は転倒原因として挙がるが，食後低血圧も考えるべき．
■ 食後低血圧と起立性低血圧を認めた．
→ 薬剤調整（利尿薬中止）し，食後低血圧は改善した．

94 肺異常陰影

サルコイドーシスなど

> **基本の考え方**
> ☐ 画像所見と臨床情報を合わせて鑑別診断を考える．
> ☐ 網羅的に胸部X線を読影し，異常陰影を見逃さない．
> ☐ 過去画像との比較読影による異常陰影の変化の評価は重要である．

診察室で

聞く

- 咳嗽，喀痰，呼吸困難，発熱は？　→ 感染症と非感染症を鑑別する．
- ぶどう膜炎や不整脈は？　→ あればサルコイドーシスを考える．
- 健診などでの胸部X線異常陰影指摘の病歴は？
- 間質性肺炎を合併しやすい膠原病，血管炎症候群などの病歴は？
  → 指摘はなくても関節の疼痛や腫大，レイノー現象，皮膚症状について問診する．
- 薬剤性肺障害をきたしやすい薬剤（メトトレキサート，抗がん剤，**分子標的治療薬**など）の使用歴は？
- 自宅，職場などでの粉塵曝露や，真菌との接触は？
  → 塵（じん）肺や過敏性肺炎を考える．

診る

- 聴診：ラ音や心音異常の有無を確認．
- 視診：皮膚症状や関節症状など，**胸部以外の所見にも注意**．

> 検査する

> まずはここから
- 胸部X線，胸部CT

> 鑑別のために
- 呼吸機能，血液ガス，心電図，眼科・皮膚科受診
- 血液検査 → 疑われればアンジオテンシンI転換酵素（ACE）や，膠原病，血管炎症候群の自己抗体なども検査する．
- 肺生検 → 気管支鏡検査について呼吸器内科へ相談する．

> 症例

症例1　ぶどう膜炎発症から診断に至ったサルコイドーシス

- 29歳，男性．
- 3ヵ月前に眼痛を自覚し，眼科でぶどう膜炎と診断された．
- 健診で胸部X線にて異常陰影を指摘され，受診した．
  → 両側肺門部リンパ節の腫大を認める（図1）．
- 胸部CTで両側肺門部と縦隔リンパ節の腫大を認める（図2）．肺野に異常はない．
- 気管支鏡検査にて，気管支肺胞洗浄液（BALF）でリンパ球優位の総細胞数の増加とリンパ球分画でCD4/CD8比が上昇していた．
  → 経気管支肺生検（TBLB）により採取された肺組織と，超音波気管支鏡ガイド下針吸引（EBUS-TBNA）で採取されたリンパ節の病理所見で，非乾酪壊死性類上皮肉芽腫が確認された．
- サルコイドーシスの診断となったが，眼病変以外に治療適応病変がなく，経過観察の方針となった．

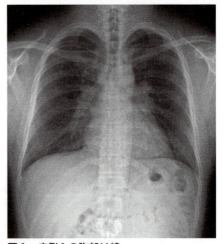

図1　症例1の胸部X線

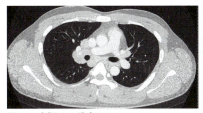
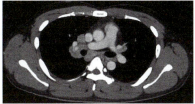

図2 症例1の胸部CT

症例2　抗線維化薬を導入した特発性肺線維症の症例

- 64歳，男性.
- 3年前から全身倦怠感，食欲不振を自覚した.
- 胸部X線で肺容量低下と両側下肺野，外側優位に粒状網状影を認める（**図3**）.
- 胸部CTで両側肺下葉胸膜直下背側優位に蜂巣肺，牽引性細気管支拡張，散在性のすりガラス陰影を認め（**図4**），通常型間質性肺炎のパターンであった.
- 臨床情報と合わせ，専門医にて特発性肺線維症と診断され，病理診断は割愛が可能であった．慢性呼吸不全を呈していたため在宅酸素療法と導入し，抗線維化薬であるニンテダニブ（オフェブ®）を開始した.

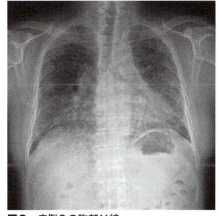

図3 症例2の胸部X線

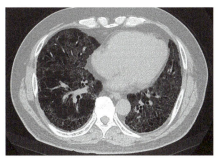

図4 症例2の胸部CT

95 甲状腺機能亢進症

バセドウ病

基本の考え方
- ほとんどがバセドウ病．
- 妊娠可能年代の女性に多い．
- 体重減少，動悸，汗をかきやすい，手の震え，食欲亢進など**甲状腺中毒症**（甲状腺ホルモン高値）の症状を認める．
- 高齢者では症状が出にくいため，**発作性心房細動**で診断に至ることもある．

> **メモ** 甲状腺中毒症
> 甲状腺中毒症は甲状腺機能亢進症を含む概念であることに注意が必要（**図1**）．

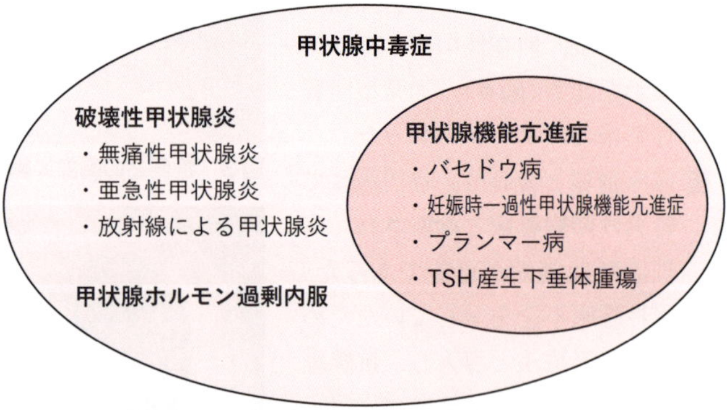

甲状腺中毒症

- 破壊性甲状腺炎
  - 無痛性甲状腺炎
  - 亜急性甲状腺炎
  - 放射線による甲状腺炎
- 甲状腺ホルモン過剰内服

- 甲状腺機能亢進症
  - バセドウ病
  - 妊娠時一過性甲状腺機能亢進症
  - プランマー病
  - TSH産生下垂体腫瘍

図1　甲状腺中毒症と甲状腺機能亢進症の関係

診察室で

聞く

- 甲状腺ホルモン高値による症状はあるか？

- **いつから？**
  - → 3ヵ月以上前からなら一過性の甲状腺中毒症（無痛性甲状腺炎がほとんど）は否定的．バセドウ病と考える．

診　る

- **突眼はあるか？** → あればバセドウ病．
- **甲状腺を触診** → びまん性に腫大していればバセドウ病か橋本病．
- **甲状腺を聴診** → 血管雑音を聴取すればバセドウ病．

検査する

まずはここから

- **甲状腺機能としてTSH，FT4，FT3を確認する．**
  - → 総コレステロール（TC）の低下があれば甲状腺ホルモン高値を示唆する．
- **肝障害を伴うこともあるので，AST，ALT，ALP，γ-GTPも併せて確認する．**
  - → ALPの単独上昇は骨型ALPの上昇で，甲状腺機能亢進症の経過が長いと予想される．

次のステップ

- **TSH受容体抗体（TRAb），甲状腺エコー：甲状腺腫大と血流の増加の有無（図2）．**

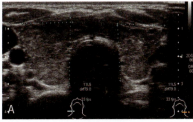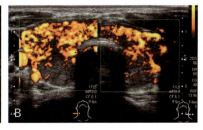

図2　バセドウ病の甲状腺エコー
A：Bモード．甲状腺は峡部も含め，腫大，エコーレベル低下．B：パワードプラ．甲状腺の血流は著明に増加．

症　例

症例1　薬物療法後に肝障害が増悪

- 50歳，女性．
- 1年前から手の震え，多汗，動悸を自覚していた．

- 1ヵ月前から急激な体重減少あり(-8 kg). 脈拍92 bpm, TSH＜0.01 μU/mL (0.38〜4.31), FT4 6.07 ng/dL (0.82〜1.63), FT3 18.3 pg/mL (2.1〜3.8), TRAb＞40.0 IU/L (＜2.0). ( ) 内は基準範囲を示す.
- バセドウ病と診断され, チアマゾール(メルカゾール®(5 mg) 3錠, 分1, 朝) を開始したが, 肝障害が増悪.

> ここで専門医に紹介

- プロピルチオウラシルは肝障害の頻度が高いため, アイソトープ治療の方針となった.

症例2　挙児希望のバセドウ病

- 32歳, 女性.
- 健診で甲状腺腫を指摘され, 軽度の甲状腺中毒症が判明. TRAb陰性であるが, 甲状腺中毒症が3ヵ月以上持続. 挙児希望あり.

> ここで専門医に紹介

- プロピルチオウラシルまたはヨウ化カリウムが推奨され, 後者から治療開始となった.

― 処方例

- **プロパジール®**錠(50 mg) 1錠, 分1
- **ヨウ化カリウム**丸(50 mg) 1錠, 分1

処方例

バセドウ病の薬物治療はメルカゾール®が第1選択.

- **メルカゾール®**錠(5 mg) 2錠, 分1
- ■頻脈が高度なとき
- **メインテート®**錠(5 mg) 1錠, 分1

> [ヒント] **チアマゾール(メルカゾール®)の適切な開始用量は？**
> 重症のバセドウ病に対してメルカゾール®30 mgで治療開始されることが多いが, メルカゾール®は用量依存性に副作用の頻度が増加する. メルカゾール®15 mg＋ヨウ化カリウム50 mgで治療を開始した方が副作用が少なく, 早期に甲状腺機能をコントロールできる可能性がある (Sato S, et al: Thyroid 25: 43-50, 2015).

96 甲状腺機能低下症
慢性甲状腺炎（橋本病）

基本の考え方
- 甲状腺機能低下症は非常に多く，甲状腺ホルモン補充者は全人口の2%．
- ほとんどが原発性甲状腺機能低下症（TSH↑，FT4↓，FT3↓というパターン）．
- 中枢性甲状腺機能低下症はまれ．
- ほとんどが慢性甲状腺炎（橋本病）を原因とする．
- 中等度〜重度になると，倦怠感，全身浮腫，徐脈，嗄声，便秘，体重増加などの自覚症状を認める．高齢者では**認知症と誤診**されることも．

> **メモ** 潜在性甲状腺機能低下症
> - FT4が基準範囲でTSHが高値であるものを指す．
> - 年齢とともに頻度は高くなり，70歳以上では10％以上．高齢者ではTSHの基準値上限が高めである可能性もある．

> **メモ** 橋本病
> 中年以降の女性の8人に1人が橋本病．抗サイログロブリン抗体（TgAb），抗甲状腺ペルオキシダーゼ抗体（TPOAb）のいずれかが陽性であれば診断してよい．

診察室で

聞く

■ **自覚症状はいつから？**
→ 短い経過だと一過性あるいは無症状のことも（無痛性甲状腺炎からの回復過程）．

■ **CT造影剤，海藻類の大量摂取やイソジン®うがいは？**
→ ヨウ素制限で甲状腺機能が正常化することもある．

> 診 る

- 甲状腺機能低下の症状はあるか？
- 甲状腺の触診
  → びまん性に腫大していれば橋本病あるいはバセドウ病の可能性が高い．
- 下肢の非圧痕性浮腫はあるか？

> 検査する

まずはここから
- 甲状腺機能としてTSH，FT4，FT3を確認．
- 筋由来の酵素（CPK，AST，LDH）の上昇，総コレステロール（TC）の上昇があれば甲状腺ホルモン低値を示唆する．

次のステップ
- TgAb，TPOAb，甲状腺エコー
  → 一過性に自然回復する場合があるため，期間を置いて2度以上甲状腺機能を確認すること．

> 症 例

症例1　治療を要する甲状腺機能低下症

- 80歳，女性．
- 半年前から自覚している倦怠感，嗄声，便秘で来院．
- 脈拍50 bpm台の徐脈，TSH 58.3 μU/mL（0.38〜4.31），FT4 0.11 ng/dL（0.82〜1.63），FT3 0.8 pg/mL（2.1〜3.8）．（　）内は基準範囲を示す．
  → 甲状腺機能低下症と診断．
- 肝障害，CPK 200 U/L台，総コレステロール高値あり．橋本病の自己抗体陽性で，甲状腺エコーでも橋本病に合致する所見あり（甲状腺腫大，内部不均一で低エコー，被膜の凹凸：**図1**）．
- 高齢であり，レボチロキシンナトリウム（チラーヂン®S）12.5 μg/日より開始．2週間〜1ヵ月ごとに増量し，100 μg/日で甲状腺機能は正常化．

症例2　一過性の甲状腺機能低下症

- 頸周りが腫れ，倦怠感の自覚あり．

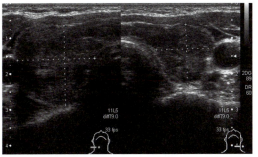

図1 慢性甲状腺炎(橋本病)の甲状腺エコー(Bモード)

- TSH 20 μU/mL台の甲状腺機能低下症が判明．橋本病の自己抗体は陰性．
- 健康志向で芽コンブを3ヵ月前から食べ始めたとのこと．
  → 摂取を控えたら甲状腺機能は正常化．

症例3　潜在性甲状腺機能低下症

- 38歳，女性．
- 健診で甲状腺腫を指摘され，自覚はないが潜在性甲状腺機能低下症が判明．
- 橋本病の自己抗体陽性．
- 挙児希望あり，レボチロキシンナトリウム50 μg/日より開始し，TSH＜2.5 μU/mLを維持．

> **ヒント　潜在性甲状腺機能低下症は治療すべきか？**
> 妊娠(を考える)の際には，潜在性甲状腺機能低下症に対する治療介入が必要である(Stagnaro-Green A, et al：Thyroid 21：1081-1125, 2011)．それ以外では，積極的な治療が冠動脈疾患のリスクを下げるという報告や，脂質の改善効果を評価した報告を除いて，無症状の潜在性甲状腺機能低下症に対する治療の有益性については，エビデンスが不十分である(LeFevre ML：Ann Intern Med 162：641-650, 2015)．

処方例

- **チラージン®S**：25～50 μg/日より開始
- 高齢者，虚血性心疾患患者は12.5 μg/日などごく少量から開始．
- 中枢性甲状腺機能低下症など副腎不全の合併を疑う場合は，副腎皮質ホルモン製剤[ヒドロコルチゾン(**コートリル®**)]から補充を開始する．

97 肺がんの診断

胸部Ｘ線の異常陰影を見逃さない

> **基本の考え方**
> ☐ 網羅的に胸部Ｘ線を読影し，異常陰影を見逃さない．
> ☐ 肺がんを疑うなら，基本的には呼吸器内科に紹介する．

診察室で

聞く

- 咳嗽，喀痰，血痰，呼吸困難，胸痛などの呼吸器症状や，食欲不振，体重減少，発熱など全身症状は？
  → 症状発見の肺がんは，健診発見の肺がんと比較して進行期の頻度が高く，予後が悪い．
- 喫煙歴は？
  → 喫煙により男性で4.4倍，女性で2.8倍，受動喫煙でも肺がんのリスクが1.3倍高くなる．
- アスベストなどの粉塵吸入や肺がんの家族歴は？
- 呼吸器，あるいは呼吸器以外の症状は？
  → 脳腫瘍による片麻痺，骨転移，病的骨折による疼痛など．

診る

- 表在リンパ節の触診
- 胸部の聴診

検査する

まずはここから

- 胸部X線，喀痰細胞診，CEA，シフラ（CYFRA），ガストリン放出ペプチド前駆体（ProGRP）などの血液検査，喀痰細胞診
  → **腫瘍マーカーが正常の肺がんの症例もまれではない．**
- 胸部CT
- 気管支鏡検査，CT下生検，外科的生検

肺がんの診断がついたら

専門医に紹介して以下の検査で病期診断を行う．
- 頸部～骨盤腔CT（可能であれば造影）
- 頭部MRI（可能であれば造影）
- PET，もしくは骨シンチグラフィ

治療する

- performance status（PS）と年齢も考慮し治療方針を検討する．
  → 日本肺癌学会の『肺癌診療ガイドライン2022年版』などを参照．
- 放射線照射が可能な限局型小細胞肺がんでは放射線化学療法を，それ以外の進展型小細胞肺がんでは化学療法を行う．
- 腺がんや扁平上皮がんなどの非小細胞肺がんでは，治癒を目指す手術，放射線化学療法の可否を病期診断により判断する．
- 化学療法の適応となった非小細胞肺がん症例では，がん細胞の遺伝子検査や免疫染色の結果によって，抗がん剤による化学療法のほか，分子標的治療薬や免疫チェックポイント阻害薬などによる治療が選択される．

> **メモ** 網羅的な胸部X線の読影
> 様々な手法があるが，筆者はFelsonの提唱する以下の読影法を使用している．"Are There Many Lung Lesions"の頭文字で，A（abdomen，腹部），T（thorax，骨性胸郭，軟部陰影），M（mediastinum，縦隔），L（lung，左右の肺をそれぞれ評価），L（lungs，肺野の左右差を評価）の順で読影する．読影については多くの教科書があり，優れた読影法が紹介されている．自分の使いやすいもので毎回評価し，指導医に確認してもらうとよい．

症例

症例1　進行期肺腺がんの症例

- 64歳，男性，PS 0．
- 健診で胸部X線異常陰影を指摘された．
  → 右下肺野の結節が認められ（**図1**），気管支鏡検査の結果，右下葉肺腺がんの診断となった．
- 胸部CTで右肺下葉の結節のほか，右肺門部と縦隔リンパ節腫大（**図2**）が，頭部MRIで転移性脳腫瘍が，またPET/CTで右第1肋骨の転移性骨腫瘍が指摘された．
  → T2aN2M1b，stage ⅣAの病期診断となった．
- がん細胞の遺伝子検査で*EGFR*遺伝子変異があり，分子標的治療の方針となった．

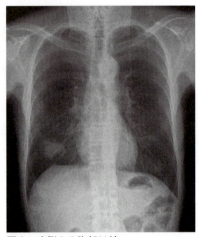

図1　症例1の胸部X線

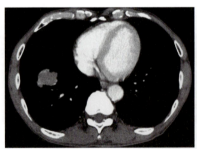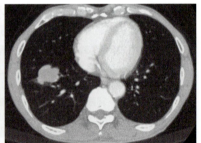

図2　症例1の胸部CT

98 骨髄異形成症候群

血球減少（WBC，Hb，PLT）に注意

基本の考え方

- 不応性貧血とも呼ばれ，鉄剤などの補充療法に反応しない．
- 鉄欠乏性貧血など他の貧血を除外することが大切．
- 除外のため，鉄，ビタミンB_{12}，葉酸を調べる．
- 鉄欠乏性貧血は小球性低色素性貧血となる．
- 緊急性が高いもの：白血球分画で**芽球が認められる**とき，あるいはWBC，Hb，PLTの**3つもしくは2つの血球減少**があるとき，さらに**極端に低い**とき（例えばWBC 1,500/μL，Hb 6 g/dL，PLT 2万/μLなど）はすぐに血液専門医に紹介する（「8. 汎血球減少症」参照）．

診察室で

聞く

- 黒色便の有無，生理の有無は？　→ あれば鉄欠乏性貧血を疑う．
- 胃切除の有無は？　→ あればビタミンB_{12}欠乏症を疑う．
- 抗血小板薬，抗凝固薬の内服の有無は？　→ あれば鉄欠乏性貧血を疑う．
- 食事が普通に取れているか？
  → 取れていなければビタミンB_{12}欠乏症を疑う．
  ※鉄欠乏性貧血については「9. 貧血」，ビタミンB_{12}欠乏に関しては「77. ビタミン欠乏症」も参照のこと．

> 検査する

まずはここから

- 血算以外に鉄，不飽和鉄結合能（UIBC），フェリチン，ビタミンB_{12}，葉酸
  - → 赤血球は大きめになることが多い（MCVやや高値）．
  - → UIBCが高い，鉄・フェリチンが低い場合は鉄欠乏性貧血を疑う．
  - → 少なくとも**鉄欠乏性貧血が否定**されたら，血液専門医へ紹介．
  - → ビタミンB_{12}が低い場合，通常は50 pg/mL未満となる．
  - → 各種欠乏症以外の貧血として二次性（がん，膠原病に伴う）貧血がある．

念を入れるなら

- 白血球分画（鏡検），LDH，T-Bil，TP，網状赤血球（reticulocyte），CRPなど
  - → 白血球分画に芽球が存在したら，骨髄異形成症候群（MDS）か急性骨髄性白血病（AML）．
  - → CRP高値なら二次性貧血を疑う．
  - → LDH，T-Bil，網状赤血球高値なら溶血性貧血．
  - → 貧血＋TP高値は多発性骨髄腫を疑う．

> 症　例

症例1　抗がん剤投与後5年，二次性MDS疑い

- 60歳，男性．
- 5年前，睾丸腫瘍と診断され抗がん剤治療．
- 半年で徐々に貧血が進行．さらに白血球分画に芽球が現れた．
- WBC 6,000/μL（芽球2％，単球20％，その他正常），Hb 5.7 g/dL，PLT 23万/μL，MCV 108 fl．
  - → 芽球が認められたため専門医紹介．

ここで専門医に紹介

- 骨髄検査の結果，MDSと診断され，骨髄移植を検討している．

症例2　超高齢のMDS

- 83歳，男性．
- 近医より貧血で紹介．鉄欠乏，ビタミンB_{12}欠乏，葉酸欠乏なし．

- WBC 6,500/μL，Hb 10.3 g/dL，PLT 7万/μL．
  → 骨髄検査が施行され，骨髄異形成症候群と診断された．
- 治療は拒否されているが，幸いにもこの2年間，まったく進行がなく輸血も不要．

症例3　胃がん手術後

- 73歳，男性．
- 胃がんの手術後3年経過している．
- WBC 800/μL，Hb 6.0 g/dL，PLT 3万/μL．
  → 3系統で血球減少があり専門医に紹介．

ここで専門医に紹介

- 各種欠乏症否定後に骨髄検査を施行．MDSと診断．
- 抗がん剤のアザシチジン（ビダーザ®）が著効し，現在は輸血不要になっている．
- 治療後WBC 2,500/μL，Hb 12.5 g/dL，PLT 14万/μL．

> **メモ　アザシチジン（ビダーザ®）とはどんな抗がん剤？**
> いわゆる古典的抗がん剤ではなく，比較的副作用の少ない分子標的治療薬に分類される．1ヵ月に7日間連続投与を半年以上継続する．約半数で効果があるとされる．生命予後を改善するが，治癒は望めない．

処方と検査の希望

99 咽頭炎と感冒薬　急性ウイルス感染症，細菌感染症 …p362

100 口内炎　丸くて白いアフタ…p366

101 花粉症　アレルギー性鼻炎，モーニングアタック …p369

102 咽頭炎や腰痛に用いる鎮痛薬の使い方　NSAIDs など…p371

103 慢性疼痛治療薬の使い方…p374

104 肝炎ウイルスと梅毒のデータの見方…p377

99 咽頭炎と感冒薬
急性ウイルス感染症，細菌感染症

> **基本の考え方**
> - 咽頭痛と発熱を主症状とする咽頭炎の大半は急性ウイルス感染症である．
> - 細菌感染症は，A群溶連菌がほとんどであり，Centor criteriaが鑑別に有用．
> - 流行に応じて，インフルエンザや新型コロナウイルス感染症を想起する．
> - 扁桃腫大の程度と年間の症状の頻度によっては扁桃摘出術の適応がある．

診察室で

聞く

- **痛みの程度は？**
  → 「唾を飲み込むのも痛いほど」など想像しやすい尋ね方を心がける．
- **痛みの場所は？**
  → 指で差してもらう．のどではなく，甲状腺を指す患者もいる．
- **なぜこのタイミングで生じたか？**
  → 患者が思う原因を尋ねる．
- **職業は？**
  → 保育士や小学校の先生になったばかりのときには，伝染性単核球症のように長引く発熱になるリスクがある．

診る

- **嗄声やよだれ，開口障害，呼吸困難感などの上気道閉塞の徴候はないか？**
  → 急性喉頭蓋炎や深頸部感染症の可能性がある．
- **扁桃の腫大はあるか？**
  → 片側の腫大や口蓋垂偏位は扁桃周囲膿瘍を疑い，耳鼻咽喉科に紹介する．

- ■ 扁桃に白苔はあるか？
  - → 白苔は辺縁が汚らしいものと，線状または境界が明瞭なものがある．線状の白苔は伝染性単核球症のようなウイルス性の感染症でよくみられる．
- ■ 頸部リンパ節腫大はあるか？
  - → 大きさと圧痛，熱感の有無，部位としては後頸部リンパ節群がウイルス感染症で多くみられ，浅頸リンパ節群は細菌感染症で腫れることがある．あくまで補助的な役割であることに留意する．
- ■ 鼻汁の性状は？
  - → 粘性の鼻汁が咽頭に垂れ込んでいる所見は後鼻漏と呼ばれ，咳嗽・痰の増加の原因となる．朝起きたときの痰の絡んだ咳がつらいと訴える患者も多い．

検査する

Centor criteria（表1）が2点以上のとき

表1 Centor criteria

評価項目	検査の考え方
1. 38℃以上の発熱	・各評価項目につき1点とする
2. 咳がない	・1点以下：溶連菌迅速検査不要
3. 扁桃腺の腫大，白苔の付着	・2〜3点：溶連菌迅速検査を行い抗菌薬の必要性を判断
4. 圧痛を伴う前頸部リンパ節腫大	・4点：抗菌薬の処方を積極的に検討

- ■ 溶連菌迅速検査

濃厚接触や周囲での流行があるとき

- ■ インフルエンザ抗原検査
- ■ SARS-CoV-2抗原検査

次のステップ

- ■ **伝染性単核球症**を疑う．
  - → 1週間以上続く発熱，唾の飲み込みもつらい咽頭痛（滲出性扁桃腺炎），頸部リンパ節腫大（後頸部や胸鎖乳突筋に沿って数珠状リンパ節腫大を起こすことがある）などの臨床的な特徴があるとき，血液検査を行い，異型リンパ球や血球減少，肝機能障害があるかを調べる．

症例

症例1　繰り返す発熱と咽頭痛

- 20歳，男性．
- 咽頭痛と発熱を主訴に来院．
- 38℃の発熱と，両側扁桃が腫大し左扁桃腺に白苔が付着している．同側の頸部リンパ節腫大がみられた．
- 年に4回ほど急な高熱とひどい咽頭痛を繰り返す．
- 溶連菌迅速検査が陽性　→　急性扁桃炎

処方例
- **サワシリン**®錠（250 mg）4錠，分4，10日間
- **カロナール**®錠（500 mg）4錠，分4
- **トランサミン**®錠（250 mg）3錠，分3

- 繰り返す扁桃炎による日常生活への支障がみられる（会社を何度も休まざるを得ない）ときは，扁桃摘出術の適応もある．耳鼻咽喉科での相談を勧める．

症例2　発熱，咽頭痛，鼻汁

- 50歳，女性．
- 発熱，咽頭痛，鼻汁があり，明け方に痰の絡んだ咳が出る．
- 咽頭充血あり，体温37℃，白色の鼻汁が多い．
- インフルエンザ抗原検査とSARS-CoV-2抗原検査は陰性　→　感冒

処方例
対症療法が基本となるため，症状に応じて処方する．
- **ポララミン**®錠（2 mg）2錠，分2．または**アレグラ**®錠（60 mg）2錠，分2
- **カロナール**®錠（500 mg）4錠，分4．または**ブルフェン**®錠（200 mg）3錠，分3

患者さんを安心させるコツ・ポイント
- ウイルス性や各迅速検査陰性の場合,「一般的に特別な治療をしなくても5〜7日以内に落ち着きます．症状が長引く，どんどん強くなる場合はまた来てください」と説明する．
- 再診した場合は，扁桃周囲膿瘍や伝染性単核球症，急性HIV感染症や淋菌性咽頭炎などの性感染症などの可能性を考えて診察する．

> [メモ] **総合感冒薬**
>
> 総合感冒薬は抗ヒスタミン薬の薬効を中心に，アセトアミノフェンおよびNSAIDsによる解熱鎮痛，カフェインによる鎮咳作用を併せ持つ．抗ヒスタミン作用は自覚症状が改善することを実感しやすい部分で，鼻汁/鼻閉症状のある患者に効果的．必ず抗ヒスタミン作用の副作用である眠気と尿閉，緑内障での眼圧を上げる恐れがあることを留意する．眠気については「小学生低学年くらいならこてんと寝てしまうくらい」と説明すると，注意喚起としても分かりやすい．

100 口内炎

丸くて白いアフタ

基本の考え方

- 丸く白いアフタ性口内炎が有名だが，赤くなるものや大きく広がっているものもある．
- 歯茎や舌などの粘膜にできる炎症性反応であり，詳しい原因は不明．
- 体の抵抗力が落ちたり，粘膜に傷ができたりすると過敏に反応し，口内炎となって現れる．
- 舌がんや歯からの瘻孔との鑑別が必要．

診察室で

聞く

- 口内炎ができてからの期間は？ → 多くは**2週間程度**で消失．
- 接触痛はあるか？
  → 口内炎の多くは**接触痛**がある．なければ歯科や口腔外科へ紹介．
- 疲労，寝不足は？
- 唾液量は減少しているか？
- 頻度は？

診る

- アフタ性口内炎は直径数mmの円形または楕円形の白い潰瘍で，周りは**赤くなった部分で取り囲まれている**．
- 虫歯で歯が欠けていたり，入れ歯の縁が当たっていないか？
  → 口の中で傷ができやすい状態のものがあれば歯科に紹介する．

症例

症例1　口唇のアフタ性口内炎

- 45歳, 男性.
- 典型的なアフタ性口内炎, 円形で白い潰瘍, 周囲に発赤(**図1**).
- アフタゾロン®口腔用軟膏0.1%とデキサメタゾン口腔用軟膏0.1%「NK」を処方.

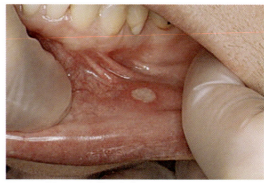

図1　口唇のアフタ性口内炎

症例2　舌縁のアフタ性口内炎

- 73歳, 女性.
- 舌がんの好発部位のため鑑別が必要.
- 痛みもなく境界が不明瞭(**図2**), 触診時硬く, 3週間以上治らない場合は舌がんを疑う.
  → 口腔外科へ紹介
- 今回はアフタ性口内炎のため, アフタゾロン®口腔用軟膏0.1%, デキサメタゾン口腔用軟膏0.1 g「NK」を処方. 念のため3週間後に改善したかを確認する.

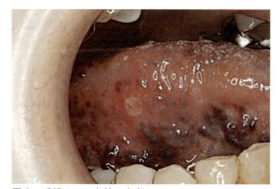

図2　舌縁のアフタ性口内炎

> **症例3** 右下の入れ歯による潰瘍性口内炎

- 75歳，男性．
- 入れ歯の不適合による潰瘍性口内炎（**図3**）．

◀ ここで歯科に紹介

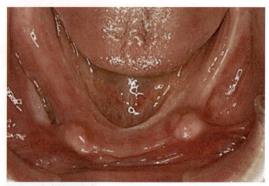

図3 潰瘍性口内炎

> **メモ** 様々な口内炎・間違いやすい疾患
> ①その他の口内炎
> - 銀歯や矯正器具によって起こるカタル性口内炎 → 歯科へ紹介
> - 入れ歯のカビによってカンジダ性口内炎 → 口腔外科へ紹介
> - ウイルスによって起こるウイルス性口内炎 → ウイルス検査
> - 金属などによって起こるアレルギー性口内炎 → 皮膚科へ紹介
> - 乳幼児にできるBednar（ベドナー）アフタ → 哺乳瓶の乳首の確認・変更
>
> ②原因不明の口内炎
> - ベーチェット病 → 慢性再発性炎症性疾患
> - 慢性再発性口内炎
>
> ③口内炎と間違えやすい口の中の疾患
> - 骨隆起 → 処置の必要はない．
> - 乳頭腫 → 基本は切除するが，そのままでも問題はない．
> - 白板症 → 前がん病変のため口腔外科へ紹介
> - 瘻孔（フィステル） → 歯科へ紹介

処方例

- **アフタゾロン®** 口腔用軟膏0.1％（3 g）
- **デキサメタゾン** 口腔用軟膏0.1％「NK」（2 g）
- **アフタッチ®** 口腔用貼付剤（25 μg）1回1錠，3日分

101 花粉症

アレルギー性鼻炎，モーニングアタック

基本の考え方

- 花粉症はありふれた疾患．春先に生じる．
- **通年性**アレルギー性鼻炎というのもある．
- 朝起きた後，くしゃみや鼻炎症状が強い人もいる．この症状を**モーニングアタック**という．なぜ朝なのかは諸説あり．
- 抗アレルギー薬は抗ヒスタミン薬だけではないが，実際は第二世代の抗ヒスタミン薬を処方すれば間に合う．

診察室で

聞く

- 使い慣れた抗アレルギー薬はないか？
- 鼻炎や眼の症状への治療も希望するか？

検査する

誘因を知りたいと言われたら

- 血中の総IgEを調べる．
- 花粉に反応するIgE（**特異的IgE**）を調べる．アトピー性皮膚炎，食物アレルギー，呼吸器系，鼻炎ごとにセットになっている．

処方例

- **経口薬**：いずれもそれほど**眠くならない**．
  - **アレグラ**®錠（60 mg）2錠，分2
  - **ザイザル**®錠（5 mg）1錠，分1
  - **デザレックス**®錠（5 mg）1錠，分1
- **点鼻薬**：ステロイド点鼻薬，**効果は2～3日後から**現れる．
  - **アラミスト**®点鼻液：各鼻腔に2噴霧，1日1回
  - **フルナーゼ**®点鼻液：各鼻腔に1噴霧，1日2回
- **点眼薬**：抗ヒスタミン薬が多く，**時間を置かずに効果を実感**できる．
  - **リボスチン**®点眼液：1回1～2滴点眼，1日4回
  - **ザジテン**®点眼液：1回1～2滴点眼，1日4回
- **鼻閉の強いとき一時的に使用**
  - **ディレグラ**®配合錠：4錠，分2

102 咽頭炎や腰痛に用いる鎮痛薬の使い方
NSAIDs など

基本の考え方

- 鎮痛薬は漫然と投与せず有効性を確認し，継続の必要性を常に評価する．
- NSAIDs（非ステロイド性抗炎症薬）は鎮痛・解熱・抗炎症作用を示す．
- NSAIDsは消化性潰瘍，腎機能障害，出血傾向，心血管障害など様々な副作用があり，注意が必要である．アスピリン喘息の既往がある患者，妊娠中は投与を避ける．
- NSAIDs投与時は消化性潰瘍の予防のため，プロトンポンプ阻害薬（PPI），プロスタグランジン製剤，H_2ブロッカーのいずれかを併用する．『日本消化器病学会消化性潰瘍診療ガイドライン2020（改訂第3版）』ではPPIによる予防が提案されている．COX-2選択的阻害薬は消化性潰瘍の発生率が少ないとされる（表1）．
- 高齢者では副作用が出現・増強しやすいため，少量からの投与を考慮する．半減期の長いNSAIDsは蓄積による副作用増強の問題がある（表2）．
- NSAIDsの鎮痛効果には上限がある．常用量以上の投与やNSAIDs同士の併用は副作用のリスクが高まるのみであり行わない．
- アセトアミノフェンは主に中枢に作用し，鎮痛・解熱作用を発揮する．副作用が少なく安全域も広い．4,000 mg/日を上限量として承認されている．
- アセトアミノフェンで最も問題となる副作用は肝機能障害である．低栄養患者やアルコール多飲者，もともと中等度以上の肝機能障害を有する患者では高用量の投与を避ける．

診察室で

聞く

- 消化性潰瘍，腎機能障害の既往はあるか？

表1　COX阻害の選択性によるNSAIDsの分類

COX-1阻害が優先	非選択的COX-2阻害薬	COX-2阻害が優先	選択的COX-2阻害薬
フルルビプロフェン インドメタシン	アスピリン ロキソプロフェン イブプロフェン ナプロキセン	ジクロフェナク エトドラク メロキシカム	セレコキシブ

［日本緩和医療学会：がん疼痛の薬物療法に関するガイドライン2020年版，金原出版，2020年より作成］

表2　NSAIDsの血中半減期による分類

	一般名（商品名）	血中半減期（時間）	用法
長半減期	オキサプロジン（アルボ）	50	分1〜2
	ピロキシカム（バキソ）	48	分1
	メロキシカム（モービック）	28	分1
	ナブメトン（レリフェン）	21	分1
	スリンダク（クリノリル）	18	分2
	ナプロキセン（ナイキサン）	14	分2〜3
	エトドラク（ハイペン）	7	分2
	セレコキシブ（セレコックス）	7	分2
短半減期	プラノプロフェン（ニフラン）	5	分3
	ロルノキシカム（ロルカム）	2.5	分3
	イブプロフェン（ブルフェン）	2	分3
	ロキソプロフェン（ロキソニン）	1.3	分3
	ジクロフェナク（ボルタレン）	1.3	分3

［島田和幸ほか（編）：今日の治療薬2022，南江堂，2022より作成］

- 服薬歴（抗凝固薬，抗血小板薬など）は？
- 過去に鎮痛薬で喘息発作を起こしたことがないか？
- 市販薬を服用していないか？
  → アスピリン喘息の既往がある場合，NSAIDsは投与しない．
  → アセトアミノフェンは市販の総合感冒薬や解熱鎮痛薬などにも含まれているため，意図しない過剰摂取に注意が必要である．

検査する

- 血液検査（血小板数，血清クレアチニン値，肝機能など）

ヒント
- 内科外来に通院中の患者が，腰痛で受診するケースは少なくない．急な腰痛で不安に襲われている患者に対して，適切な問診と診察を実施し，保存的治療となる非特異的腰痛か治療介入が必要な脊椎疾患かの鑑別を行い，十分な説明を行うことが患者の安心感につながる．適切な診断を行った上で鎮痛薬を処方する．
- 診断に際しては重篤な脊椎疾患を見逃さないようred flags（**表3**）を念頭に置いた問診と診察を行う．腫瘍，感染，骨折などの重篤な脊椎疾患，神経症状の有無についてトリアージを行い，red flagsや神経症状を認める患者ではX線検査に引き続いてMRIが推奨される．

表3 重篤な脊椎疾患（腫瘍，感染，骨折など）の合併を疑うべきred flags（危険信号）

- 発症年齢＜20歳または＞55歳
- 時間や活動性に関係のない腰痛
- 胸部痛
- がん，ステロイド治療，HIV感染の既往
- 栄養不良
- 体重減少
- 広範囲に及ぶ神経症状
- 構築性脊椎変形
- 発熱

［日本整形外科学会ほか：腰痛診療ガイドライン2019（改訂第2版），南江堂，2019より作成］

処方例

■ NSAIDs＋PPI
- **ロキソニン®**錠（60 mg）3錠，分3
- **タケプロン®**OD錠（15 mg）1錠，分1

■ アセトアミノフェン
- **カロナール®**錠（500 mg）3〜6錠，分3

患者さんを安心させるコツ・ポイント

「鎮痛薬は何か食べてから服用しないと胃が荒れる」と心配する患者は少なくない．NSAIDsは消化性潰瘍の懸念から食後投与が原則だが，アセトアミノフェンは食前や空腹時の服用も可能であることを伝えると安心する．

103 慢性疼痛治療薬の使い方

基本の考え方

- 慢性疼痛とは，国際疼痛学会で「治療に要すると期待される時間の枠を超えて持続する痛み，あるいは進行性の非がん性疼痛に基づく痛み」と定義されている．整形外科疾患や術後に遷延する痛み，帯状疱疹や糖尿病に関連する神経障害性疼痛などがある．
- 慢性疼痛治療に用いられる薬剤には，NSAIDsやアセトアミノフェン，抗うつ薬，抗てんかん薬，抗不安薬，オピオイド鎮痛薬などがある．**痛みの病態に応じて薬剤を選択し，効果と副作用のバランスを考慮して投与量の調節を行う．**
- 非がん性の慢性疼痛患者に処方可能な医療用麻薬は，一部の薬剤に限定されているため注意する．非がん性の慢性疼痛に対する医療用麻薬の長期使用は依存・乱用などのリスクを増加させる．このため医療用麻薬は他に有効な治療手段がなく，効果が副作用を上回る場合に考慮される薬剤であり，処方にあたっては適切な診断と評価が求められるため，専門医へのコンサルテーションが勧められる．

> **メモ 慢性疼痛**
> - 慢性疼痛の病態は，侵害受容性，神経障害性，社会心理的などがあり，多くの場合これらの要因は混在し密接に関連している．また，痛みが長期間持続することにより病態がさらに複雑化する．
> - 慢性疼痛の病態解明や理解が進み，薬物療法単独だけでなく，多職種の連携による薬物療法以外の治療法（神経ブロックやトリガーポイント注射などのインターベンショナル治療，認知行動療法，リハビリテーション）などを統合した集学的治療も積極的に行われている．心理面に配慮しながら正しい知識や治療目標を共有する患者教育も重要である．

表1 慢性疼痛に対して使用する薬物

- NSAIDs（代表的な薬物のみ記載）：ジクロフェナク，ロキソプロフェン，セレコキシブ
- アセトアミノフェン
- ノイロトロピン®
- Ca^{2+}チャネル$\alpha_2\delta$リガンド（ガバペンチノイド）：プレガバリン，ガバペンチン，ミロガバリン
- 抗てんかん薬：カルバマゼピン，バルプロ酸ナトリウム
- 抗うつ薬
  - 三環系抗うつ薬：アミトリプチリン，イミプラミン，ノルトリプチリン
  - 四環系抗うつ薬：マプロチリン
  - セロトニン・ノルアドレナリン再取り込み阻害薬（SNRI）：デュロキセチン
- 抗不安薬（ベンゾジアゼピン系薬物）：クロナゼパム，アルプラゾラム
- 中枢系筋弛緩薬：チザニジン，エペリゾン
- オピオイド鎮痛薬
  - トラマドール，トラマドール・アセトアミノフェン配合錠
  - ブプレノルフィン貼付剤
  - モルヒネ，フェンタニル貼付剤，オキシコドン

［慢性疼痛診療ガイドライン作成ワーキンググループ：慢性疼痛診療ガイドライン，真興交易，2021より作成］

診察室で

聞く

- 痛みの部位，性状，強さなどは？
- 鎮痛薬の有効性や副作用は？
- 生活面での気がかりや困りごとは？
  → 原因となる疾患の診断だけでなく，痛みによる生活の支障の程度，痛みを修飾している不安や抑うつなどの心理社会面も併せて評価する．

診る

- 詳細な問診，診察で病態を推察する．

検査する

- 画像検査（X線，CT，MRIなど）
- 血液検査（血算，生化学，炎症値など）

→ 慢性疼痛の診断に際して最も重要なことは，問診・診察・検査などで病態を正確に把握することである．病態を把握した上で各疾患に関するガイドラインの診断基準に従って診断する．

処方例

■ **NSAIDs＋PPI**
- **ロキソニン**®錠（60 mg）3錠，分3
- **タケプロン**®OD錠（15 mg）1錠，分1

■ **オピオイド鎮痛薬**
- **トラムセット**®配合錠：2〜4錠，分2〜分4

（トラムセット®配合錠1錠あたりトラマドール塩酸塩37.5 mg，アセトアミノフェン325 mg含有）

■ **プレガバリン，ミロガバリン**
- **リリカ**®OD錠（25 mg）2錠，分2
  - 特に高齢者の場合，少量より開始し効果や副作用をみながら漸増する．上限量1日300 mg.
  - ふらつき，眠気，浮腫などの副作用に注意する．

または
- **タリージェ**®錠（5 mg）2錠，分2
  - 初期量より開始し効果や副作用をみながら漸増する．上限量1日30 mg.

患者さんを安心させるコツ・ポイント

- 長引く痛みは心理社会的背景の影響が存在していることが少なくなく，心理社会的背景は痛みを複雑化・遷延化させる要因でもある．痛みの訴えを軽視せず患者の話を傾聴し，信頼関係の構築に努める．薬や治療など医療への依存が高まる可能性があるため，医療者側の冷静な判断も求められる．
- 治療の副作用をできる限り少なくしながら痛みの管理を行い，患者の生活の質（QOL）や日常生活動作（ADL）の向上を目標とすることが重要である．

104 肝炎ウイルスと梅毒のデータの見方

> **基本の考え方**
> □ 妊婦健診や針刺しなどの職業感染,性行為感染症のスクリーニング検査で行う.
> □ 入院時一般検査として行われているところも多い.
> □ B型肝炎ウイルス再活性化対策として,化学療法などの施行前にも行われる.

診察室で

検査する

まずはここから
- 肝炎ウイルス:HBs抗原,HCV抗体
- 梅毒:RPR(STS),TPHA

B型肝炎ウイルス再活性化対策として行うなら
- HBs抗原(−) →HBc抗体,HBs抗体

ウイルス性肝炎の治療適応を考えて行うなら
- AST・ALT値,血小板数,腹部エコー
- HBs抗原(+) →HBe抗原,HBe抗体,HBV-DNA
- HCV抗体(+) →HCV群別(セロタイプ),HCV-RNA

聞く

- (検査陽性例の場合)生活歴,家族歴,輸血歴などは?

診る

- 梅毒データの読み方(表1)

表1 RPRが16倍以上，TPHA（＋）では治療と届け出が必要

RPR（－）TPHA（－）：感染なし
RPR（＋）TPHA（－）：生物学的偽陽性，または感染早期
RPR（＋）TPHA（＋）：梅毒
RPR（－）TPHA（＋）：治癒後（陳旧性梅毒），または地帯現象

治療する

- B型慢性肝炎：HBs抗原（＋），ALT 31 U/L以上，HBV-DNA 4.0 log copies/mL以上（ALT値正常のHBVキャリアは経過観察）
- B型肝硬変：HBs抗原（＋），HBV-DNA陽性
- C型肝炎：HCV抗体（＋），HCV-RNA陽性
- 梅毒：RPR（＋）TPHA（＋）（無症候性で，RPRが8倍以下では陳旧性梅毒とされ治療の必要はない）

対応する

- 感染症法に基づき，下記の場合は **7日以内の届け出が必要**（5類感染症）．
- 梅毒：RPRが16倍（自動化法で16.0 RU，16 U，16 SU/mL）以上の場合
- B型・C型肝炎：IgM-HBc抗体陽性，HCV-RNA陽性の急性肝炎の場合
- HBs抗原陽性者の針刺しをした場合
- HBワクチンを接種しHBs抗体（＋）：無処置
- HBs抗体（－）：**48時間以内に**HBsヒト免疫グロブリンとHBワクチンを接種

> **ヒント**
> - HBV母子感染予防：1986年1月よりHBe抗原陽性妊婦からの出生児が，1995年4月よりHBe抗原陽性，陰性にかかわらず，すべてのHBVキャリア妊婦からの出生児が対象．
> - HBワクチン定期接種：2016年10月より開始．
> - 梅毒はHIV感染症と最も重複感染が多い．
> - 梅毒検査および肝炎ウイルス検診は，医療機関または保健福祉センターで無料で受けることができる．
> - HBV再活性化は劇症肝炎に至ることが多い．

索 引

数字・欧文

β遮断薬　252
γ-GTP　18

ABC検診　16
A-DROP　320
ALT　18
AST　18
asthma-COPD overlap（ACO）　143
B型肝炎ウイルス（HBV）　377
Birdの診断基準　283
body mass index（BMI）　168
Centor criteria　363
CHA_2DS_2-VAScスコア　92
crowned dens syndrome　254
dual-energy X-ray absorptiometry（DXA法）　268
Epstein-Barrウイルス（EBV）　275
FRAX®　268
H_2ブロッカー　224
HbA1c　36, 41
Helicobacter pylori　15, 225
ischemia with no obstructive coronary arteries（INOCA）　253
LDLコレステロール　64
NSAIDs　371, 374
OPQRST　222, 228
P排泄率　90
PCSK9　58
pit recovery time　130
VEGF阻害薬　51
VINDICATE　230
Wells PEスコア　139

和文

あ

赤目　104
アカラシア　118
亜急性心筋梗塞（RMI）　247
アキレス腱肥厚　56
アセトアミノフェン　371, 374
アトピー性皮膚炎　135
アフタ性口内炎　366
アルキメデスのらせん追跡課題　201
アルコール性肝障害　18
アルツハイマー病　338
アレルギー　120
　──性接触皮膚炎　107
　──性鼻炎　369

い

胃がん検診　16
息切れ　138, 142
異型狭心症　250
異所性石灰化　85, 87
胃痛　222
溢流性尿失禁　195
胃粘膜萎縮　16
胃もたれ　161
咽喉頭異常感症　303
咽喉頭がん　120
咽喉頭神経症　306
インターフェロンγ遊離試験（IGRA）　327
咽頭炎　362, 371
インフルエンザ　312, 331

う

ウイルス感染症　123, 362
ウイルス性慢性肝炎　18
ウェルニッケ脳症　273

え

嚥下障害　117

お

黄疸　132
嘔吐　182
オピオイド鎮痛薬　374

か

咳嗽　307
回転性めまい　99
過活動膀胱　188
芽球　357
喀痰検査　326
下肢痛　261
下肢の浮腫　204
家族性高コレステロール血症　55
家族性低βリポ蛋白血症　64
喀血　114
カテーテルアブレーション　154, 159
化膿性関節炎　258
過敏性腸症候群　174
下腹部痛　238
花粉症　369
仮面高血圧　46
肝炎ウイルス　377
肝機能異常　275
眼球結膜　105
間欠性跛行　261
間欠熱　279
眼瞼結膜　105
肝硬変　18

肝細胞障害　18
カンジダ性口角炎　107
関節痛　279, 284
間接ビリルビン　134
関節リウマチ　254, 279, 282
感染性心内膜炎　172
甘草　208
肝膿瘍　299
肝不全　64
感冒症状　307
顔面浮腫　129

き

期外収縮　152
気管支喘息　308, 310
気胸　243
菊池病　127
気腫合併肺線維症　142
偽痛風　254, 258
喫煙者　142
気道出血　114
機能性ディスペプシア　161, 222
逆流性食道炎　250, 303
吸収不良症候群　171
急性胃炎　222
急性ウイルス感染症　362
急性肝炎　19
急性膵炎　234
急性胆管炎　232
急性胆嚢炎　232
急性虫垂炎　241
急性白血病　27
吸入ステロイド（ICS）　148
狭心症　250
胸痛　243
胸部X線　95, 325, 345, 355
胸膜炎　243

巨細胞性動脈炎　210, 255
起立性低血圧　100, 342
菌血症　254
緊張性頭痛　218

く

くも膜下出血　210
クリニカルシナリオ（CS）　140
くる病　89
群発頭痛　218

け

憩室炎　228, 233
痙性歩行　185
携帯型心電計　159
頸部血管雑音　47
頸部リンパ節腫大　126
劇症肝炎　19
結核　172, 325
血管炎　254
血管性認知症　338
血管浮腫　107
血球減少　357
血球貪食症候群　27
血球貪食性リンパ組織症　27
血小板減少症　23
血小板増多症　20
血漿リポ蛋白　61
血清カリウム値　75, 79
血清カルシウム値　83, 85
血清ナトリウム値　71
血清尿酸値　10
血清リン値　87, 89
血栓性血小板減少性紫斑病　23
結滞　152
血痰　114
血尿　8

結膜炎　104
結膜下出血　104
下痢　174, 182
幻視　338
倦怠感　300
原発性脂質異常症　55, 60
原発性胆汁性胆管炎　18

こ

抗GAD抗体　37, 42
口角炎　107
高カリウム血症　79
高カルシウム血症　47, 83
抗凝固療法　91
口腔乾燥　123
高血圧　46, 47, 51
　——緊急症　51, 52
　——切迫症　51
膠原病　279
　——関連疾患　117
抗コリン薬　213
高コレステロール血症　60
甲状腺機能亢進症　64, 155, 171, 348
甲状腺機能低下症　61, 351
甲状腺中毒症　348
口唇炎　107
口唇ヘルペス　107
巧緻運動障害　185
後頭神経痛　218
口内炎　366
高ナトリウム血症　74
高尿酸血症　10, 11
高リン血症　87
抗リン脂質抗体症候群　23
小刻み歩行　339
呼吸困難　94
黒色便　223

骨吸収マーカー　268
骨形成マーカー　268
骨髄異形成症候群　27, 357
骨髄炎　334
骨粗鬆症　267
骨軟化症　89
こむら返り　207
コレステロール値　69

さ

細菌感染症　362
サイトメガロウイルス（CMV）　275
嗄声　110
サルコイドーシス　345, 346
三叉神経－迷走神経反射　213
残尿感　290
残尿量測定法　189

し

次亜塩素酸　331
自己免疫性肝炎　18
脂質異常症　55, 63
市中肺炎　320
弛張熱　279
失神　100, 342
膝痛　258
シーハン症候群　300
しびれ　185
脂肪肝　18, 19
収縮期血圧　46, 51
消化管出血　31, 114
消化性潰瘍　222
上腸間膜動脈症候群　224
上腸間膜動脈塞栓症　182
上腹部痛　234
上部消化管内視鏡検査　118, 162
静脈洞血栓症　210

食後低血圧　342
食道がん　117
徐脈　85
腎盂腎炎　188, 290
腎炎　6
新型コロナウイルス感染症（COVID-19）
　　321, 331, 362
　　――肺炎　323
心窩部痛　161
心胸郭比増大　94
心筋梗塞　246
心筋トロポニン　244, 247
神経因性膀胱　188, 191, 192
神経性無食欲症　172
神経調節性失神　100
心原性失神　100, 102
腎後性腎不全　195
心室期外収縮（PVC）　152
心収縮力低下　85
心嚢液貯留　94
心破裂　246
心不全　94
　　――徴候　139, 155
腎不全　94, 138, 246
心房期外収縮（PAC）　152
心房細動　91, 94, 158
心膜炎　243
蕁麻疹　135

##

膵炎　234
水腎症　193
水痘・帯状疱疹ウイルス（VZV）　264
膵頭部がん　18
髄膜炎　215
髄膜刺激徴候　215
スタチン系薬　58

頭痛　210, 213, 215, 218
　──red flag sign　216

せ

性感染症　123
正常圧水頭症　196
成人スチル病　288, 289
声帯　110
咳喘息　308, 310
脊柱管狭窄症　185, 261
脊椎疾患のred flags　373
舌がん　123
摂食行動異常　172
舌苔　123
舌痛症　123
前胸部キャッチ症候群　243
潜在性甲状腺機能低下症　351
潜在性ビタミン欠乏症　274
全身性エリテマトーデス（SLE）　284
喘息　138, 149, 150
せん妄　338
前立腺炎　188
前立腺がん　192
前立腺肥大症　192

そ

造血器腫瘍　31
総合感冒薬　365
総胆管結石　18
足関節上腕血圧比（ABI）　262
側腹部痛　228
足部痛　261
組織崩壊　87

た

体位性起立頻脈症候群　156
対光反射減弱　213

体重減少　171
帯状疱疹　243, 264
大腿骨骨折　267
胆汁うっ滞　18
単純ヘルペスウイルス（HSV）　108
胆石　235
胆嚢炎　228, 232
蛋白過剰摂取　2
蛋白尿　2, 8

ち

恥骨上穿刺　193
致死的不整脈　246
虫垂炎　238
腸炎　182, 331
腸管感染症　182
蝶形紅斑　284
直接ビリルビン　134
チルト訓練　102
鎮痛薬　371

つ

椎骨動脈解離　210
椎体骨折　267
痛風　10, 258

て

低FODMAPダイエット　176
低アルブミン血症　68
低栄養　89
低カリウム血症　47, 75
低カルシウム血症　85
低コレステロール血症　64
低ナトリウム血症　71
低リン血症　89
テタニー　85
鉄欠乏性貧血　31, 357

手の震え　200
伝染性単核球症　275, 276, 363
転倒　196

と

動悸　158
動作緩慢　200
糖尿病　36, 41, 60, 171
洞頻脈　155
頭部虚血症状　255
特発性肺線維症　347
ドライマウス　123

な

内耳性めまい　98

に

二次性高コレステロール血症　60
尿ウロビリノゲン　134
尿細管リン再吸収閾値　88
尿細胞診　191
尿酸クリアランス　12
尿失禁　195
尿蛋白　2, 8
　──/尿クレアチニン比　3
尿閉　188, 192
認知症　338, 340

ね

熱けいれん　207
ネフローゼ症候群　6, 7, 62, 68, 205

の

ノイラミニダーゼ阻害薬　313
脳炎　215
脳血管障害　210
脳梗塞　98, 196

脳出血　98, 196
脳障害　185
脳脊髄液減少症　300
脳卒中　196
脳浮腫　71
ノロウイルス　329

は

肺炎球菌　321
肺がん　354
肺気腫　142
梅毒　377
排尿困難　192
排尿時痛　290
パーキンソニズム　339
パーキンソン症候群　200
パーキンソン病　196
白衣高血圧　46
拍動性腫瘤　164
橋本病　351
バージャー病　261
播種性血管内凝固症候群（DIC）　23
バセドウ病　348
発熱　296
はやり目　104
汎血球減少症　27

ひ

非アルコール性脂肪肝炎（NASH）　19
微小変化型ネフローゼ症候群　6
皮疹　284
ヒステリー球　303
ビタミンD　83, 85, 87
ビタミン欠乏症　272
非定型肺炎　316
ヒト免疫不全ウイルス（HIV）　275
腓腹筋けいれん　207

皮膚描記症　136
肥満　168
表在静脈　167
ビリルビン　134
ピロリ菌検査　15, 225
貧血　31, 33
頻尿　188, 290
頻拍　158
頻脈性不整脈　245

ふ

不安症　120
フィッシャー症候群　196
副甲状腺機能亢進症　83
副甲状腺機能低下症　85, 87
副腎不全　172
腹痛　182, 222, 228, 234, 238
副鼻腔炎　215
腹部アンギーナ　172
腹部大動脈瘤　164
腹壁の表在静脈　167
浮腫　129, 205
不整脈　152
浮動性めまい　99
ふらつき　196, 200, 300, 342
フレイル　144
プロトンポンプ阻害薬（PPI）　224

へ

閉塞性動脈硬化症　261
ペニシリンアレルギー　226
ヘパリン起因性血小板減少症　23
ペプシノゲン検査　15, 16
片頭痛　218
便秘　177

ほ

蜂窩織炎　332
膀胱炎　188, 290
膀胱刺激症状　188
膀胱直腸障害　185
歩行障害　200
発作性上室頻拍　158
発作性心房細動　348
発疹　135

ま

マイコプラズマ感染　316
マイコプラズマ抗原検査　317
膜性腎症　6
末梢神経障害　185
末梢神経伝導速度　186
末梢性めまい　98
末梢動脈疾患（PAD）　261
満月様顔貌　76
慢性甲状腺炎　351
慢性腎臓病（CKD）　87
慢性膵炎　234
慢性頭痛　218
慢性疼痛治療薬　374
慢性肉芽腫性疾患　83
慢性閉塞性肺疾患（COPD）　142, 308

む

無症候性細菌尿　291

め

メタボリックシンドローム　60
メデューサの頭　167
メトトレキサート関連リンパ増殖性疾患　128
めまい　98, 342
免疫性血小板減少症　24

も
毛様充血　213
モーニングアタック　369
もの盗られ妄想　338
ものわすれ　338

や
薬剤乱用頭痛　218

よ
溶血　31
腰痛　371

ら
ラムゼイ・ハント症候群　264

り
リウマチ性多発筋痛症（PMR）　254
リファンピシン耐性遺伝子検査　327
流行性角結膜炎　104
緑内障発作　213
リンパ節腫大　275

る
ループス腎炎　287

れ
レイノー現象　284
レビー小体型認知症　338
レム睡眠行動異常　338

ろ
肋間神経痛　243
肋骨脊柱角（CVA）叩打痛　290

本日の内科外来（改訂第2版）

2018年 3月 1日	第1版第1刷発行
2018年 8月30日	第1版第3刷発行
2023年 4月25日	第2版第1刷発行
2024年 4月10日	第2版第2刷発行

編集者 村川裕二
発行者 小立健太
発行所 株式会社 南 江 堂
〒113-8410 東京都文京区本郷三丁目42番6号
☎（出版）03-3811-7236 （営業）03-3811-7239
ホームページ https://www.nankodo.co.jp/
印刷・製本 真興社
装丁 渡邊真介

Today's Ambulatory Internal Medicine, 2nd Edition
©Nankodo Co., Ltd., 2023

定価はカバーに表示してあります．
落丁・乱丁の場合はお取り替えいたします．
ご意見・お問い合せはホームページまでお寄せください．

Printed and Bound in Japan
ISBN978-4-524-23424-0

本書の無断複製を禁じます．

JCOPY 〈出版者著作権管理機構 委託出版物〉
本書の無断複製は，著作権法上での例外を除き禁じられています．複製される場合は，そのつど事前に，出版者著作権管理機構（TEL 03-5244-5088, FAX 03-5244-5089, e-mail: info@jcopy.or.jp）の許諾を得てください．

本書の複製（複写，スキャン，デジタルデータ化等）を無許諾で行う行為は，著作権法上での限られた例外（「私的使用のための複製」等）を除き禁じられています．大学，病院，企業等の内部において，業務上使用する目的で上記の行為を行うことは私的使用には該当せず違法です．また私的使用であっても，代行業者等の第三者に依頼して上記の行為を行うことは違法です．

むかしの頭で診ていませんか？

"専門ではない"けれども"診る機会がある"全科医師におススメの一冊

日常診療において知っておくと便利なテーマや実地医家に関心の高いテーマを簡潔にまとめ、非専門医・初学者向けに「必要な情報」を「簡単な言葉」でスッキリまとめて提示。基本事項から日常診療のギモンにまで答え、最新のトピックもこれを読めば押さえられる、読み応え十分の一冊。

むかしの頭で診ていませんか？
総合内科診療をスッキリまとめました
内科外来の隙間を埋めます！

編集 髙橋重人／村川裕二
A5判・294頁 2021.5. ISBN978-4-524-22853-9 定価**4,180**円（本体3,800円＋税10％）

これまでのシリーズで取り扱っていないものの、一般内科・実地医科でよく診るテーマとして、「内科外来のメンタルヘルス」「不眠症と睡眠薬」「女性の訴え」「クリニックで使う漢方薬」など、36題を厳選して収載。

● 好評シリーズのご案内

各刊 A5判・定価4,180円（本体3,800円＋税10％）

むかしの頭で診ていませんか？
消化器診療をスッキリまとめました
編集 加藤直也
272頁 2020.11.
ISBN978-4-524-22603-0
✓何となくPPI使っていませんか？
✓好酸球性消化管疾患を知っていますか？
✓危ない脂肪肝もあります 他

むかしの頭で診ていませんか？
皮膚診療をスッキリまとめました
編集 林 伸和
232頁 2020.11.
ISBN978-4-524-22753-2
✓赤ら顔は病気？
✓花粉症と食物アレルギー
✓疥癬の患者さんが出た 他

むかしの頭で診ていませんか？
膠原病診療をスッキリまとめました
リウマチ、アレルギーも載ってます！
編集 三村俊英
254頁 2019.10.
ISBN978-4-524-24814-8
✓それはシェーグレン症候群
✓小児の膠原病はどこまで診ていい？
✓その咳は何の咳？ 他

むかしの頭で診ていませんか？
腎臓・高血圧診療をスッキリまとめました
編集 長田太助
224頁 2019.6.
ISBN978-4-524-24813-1
✓eGFRはGFRではありません
✓蛋白尿はなぜ悪い？
✓それは本当に腎実質性高血圧 他

むかしの頭で診ていませんか？
神経診療をスッキリまとめました
編集 宮嶋裕明
234頁 2019.6.
ISBN978-4-524-24891-9
✓それは緊急です［救急神経疾患］
✓麻痺がないのに動けない［パーキンソン病］ 他

むかしの頭で診ていませんか？
糖尿病診療をスッキリまとめました
編集 森 保道／大西由希子
246頁 2017.12.
ISBN978-4-524-25552-8
✓将来、糖尿病になりますか？
✓日本人ならではの食事療法
✓専門医に頼みたくなるとき 他

むかしの頭で診ていませんか？
呼吸器診療をスッキリまとめました
編集 滝澤 始
230頁 2017.11.
ISBN978-4-524-25114-8
✓肺結核は今どうなっているのでしょう？
✓肺癌検診にエビデンスはあるのか？
✓インフルエンザの治療薬の使い分け 他

むかしの頭で診ていませんか？
血液診療をスッキリまとめました
編集 神田善伸
210頁 2017.10.
ISBN978-4-524-25615-0
✓貧血の鑑別のアプローチは？
✓急性白血病？
✓腫瘍崩壊症候群の予防には 他

むかしの頭で診ていませんか？
循環器診療をスッキリまとめました
編集 村川裕二
248頁 2015.8.
ISBN978-4-524-25811-6
✓安定狭心症はどこへ消えた？
✓たこつぼ心筋症に出会うか？
✓足が腫れていたらどうするか？ 他